# LA MODERNA VICTIMOLOGÍA

# LA MODERNA VICTIMOLOGÍA

**Gerardo Landrove Díaz**
Catedrático de Derecho Penal

tirant lo blanch
Valencia, 1998

© TIRANT LO BLANCH
EDITA: TIRANT LO BLANCH
C/ Artes Gráficas, 14 - 46010 - Valencia
TELFS.: 96/361 00 48 - 50
FAX: 96/369 41 51
Email:tlb@vlc.servicom.es
http://www.tirant.com
DEPOSITO LEGAL: V - 3129 - 1998
I.S.B.N.: 84 - 8002 - 672 - 3
IMPRIME: GUADA LITOGRAFIA, S.L. - PMc

*"É morale che la società, dalla quale i buoni cittadini erano in diritto di esigere protezione, ripari agli effetti della mancata vigilanza»*

FRANCESCO CARRARA
*(Programma del Corso di Diritto criminale,* Pisa, 1859*).*

# Índice

## CAPÍTULO IV
### LOS PROGRAMAS DE ASISTENCIA, COMPENSACIÓN Y AUXILIO A LAS VÍCTIMAS DEL DELITO

## CAPÍTULO V
### EL MOVIMIENTO VICTIMOLÓGICO ESPAÑOL

## CAPÍTULO VI
### LA NORMATIVA ESPAÑOLA DE AYUDAS Y ASISTENCIA A LAS VÍCTIMAS

## CAPÍTULO VII
## LA PROTECCIÓN DE LA VÍCTIMA-TESTIGO EN ESPAÑA

## CAPÍTULO VIII
## LA INDEMNIZACIÓN A LAS VÍCTIMAS DEL TERRORISMO EN ESPAÑA

## CAPÍTULO IX
## LAS VÍCTIMAS Y EL SISTEMA PENAL ESPAÑOL

*CAPÍTULO X*
**LA VICTIMIZACIÓN DEL DELINCUENTE**

**APÉNDICE NORMATIVO**

# *Prólogo*

Desde hace aproximadamente una decena de años, se percibe en nuestro país —y a muy diversos niveles— una creciente preocupación por las víctimas de los hechos criminales. Es un tema de moda que han abordado muy cualificados profesionales y algún que otro *dilettante*. La problemática no es nueva, pero sí algunos aspectos de este redescubrimiento de las víctimas, después de tantos años de neutralización legal y científica de las mismas.

En efecto, a las pioneras aportaciones de VON HENTIG o MENDELSOHN ha sucedido una especie de victimocentrismo que no se conforma ya con el examen de la interacción victimario-víctima, la elaboración de tipologías victimales o el impulso de programas indemnizatorios por los daños derivados del delito; se pretende consolidar una Política criminal orientada a la víctima y, en definitiva, un replanteamiento de la justicia penal en su conjunto. La propia dogmática jurídico-penal y, también, la nunca clausurada polémica sobre los fines de la pena han resultado alcanzadas por tales pretensiones. Surge así la Victimodogmática —con especial significado en Alemania— y la reparación del daño concebida como pena o como sustitutivo de la misma.

La evidente crisis de legitimación que sufre hoy el Derecho penal "convencional" ha propiciado, en no escasa medida, la difusión de nuevos modelos de intervención social menos formalizados y, pretendidamente, más eficaces. El auge de la mediación o conciliación víctima-ofensor para hacer posible un acuerdo de contenido reparador, de progenie claramente victimológica, es buena prueba de ello. Se trata así de evitar el proceso penal o —al menos— las sanciones de esta naturaleza, sobre todo las desacreditadas penas privativas de libertad. Los riesgos que para insoslayables garantías ciudadanas pueden suponer tales planteamientos no son desdeñables.

Paralelamente, el actual movimiento victimológico —con la decidida colaboración de instancias internacionales— sigue impulsando la elaboración de programas de asistencia, compensación y auxilio a las víctimas del delito. Cada vez es más amplio el elenco de países que, con mayor o menor generosidad, se hacen eco de tan pragmática y solidaria iniciativa. Con notable retraso y demasiadas restricciones, el nuestro ha abordado tal empresa legislativa, propia de un Estado que se pretende "social" y democrático de Derecho; en esta obra se ofrece, también, una visión panorámica de la misma.

Como es sabido, durante demasiados años sólo ha existido en España una normativa reguladora de las indemnizaciones a las víctimas de delitos terroristas; limitándose, en un primer momento, el resarcimiento estatal a los daños y perjuicios corporales causados como consecuencia o con ocasión de los delitos aludidos. La progresiva ampliación de criterio tan restrictivo culminó con la aprobación, por *Real Decreto de 18 de julio de 1997,* del Reglamento de ayudas y resarcimientos a las víctimas de delitos de terrorismo. Desde entonces se ha mejorado este tipo de ayudas, revalorizándose las prestaciones a percibir, extendiéndolas a los daños materiales e impulsándose —además— una asistencia integral personalizada a tales víctimas.

Con la promulgación en nuestro país de la *Ley de 11 de diciembre de 1995,* de ayudas y asistencia a las víctimas de delitos violentos y contra la libertad sexual, se ha pretendido una cierta generalización de planteamientos que hasta entonces —como queda dicho— sólo habían incidido en la impiadosa delincuencia terrorista. En cualquier caso, no resultó fácil la empresa de incorporar a España al grupo, siempre creciente, de países que gozan de una normativa semejante; las limitaciones de signo económico o la falta de voluntad política determinaron en años anteriores el naufragio de varios textos prelegislativos elaborados al respecto. El sistema de ayudas públicas —más restrictivo que generoso— se prevé fundamentalmente en beneficio de las víctimas directas e indirectas de los delitos dolosos y violentos, cometidos en España, con resultado de muerte o lesiones corporales graves o de daños graves en la salud física o mental. La vertiente asistencial de la ley cristaliza en la atención psicológica y social a las víctimas de delitos de todo tipo, a través de unas oficinas de asistencia a las víctimas que iniciaron su andadura en nuestro país, en 1985, con la pionera aportación valenciana. El Reglamento de 23 de mayo de 1997 desarrolla las previsiones de tan esperada normativa.

En otro orden de cosas, pero siempre como reflejo de la aludida preocupación victimológica, cabe destacar que ya la *Ley Orgánica de 23 de diciembre de 1994,* de protección a testigos y peritos en causas criminales, fue promulgada para eliminar los retraimientos o inhibiciones —el miedo, en definitiva— de no pocos ciudadanos a colaborar con la justicia en determinadas causas penales por el temor a sufrir represalias. Con demasiada frecuencia, y sobre todo en los casos de delincuencia organizada, la víctima-testigo se encuentra en tan conflictiva situación, sufriendo por ello una reduplicada victimización. Las medidas de protección allí previstas no difieren de las contenidas en ordenamientos foráneos y responden, también, a un paralelo esfuerzo legislativo por evitar la violación de principios propios del proceso criminal. En estos casos, empero, la asistencia prestada a las víctimas no es totalmente desinteresada; está en juego la fiabilidad de su testimonio y, en último término, la calidad del procedimiento.

En España —como en todos los países— el Código penal ha prestado siempre una cierta atención a la situación o comportamiento de las víctimas: en la fase previa al hecho criminal, durante su ejecución y, también, con posterioridad a la consumación; además, la regulación de la responsabilidad civil derivada de la infracción penal, y de las medidas arbitradas para hacerla efectiva, se ha orientado a la protección de las personas victimizadas. Preocupación victimal a la que, naturalmente, no es ajeno el Código de 1995; ese mediocre y escasamente democrático texto que —en mi opinión— sólo puede despertar entusiasmos interesados. Es cierto que se han incorporado algunas innovaciones de claro signo victimológico y que nuestro legislador ha recurrido a la expresión "víctima" con frecuencia inédita en la normativa anterior, pero las novedades al respecto parecen haber frustrado las expectativas de los más recalcitrantes victimólogos. En cualquier caso, he tratado de bosquejar, al menos, el repertorio legal de incentivos previstos para el delincuente y que se orientan a la protección de sus víctimas, la relevancia jurídica de ciertas vulnerabilidades específicas o la trascendencia de algunos comportamientos y actitudes de la víctima, previos, coetáneos o posteriores al hecho delictivo.

También dedico especial atención en esta obra a los aspectos menos confesables y, por ello, menos confesados de la victimización: la denominada *secundaria,* es decir, la derivada de las frustrantes relaciones de la víctima con el aparato represivo estatal, y la *terciaria,* que sufre —precisamente— el delincuente, sobre todo cuando pertenece a los sectores marginales de nuestra ciudadanía. Otros victimarios siguen, como siempre, disfrutando una impunidad que favorecen algunos jueces con su genuflexa actitud ante el poder político o económico; como puede leerse en el Talmud, "desdichada la generación cuyos jueces merecen ser juzgados".

Finalmente, quiero hacer público mi agradecimiento al Licenciado Lorenzo Peñas Roldán, becario en el Área de Derecho penal de Universidad murciana, por la generosidad y competencia de su ayuda en mi desigual lucha contra esos modernos y desafiantes molinos de viento que se enmascaran bajo la inocua apariencia de un ordenador. Sin su juvenil y entusiasta colaboración este libro hubiese dilatado su aparición en varios meses o vagaría —al menos en parte— por esas misteriosas galaxias que nada tienen que ver con la del viejo Gutenberg.

*Capítulo I*
# El nacimiento de la victimología

## I. DETERMINACIONES PREVIAS

El problematismo de la Victimología se manifiesta ya respecto de su propia denominación[1]. Tal fórmula supone —como se verá más adelante— un neologismo aparecido a finales de la década de los años cuarenta del siglo XX y que fue utilizado por vez primera en lengua inglesa (*Victomology*) y francesa (*Victimologie*) como contrapuesto a *Criminology* y *Criminologie*.

La utilización en castellano del vocablo Victimología como traducción literal no parece plantear mayores problemas ni reticencias semánticas y, en efecto, goza hoy de una amplia difusión. Sin embargo, y por motivos nunca explicados JIMÉNEZ DE ASÚA prefirió siempre la expresión Victimiología[2]. Rótulo que limitadamente aceptaron y difundieron algunos discípulos del más ilustre penalista español de todos los tiempos[3]. Cuestión a la que —por supuesto— no cabe atribuir mayor trascendencia; lo realmente decisivo es el acuerdo sobre el contenido que se atribuye a esta nueva orientación científica y no la simple querella terminológica.

En cualquier caso, hay que subrayar los notables esfuerzos realizados desde el ámbito de la Victimología para alcanzar una terminología

---

[1]    Cfr.: G. LANDROVE DÍAZ, *Victimología*, Tirant lo Blanch, Valencia, 1990, pág. 19.

[2]    Vid. por ejemplo: L. JIMÉNEZ DE ASÚA, *La llamada Victimiología, en Estudios de Derecho penal y Criminología,* I, Bibliográfica Omeba, Buenos Aires, 1961, págs. 19 y s.s.

[3]    Vid.: M. O. ITURBE, *Victimiología. Nuevo enfoque criminológico de la víctima del delito,* en *Revista penal y penitenciaria,* 1958, págs. 199 y s.s.; M. DE RIVACOBA, *Elementos de Criminología,* EDEVAL, Valparaíso, 1982, págs. 251 y s.s. Incluso ha llegado a hablarse de *Victimiología o Victomología;* tal es el título del artículo publicado por M.A. HERRERA en la *Revista de Derecho penal y Criminología* de 1970, págs. 215 y s.s.

propia. Con ello, se trata de reafirmar la propia identidad y de conseguir un lugar en el conjunto de las disciplinas científicas ya consolidadas. Así, se utilizan términos como victimización, victimario, victimizable, victimal, victimógeno, victimizar, victimizante, victimización secundaria o terciaria, etc. Obviamente, muchos de estos vocablos son neologismos no localizables en los diccionarios clásicos ni —a veces— en los especializados. En no pocas ocasiones son fruto de traducciones en exceso literales y, por ello, no siempre correctas. En la modernidad de la propia Victimología y en el vertiginoso desarrollo experimentado por la misma en los últimos tiempos han encontrado justificación las posibles incorrecciones terminológicas[4].

La Victimología se definió en el I Symposio Internacional celebrado en Jerusalén (1973) como "el estudio científico de las víctimas". A lo que inmediatamente se añade la referencia a la especial atención que merecen los problemas de las víctimas del delito.

Sin embargo, resulta incuestionable que el término Victimología no es objeto en la hora actual de una interpretación pacífica: es, sobre todo, una noción manejable y práctica que sirve para agrupar un conjunto de saberes, problemas y métodos de investigación de origen bien reciente.

En la primera monografía publicada en Italia sobre esta especialidad, caracterizó GULOTTA[5] la Victimología como "la disciplina que tiene por objeto el estudio de la víctima de un delito, de su personalidad, de sus características biológicas, psicológicas, morales, sociales y culturales, de sus relaciones con el delincuente y del papel que ha desempeñado en la génesis del delito".

Se trata, pues, de un movimiento científico de moderna aparición que focaliza su atención en la gran olvidada por la ciencias penales y criminológicas: la víctima y sus dificultades, necesidades y derechos[6]. Sin embargo, no tiene exclusivamente una finalidad humanitaria orientada —por ejemplo— a la implantación de sistemas estatales de compensación y ayuda a las víctimas del delito. La explicación y prevención son incompletas si se prescinde, como se ha hecho tradicionalmente, del estudio de la víctima.

---

[4]   En este sentido, vid.: L. RODRÍGUEZ MANZANERA, *Victimología. Estudio de la víctima*, Editorial Porrúa, S.A., México, 1988, pág. 67.
[5]   Cfr.: G. GULOTTA, *La vittima*, Giuffré, Varese, 1976, pág. 9.
[6]   M.P. DE LIEGE, *Victimes, Victimologie, la situation française*, en *Revue de science criminelle et de Droit pénal comparé*, 1987, pág. 757.

De la misma forma que a finales del siglo pasado irrumpió con espectacularidad l'*uomo delinquente* en el ámbito científico, hoy lo hace la figura de su víctima. Además, y aunque la sociedad tecnológica de la postmodernidad haya subrayado con exageración que el delito significa un atentado contra el Estado, conviene no olvidar la agresión inmediata que el mismo supone para las personas individuales y para los grupos sociales[7].

En definitiva, se atribuye a la Victimología el objetivo de desarrollar, a través del estudio en profundidad de la víctima, un conjunto de reglas generales y de principios comunes que contribuyan al progreso y evolución de las ciencias criminológicas y jurídicas, facilitando la comprensión del fenómeno criminal, de la dinámica criminógena y de la personalidad del delincuente[8].

A pesar de que la Victimología se ocupó en sus orígenes, fundamentalmente, de estudiar las relaciones entre el delincuente y la víctima, muy pronto habría de alcanzarse una ampliación de sus objetivos. Su atención se centra en muy diversas cuestiones que han sido esquematizadas en los siguientes términos[9]:

1) El estudio del papel desempeñado por las víctimas en el desencadenamiento del hecho criminal.

2) La problemática de la asistencia jurídica, moral y terapéutica a las víctimas.

3) La indagación de los temores profundamente sentidos en determinados grupos sociales a la victimización.

4) El exámen de la criminalidad real, a través de los informes facilitados por las víctimas de delitos no perseguidos.

5) Subrayar la importancia de la víctima dentro de los mecanismos de reacción de la justicia punitiva y de determinación de las penas.

---

[7]   Vid.: A. BERISTAIN IPIÑA, *Proyecto de declaración sobre justicia y asistencia a las víctimas*, en *Estudios de Derecho penal en homenaje al Profesor Luis Jiménez de Asúa*, Revista de la Facultad de Derecho, Universidad Complutense, monográfico 11, Madrid, 1986, pág. 119.

[8]   En parecidos términos, vid.: E.A. FATTAH, *La Victimologie: Qu'est-elle, et quel est son avenir?*, en *Revue internationale de Criminologie et de Police technique*, 1967, pág. 113.

[9]   Vid.: CH. N. ROBERT, *La victimologie, victime des postulats criminologiques et sociologiques*, en *Schweizerische Zeitschrift für Strafrecht*, 1979, pág. 228 y s.

6) Ocuparse del exámen y propiciar la elaboración de las disposiciones legales que permitan a las víctimas obtener una indemnización por los daños derivados del hecho delictivo.

Incluso, y desde hace no demasiado tiempo, se habla —fundamentalmente en la doctrina alemana— de una *Viktimodogmatik* que abordaría el análisis de la incidencia de planteamientos de esta naturaleza en el ámbito de la teoría jurídica del delito. Victimodogmática que, al menos en cierta medida, pretende una reinterpretación de la dogmática jurídico-penal con base en concretos principios victimológicos y que sólo ha encontrado un limitado eco en nuestro país.

## II. LA NEUTRALIZACIÓN DE LAS VÍCTIMAS

Todo parece discutible y discutido con relación a la Victimología: su origen, su denominación, su independencia científica, su contenido, incluso su utilidad. El nacimiento de la misma se vincula a la preocupación de algunos cultivadores de la Criminología y de la Sociología criminal por la víctima del delito, su personalidad y, sobre todo, por su relación con el delincuente. En cualquier caso, constituye —sin duda— la más moderna de las disciplinas científicas que se ocupan del fenómeno criminal.

Como subraya GARCÍA-PABLOS, hasta la consolidación de la Victimología la víctima había sufrido el más absoluto desprecio por parte del Derecho penal y procesal, la Política criminal y la Criminología; la víctima, en el mejor de los casos, inspiraba solamente compasión[10]. Con cierta crudeza, ha llegado a esquematizarse esta situación en los siguientes términos: en un supuesto de homicidio, por ejemplo, la opinión pública exige la reacción penal frente al que ha turbado el orden social y puede, además, lesionarlo en el futuro; la víctima no plantea problema alguno, basta con enterrarla[11].

En efecto, el Derecho penal ha estado —y en cierta medida está— unilateralmente orientado hacia el delincuente; la situación de la

---

[10]  Cfr.: A. GARCÍA-PABLOS DE MOLINA, *Manual de Criminología,* Espasa Universidad, Madrid, 1988, pág. 76.

[11]  Cfr.: S.C. VERSELE, *Appunti di Diritto e di Criminologia con riguardo alle "vittime" dei delitti, en La Scuola positiva,* 1962, pág. 594.

víctima es puramente marginal, cuando no limitada a la participación como testigo en el esclarecimiento de los hechos. Incluso, como testigo se convierte en destinatario de serias obligaciones y de muy pocos derechos.

Esta *neutralización* de la víctima no es casual; como destaca HASSEMER[12], el Derecho penal estatal surge —precisamente— con la neutralización de la víctima. En momentos históricos anteriores la justicia punitiva se realizaba, precisamente, por medio de la víctima[13]; es decir, por la persona que no sólo sufría el delito, sino que —también— se vengaba de su agresor[14].

La concepción de la pena como garantía de un orden colectivo cuyo mantenimiento corresponde al Estado no aparece, lógicamente, hasta el siglo XVIII. El *ius puniendi* estatal supone —sobre todo— el enjuiciamiento de los delitos desde el punto de vista de la colectividad, superándose toda idea de odio o venganza contra el delincuente[15]. Como es sabido, con anterioridad el castigo de los actos criminales se llevaba a cabo mediante la venganza privada. En la administración de la justicia penal, la víctima o sus allegados desempeñaban un papel protagonista y socialmente tolerado. Así concebida la reacción penal, su crueldad se aminoró con el paso de los tiempos e instituciones que hoy pueden parecer salvajes y primitivas, como el Talión, supusieron —en realidad— serios intentos de superar criterios anteriores para los que la aplicación de la pena se hacía en forma absolutamente arbitraria por las propias víctimas.

En determinados momentos históricos, y sobre todo en los ordenamientos de raíz germánica, coexistía con la venganza un sistema de *composiciones* —en dinero o bienes— que negociaban el ofendido y el agresor, o sus respectivas familias[16]. Así, los parientes de la víctima tenían la obligación de vengar la muerte de ésta, con la muerte de su

---

[12]   Vid.: W. HASSEMER, *Fundamentos del Derecho penal*, Bosch, Barcelona, 1984, págs. 92 y s.s. En términos semejantes: W. HASSEMER y F. MUÑOZ CONDE, *Introducción a la Criminología y al Derecho penal*, Tirant lo Blanch, Valencia, 1989, pág. 29.

[13]   Vid.: D. KRAUSS, *La vittima del reato nel processo penale*, en *Dei delitti e delle pene*, 1983, págs. 283 y s.s.

[14]   Cfr.: F. ALT-MAES, *Le concept de victime en droit civil et en droit pénal*, en *Revue de science criminelle et de Droit pénal comparé*, 1994, pág. 35.

[15]   Vid. G. LANDROVE DÍAZ, *Las consecuencias jurídicas del delito,* cuarta edición, Tecnos, Madrid, 1996, pág. 16.

[16]   Vid.: J.M. CARBASSE, *Introduction historique au Droit pénal*, PUF, Paris, 1990, fundamentalmente págs. 239 y s.s.

agresor o a través del cobro de una determinada suma que se repartían entre sí. La evolución posterior de este *Kompositionensystem* terminó por atribuirle carácter judicial: los jueces —y no las víctimas o sus parientes— eran los que determinaban las sumas compensatorias procedentes en cada caso concreto y de acuerdo con unas tarifas minuciosamente regladas.

A partir del momento en que el Estado monopoliza la reacción penal, es decir, desde que se prohibe a las víctimas castigar las lesiones de sus intereses, el papel de las mismas se va difuminando hasta casi desaparecer. Incluso instituciones tan obvias como la legítima defensa aparecen hoy minuciosamente regladas: la víctima de un ataque antijurídico puede defenderse —en ocasiones con grave daño de su agresor— pero la ley impone el respeto de ciertos límites que, rebasados, acarrean indefectiblemente responsabilidad criminal.

Entre los objetos de estudio de la Escuela clásica (delito, pena y procedimiento) y de la positiva (el delincuente, sobre todo) no se hace un lugar a las víctimas; las alusiones a las mismas tienen un carácter simplemente incidental y están vinculadas, casi siempre, a la problemática de la responsabilidad civil dimanante del delito. Tampoco fue más explícita en la materia la orientación correccionalista, ampliamente difundida en España y obsesionada por la mejora y recuperación social de los delincuentes. Y este abandono habría de durar hasta bien entrado el siglo XX, tanto desde la especulación criminológica como desde la jurídico-penal. Sin embargo, este tardío interés por la víctima se enfrenta hoy con un riesgo evidente: no puede sustituirse el *culto al delincuente* por el *culto a la víctima;* la persona ofendida por el delito no puede ser ignorada pero, tampoco, ser convertida —porque no lo es— en el protagonista exclusivo del hecho criminal. Por ello, las versiones más razonables del actual movimiento victimológico no contraponen los derechos del delincuente y los derechos de la víctima: se limitan a reclamar para la persona victimizada el protagonismo que ésta merece en la explicación del hecho criminal, en su prevención y en la respuesta del sistema legal[17].

En cualquier caso, el nulo protagonismo de la víctima a partir de un determinado momento histórico y el abandono de la misma a su suerte,

---

[17]    Vid.: GARCÍA-PABLOS, *Hacia una "redefinición" del "rol" de la víctima en la Criminología y en el sistema legal,* en *Estudios penales en memoria del Profesor Agustín Fernández Albor,* Universidad de Santiago de Compostela, 1989, pág. 326.

sobre todo en el plano económico, no significa que todos los juristas ignorasen la relevancia que —en ocasiones— tiene la conducta de las víctimas en la etiología del fenómeno criminal y olvidasen la conveniencia de construir razonables mecanismos de reparación al respecto.

Por ejemplo, ya CARRARA —el más cualificado representante de la Escuela clásica italiana— se pronunció inequívocamente sobre la justicia y la utilidad de la que él denominó *reparación subsidiaria,* que venía constituida por una Caja pública engrosada con las multas pagadas por los delincuentes y a la que se recurriría para indemnizar a los lesionados el daño sufrido por un delito cometido por persona insolvente. No es moral —justificaba el maestro de Pisa— que los gobiernos se enriquezcan con el importe de las multas impuestas por delitos que no han sabido evitar; es moral, por el contrario, que la sociedad, de la que los buenos ciudadanos tienen el derecho a exigir protección, repare los efectos de la fracasada vigilancia[18]. Incluso, menciona CARRARA las precisiones del Código penal toscano, de 1786, cuyo art. 46 había previsto la creación de una caja —financiada por el importe de las penas pecuniarias— que debería servir para "indemnizar a todos aquellos que, dañados por delitos ajenos, no puedan obtener el resarcimiento del delincuente del cual les haya derivado el daño, por falta de patrimonio o por fuga"; precepto que no pasó de ser una loable declaración de principios, sin eficacia práctica alguna.

Al margen de que sus preocupaciones fundamentales caminasen por otros derroteros, alguno de los miembros de la Escuela positiva prestó —también— cierta atención a esta problemática. Tal es el caso, por ejemplo, de GAROFALO; autor, en 1887, de la obra *Riparazione alle vittime del delitto*[19].

Ya en 1895, pronunció PRINS en el Congreso Penitenciario de París unas palabras —plenas de sarcasmo y muchas veces reproducidas— de denuncia por el desigual trato que el Estado reserva para los protagonistas del delito: "el hombre culpable, alojado, alimentado, calentado, alumbrado, entretenido, a expensas del Estado en una celda modelo, salido de ella con una suma de dinero legítimamente ganada, ha pagado

---

[18]   Cfr.: F. CARRARA, *Programma del Corso di Diritto criminale*. Parte generale, vol. I, decima edizione, Firenze, 1907, pág. 493.
[19]   Esta obra de R. GAROFALO, traducida por P. DORADO MONTERO bajo el título *Indemnización a las víctimas del delito* (La España Moderna, Madrid, s.f.) gozó de cierta difusión en nuestro país.

su deuda con la sociedad... pero la víctima tiene su consuelo, puede pensar que con los impuestos que paga al Estado ha contribuido al cuidado paternal que ha tenido el criminal durante su permanencia en la prisión".

En las páginas que se dedican al exámen de la problemática de las víctimas en España tendré oportunidad de poner de relieve la existencia —incluso a nivel legislativo pero con nula trascendencia práctica en su momento— de algunos antecedentes nacionales muy lejanos en el tiempo que justifican, matizadamente, las argumentaciones que ponen en tela de juicio la modernidad de la cuestión victimológica.

Por otro lado, se han ofrecido muy sugestivas explicaciones de la tradicional marginación de las víctimas, tanto en el ámbito legislativo como en el de la literatura científica[20]: el colectivo social demuestra siempre más interés por el criminal que por sus víctimas, en función del temor que inspira, despierta sentimientos morbosos de curiosidad; algunos criminales pasan a la historia, sus víctimas caen rápidamente en el olvido, salvo en los supuestos de magnicidio o por otro tipo de insólitas razones. Ha llegado a afirmarse que es más fácil la identificación —consciente o inconsciente— con el delincuente que con la víctima, precisamente porque aquél se representa como un sujeto sin inhibiciones que cuando desea algo se atreve a llevarlo a cabo, sin importarle la norma, la sociedad o los derechos de la víctima; por el contrario, no hay identificación con las víctimas, nadie quiere convertirse en una de ellas. Incluso, se explica la falta de atención del Estado por las víctimas en base de que la existencia de éstas subraya —en no escasa medida— el fracaso del sistema en orden a la protección y tutela de los intereses colectivos. Todo ello al margen —por supuesto— de que hay ciertas víctimas que desde la óptica del poder hay que dejar en el olvido porque pueden representar un notable costo político: las víctimas de la injusticia social, de la marginación, de la violación de los derechos humanos, del abuso de poder, de la segregación racial o religiosa, de la delincuencia de cuello blanco, etc.

En otro orden de cosas, la formulación en el ámbito de la ciencia jurídico-penal del concepto de bien jurídico —o contenido sustancial del delito— contribuyó a la objetivación de esta problemática, al distanciamiento de las víctimas del protagonismo en la aplicación de la justicia

---

[20] Vid.: RODRÍGUEZ MANZANERA, *Victimología. Estudio de la víctima*, cit., pág. 4 y s.

punitiva. Al menos en cierta medida, se *despersonalizó* la agresión criminal para convertirse en un atentado contra valores de contenido abstracto, cuya protección corresponde al Estado. Como ha subrayado ESER, se hizo así de la víctima de la infracción penal —también— una víctima de la teoría jurídica del delito[21].

Años más tarde, cuando surge la noción de los derechos humanos y su protección, se presta especial atención a los mismos en función de la persona del delincuente. De ello derivó una casi monocorde protección del mismo a lo largo del procedimiento criminal. Durante mucho tiempo, la víctima habría de permanecer ignorada por planteamientos de esta naturaleza; al menos hasta que se produce —con una dimensión claramente expansiva— el movimiento victimológico o de redescubrimiento de las víctimas.

## III. LOS ORÍGENES DEL MOVIMIENTO VICTIMOLÓGICO

Naturalmente, cuando se alude al papel de las víctimas en general se está abordando un tema tan antiguo como la propia Humanidad[22], presente en todas las civilizaciones y religiones y ampliamente documentado en los clásicos y aun en el folclore de cada país; sin embargo, la aproximación científica al mismo no se produce hasta después de la segunda guerra mundial, en coincidencia cronológica con otras aportaciones que en el futuro habrían de alcanzar cierta relevancia y difusión[23]. Nos encontramos, pues, ante una *junge Wissenschaft,* en expresión de SCHNEIDER[24].

---

[21]  Cfr.: A. ESER, *Bene giuridico e vittima del reato: prevalenza dell'uno sull'altra ? Riflessioni sui rapporti tra bene giuridico e vittima del reato,* en *Rivista italiana di Diritto e procedura penale,* 1997, pág. 1079.

[22]  Cfr.: I. DRAPKIN, *El Derecho de las víctimas,* en *Anuario de Derecho penal y Ciencias penales,* 1980, pág. 367.

[23]  Coincidencia histórica que ha subrayado el propio M. ANCEL: *La Défense sociale devant le probléme de la victime,* en *Revue de science criminelle et de Droit pénal comparé,* 1978, pág. 181. En términos semejantes, el mismo autor: *Le probléme de la victime dans le Droit pénal positif et la Politique criminelle moderne,* en *Revue internationale de Criminologie et de Police technique,* 1980, págs. 133 y s.s.

[24]  Cfr.: H.J. SCHNEIDER, *Kriminologie,* Walter de Gruyter, Berlin-New York, 1987, pág. 787.

Entre los pioneros de la nueva ciencia goza de generalizado reconocimiento H. VON HENTIG, criminólogo alemán exiliado en los Estados Unidos, hasta el punto de que una de sus obras más celebradas, aparecida a finales de la década de los años cuarenta, se considera el punto de partida de los estudios científicos sobre la víctima del delito[25]. Sin embargo, tan decisiva aportación no supuso un cambio de rumbo respecto del pensamiento criminológico tradicional. Se limitó a subrayar la necesidad de una más ambiciosa contemplación de la etiología criminal, de las causas del delito[26]. Matizó el hasta entonces indiscutido protagonismo del autor, trayendo a un primer plano su relación con la víctima (interacción delincuente-víctima) y configurando el concepto de la "pareja criminal". A partir de este momento se abre camino la idea de que muchos delitos son dificilmente explicables, o no lo son en absoluto, si no se tiene en cuenta la aludida relación autor-víctima, si no se contempla la conducta a veces cooperadora o, incluso, provocadora del sujeto pasivo, y todo ello determinado porque existen personas o colectivos que por sus específicas características soportan un alto riesgo de victimización. Consecuentemente, la determinación de en qué medida la víctima contribuye a la perpetración del delito se convirtió en una inquietante pregunta, hasta entonces sin adecuada respuesta.

En *The criminal and his victim* aborda VON HENTIG la primera clasificación general de las víctimas y un estudio de los tipos psicológicos de las mismas. Presta especial atención a los menores, mujeres, ancianos, deficientes mentales, inmigrantes, etc. y a la actitud de la víctima frente a su agresor. Con posterioridad a esta obra, el ámbito de la Victimología se ha ampliado notablemente sobre todo en los campos sociológico y jurídico[27].

Ya en 1957, el propio VON HENTIG publica el tercer volumen de la serie sobre la Psicología criminal de los delitos en particular, dedicado a la estafa[28], e insiste en la clasificación de las víctimas (básicamente en

---

[25] Cfr.: H. VON HENTING, *The criminal and his victim,* Yale University Press, New Haven, 1948. En esta obra, el último capítulo se dedica —precisamente— al exámen de la contribución de la víctima a la génesis del delito.

[26] Cfr.: T. PETERS, *Consideraciones teóricas sobre la Victimología,* en EGUZKILORE, *Cuaderno del Instituto Vasco de Criminología,* nº 2, 1988, pág. 108.

[27] Vid. al respecto: H.F. ELLENBERGER, *Les origines biologiques de la victimologie,* en *Revue internationale de Criminologie et de Police technique,* 1986, pág. 373.

[28] Vid.: VON HENTING, *Zur Psychologie der Einzeldelikte,* III, *Der Betrug,* J. C. B. Mohr (Paul Siebeck), Tübingen, 1957. Existe versión española, bajo el título *Estudios de Psicología criminal,* III, *La estafa,* Espasa-Calpe, Madrid, segunda edición de 1964.

resistentes y cooperadoras) para prestar muy especial atención a la relevancia de su actuación en la mecánica de los delitos de estafa.

Otro de los pioneros es el israelita B. MENDELSOHN, abogado en Jerusalén y creador —precisamente— del vocablo Victimología[29]. Sus primeras aportaciones en la materia se producen, también, en los años cuarenta. Sobre todo, suele destacarse la célebre conferencia pronunciada, en marzo de 1947, en el Hospital Coltzea de Bucarest ante un auditorio de psiquiatras, psicoanalistas y forenses. A partir de entonces es autor de una serie de trabajos en los que, entre otras cuestiones, reivindica la paternidad de esta nueva orientación científica[30]; título que —con cierta acritud— le es negado por JIMÉNEZ DE ASÚA[31].

Como ha subrayado NEUMAN, el pensamiento de MENDELSOHN va mucho más allá que el del criminólogo alemán antes aludido[32]. Efectivamente, se ocupa de toda víctima y de todos los factores que provocan su existencia; afirma que la Victimología no debe interesarse sólo por las víctimas de los delitos sino también por las víctimas de las catástrofes naturales (inundaciones, terremotos, etc.) ya que el delictivo es sólo uno de los factores de la victimización. Planteamiento de amplitud desmesurada que pugna con la más extendida fisonomía que se atribuye a la Victimología, para vincularla al estudio de las víctimas y de la victimización relacionada con el fenómeno criminal. Parece evidente que la ampliación del concepto de víctima tiende, estratégicamente, a atribuir a la Victimología un papel más relevante que el de simple auxiliar de la Criminología[33].

También MENDELSOHN presta muy especial atención a la "pareja criminal", que contrapone a la "pareja delincuente" configurada por

---

[29] La primera utilización del término Victimología se ha atribuido, también, al psiquiatra norteamericano F. WERTHAM, (*The show of violence*, Doubleday, New York, 1949). En este sentido, vid.: FATTAH, *La Victimologie: Qu'est-elle, et quel est son avenir?*, cit. pág. 113.

[30] Vid. por ejemplo: B. MENDELSOHN, *Une nouvelle branche de la science bio-psycho-sociale: la Victimologie,* en *Revue internationale de Criminologie et de Police technique,* 1956, págs. 95 y s.s.; *La Victimologie, science actuelle,* en *Revue de Droit pénal et de Criminologie,* 1959, págs. 619 y s.s.; *La Victimologie et les besoins de la societé actuelle,* en *Revue internationale de Criminologie et de Police technique,* 1973, págs. 267 y s.s.

[31] Cfr.: JIMÉNEZ DE ASÚA, *La llamada Victimiología,* cit., fundamentalmente págs. 22 y s.s.

[32] Cfr.: E. NEUMAN, *Victimología,* Editorial Universidad, Buenos Aires, 1984, pág. 31.

[33] Vid. al respecto: H. GÖPPINGER, *Criminología,* Reus, S.A., Madrid, 1975, pág. 362.

SIGHELE; en ésta —afirma— existe una armonía constitucional (ambos son delincuentes); por el contrario, en aquélla concurre una radical desarmonía, sus elementos integrantes entran en conflicto. Además, destaca dos momentos perfectamente diferenciados en la relación de la "pareja criminal": en el primero —antes de la producción del hecho delictivo— ambos integrantes se atraen en sus relaciones sociales (caso de la estafa o del crimen pasional) o por lo menos son indiferentes (el conductor y su víctima en un delito imprudente o el ladrón y el despojado anónimo); en un segundo momento —después del delito— los miembros de la pareja son interdependientes pero antagónicos, con intereses en conflicto, lo que determina la apertura del procedimiento criminal.

En cualquier caso, tanto VON HENTIG como MENDELSOHN abordaron una clasificación de las víctimas en función de muy diversos criterios, pero siempre indagando sobre la interacción autor-víctima y los factores que determinan sus papeles respectivos.

Especialmente la clasificación de MENDELSOHN ofrece una "rica tipología victimaria"[34] que ha servido de base a la inmensa mayoría de las aportaciones posteriores. Puede esquematizarse en los siguientes términos:

1) *Víctima enteramente inocente* o *víctima ideal* es aquella que nada ha hecho para desencadenar la acción criminal que sufre. Es totalmente ajena a la actividad del delincuente.

2) La *víctima por ignorancia* da un impulso no deliberado al delito; irreflexivamente provoca su propia victimización al facilitar la actuación del agresor.

3) La *víctima provocadora* incita con su conducta al hecho criminal; su provocación es decisiva.

4) La *víctima voluntaria* evidencia aun más la colaboración con el victimario (eutanasia o pareja suicida).

5) Finalmente, la *víctima agresora* ofrece una doble fisonomía: de un lado, la *simuladora* (que acusa falsamente); de otro, la *imaginaria* (que inventa su propia condición de víctima, cuando no se ha producido la infracción).

Ya en 1984, NEUMAN recoge muchas de las aportaciones correctoras a que dio lugar la obra de MENDELSOHN e intenta una clasificación más

---

[34]	Cfr.: GARCÍA-PABLOS, *Manual de Criminología*, cit., pág. 81.

moderna y dinámica, cuya característica esencial —subraya— estriba en que no trata de ser exhaustiva[35]:

1) En primer lugar, alude a las víctimas *individuales* para distinguir entre las mismas aquellas que carecen de actitud victimal o —por el contrario— adoptan una actitud victimal culposa o dolosa.

2) En segundo término, menciona las víctimas *familiares* (niños y mujeres maltratadas y diversos delitos cometidos en el ámbito conyugal).

3) Entre las víctimas *colectivas* menciona la comunidad como nación (rebelión, sedición, etc.) la comunidad social (genocidio, delitos de cuello blanco, terrorismo de Estado, etc.) y determinados grupos sociales lesionados en sus derechos a través del propio sistema penal (tortura, excesos en materia de prisiones preventivas, existencia de leyes criminógenas, etc.).

4) Finalmente, califica de víctimas *sociales* a un conjunto de colectivos que el propio sistema social convierte en víctimas o en delincuentes (minusválidos, ancianos, marginados, minorías étnicas, raciales o religiosas, etc.).

## IV. LA FASE DE CONSOLIDACIÓN

A partir de las obras de VON HENTIG, MENDELSOHN y otros pioneros[36], la Victimología fue consolidándose como campo de investigación científica y muy pronto aparecieron obras preocupadas por las víctimas en general o por las específicas de algunos delitos concretos. Como ha esquematizado SANGRADOR[37], este progresivo interés por las víctimas fue acompañado y estimulado por una pluralidad de circunstancias:

---

[35]  Vid.: NEUMAN, *Victimología,* cit., págs. 69 y s.s.

[36]  De singular relevancia son las aportaciones de H.F. ELLENBERGER (*Relations psychologiques entre le criminel et la victime,* en *Revue internationale de Criminologie et de Police technique,* 1954, págs. 103 y s.s.) y H. SCHULTZ (*Kriminologische und strafrechtliche Bemerkungen zur Beziehung zwischen Täter und Opfer,* en *Schweizerische Zeitschrift für Strafrecht,* 1956, págs. 171 y s.s.)

[37]  Vid.: J.L. SANGRADOR, *La Victimología y el sistema jurídico penal,* en *Psicología social y sistema penal,* Alianza Universidad, Madrid, 1986, págs. 62 y s.s. En términos semejantes: A.Mª ROMERO COLOMA, *La víctima frente al sistema jurídico-penal: análisis y valoración,* Serlipost, Barcelona, 1994, págs. 22 y s.s.

En primer término, porque a finales de los años sesenta la Psicología social elaboró un conjunto de teorías que, en ocasiones, fueron utilizadas a la hora de explicar los datos aportados por las investigaciones victimológicas.

En segundo lugar, porque el interés por las víctimas y espectadores de delitos violentos, y los comportamientos solidarios o de abandono de estos últimos, generó un conjunto de interrogantes que los psicólogos sociales trataron de explicar en sus investigaciones sobre las conductas de ayuda. Algunos casos célebres desencadenaron planteamientos de este tipo. Por ejemplo, el muchas veces aludido de Kitty Genovese que fue asesinada —en los Estados Unidos— a la puerta de su casa por un individuo que tardó media hora en consumar el delito sin que ninguno de los vecinos presentes se moviese en su auxilio o llamase a la policía.

Además, el perfeccionamiento y la proliferación de las encuestas nacionales de victimización en algunos países permitieron obtener datos reales sobre la población victimizada, al margen de las estadísticas policiales. Los estudios criminológicos sobre la "cifra negra" han contribuido a crear un clima socio-político que aborda la problemática de la criminalidad desde el punto de vista de la víctima y que propicia la aparición de los movimientos en favor de las víctimas (victim movements)[38].

Finalmente, los movimientos feministas jugaron un papel decisivo al llamar la atención sobre la violencia específicamente dirigida contra la mujer (agresiones sexuales, malos tratos, etc.). Se elaboraron así programas de asistencia y se habilitaron centros para las víctimas de estos delitos, que no siempre son denunciados. Por otro lado, estas iniciativas atrajeron la atención sobre el grave problema social de los niños maltratados.

Paulatinamente, concluye SANGRADOR, "la Victimología fue adquiriendo carta de identidad y, como acontece con todo nuevo campo de investigación, trató de definir su identidad y sus límites, crear una terminología propia y, en definitiva, ganarse un lugar respetable entre el conjunto de disciplinas ya establecidas. A lo largo de la década de los setenta, la Victimología entró ya en un estado de cierta madurez, adquiriendo por entonces algunas de las características formales de una disciplina científica".

---

[38]  Cfr.: PETERS, *Consideraciones teóricas sobre la Victimologia*, cit., pág. 131.

La fase de consolidación se inicia con la celebración del I Symposio Internacional sobre Victimología (Jerusalén, 1973), al que muy pronto siguieron otros[39]. Ya en 1976 apareció una publicación periódica especializada (*Victimology* ), creándose en 1980 la Sociedad Internacional de Victimología. Como respuesta a estos planteamientos científicos, en las legislaciones de algunos países se fue dando cabida a programas de asistencia, compensación y auxilio a las víctimas del delito. Con ello, la Victimología ha alcanzado una madurez evidente, no sólo como ciencia social, sino también como fuente de ideas y de proyectos de naturaleza práctica[40].

El *I Symposio Internacional de Victimología,* celebrado en Jerusalén en 1973, atrajo la atención de especialistas de muy distinta procedencia y, sobre todo, obtuvo un reconocimiento internacional para la Victimología. Allí se decidió, además, que estas reuniones internacionales se celebrasen en el futuro —como así ha sido— cada tres años. Las discusiones fueron organizadas en cuatro secciones científicas: el estudio de la Victimología (concepto, definición de víctima, metodología, aspectos interdisciplinarios, etc.); la relación victimario-víctima (delitos patrimoniales, contra las personas, sexuales, etc.); sociedad y víctima, actitudes y políticas (prevención, resarcimiento, tratamiento, etc.).

El *II Symposio* tuvo lugar en Boston en 1976. En tres secciones se agruparon los temas a debatir: aspectos conceptuales y legales de la Victimología (concepto y finalidad, tipologías victimales, etc.); las relaciones victimales (la relación criminal-víctima y la policía, el delincuente político como víctima, etc.); la víctima y la sociedad (la compensación a la víctima del delito, victimización de la víctima por la sociedad, etc.).

El *III Symposio,* celebrado en Münster en 1979, se estructuró en diversas secciones y grupos de trabajo: en las primeras se trató, por ejemplo, la problemática del papel de las víctimas en el proceso de victimización o la situación de las mismas en el sistema judicial penal; en las mesas de trabajo se suscitaron, entre otras cuestiones, las relativas a la violencia en la familia y el examen de las víctimas de crimenes violentos durante el nacional-socialismo.

El *IV Symposio* se celebró en Japón, en las ciudades de Tokyo y Kioto en 1982. Además de las ya tradicionales cuestiones generales y

---

[39]   Vid. al respecto: SCHNEIDER, *Kriminologie,* cit., pág. 753 y s.
[40]   Vid.: A. RIVERA LLANO, *Victimología, Derecho penal y Cibernética,* en *Estudios de Derecho penal en memoria del Profesor Don Luis Zafra,* Cali, 1981, pág. 135.

metodológicas, se abordaron problemas hasta entonces inéditos (víctimas de la delincuencia de cuello blanco y de la contaminación) y se prestó especial atención a la asistencia, compensación y restitución y otros servicios a las víctimas.

El *V Symposio* tuvo lugar en Zagreb en 1985 y al mismo se incorporaron algunas cuestiones tratadas hasta entonces de forma simplemente incidental; por ejemplo, la problemática de las víctimas de los abusos de poder o la asistencia a las víctimas y prevención de la victimización en los ámbitos regional e internacional.

El *VI Symposio*, celebrado en Jerusalén en 1988, siguió una línea de consolidación de anteriores investigaciones, incidiendo —además— en el exámen de los programas de asistencia a las víctimas y en diversos aspectos concretos de la victimización (de ancianos, de mujeres, de menores, de homosexuales, etc.); también se abordó la problemática de las víctimas de catástrofes nucleares y ecológicas.

El *VII Symposio*, organizado en Río de Janeiro en 1991, se centró, fundamentalmente, no sólo en el intento de una aproximación interdisciplinaria a la Victimología, sino también en la configuración de la misma como una ciencia social con perfiles autónomos o —al menos— bien delineados.

El *VIII Symposio* tuvo por sede Australia; más concretamente Adelaida y se celebró en 1994, no suponiendo un cambio significativo respecto de las indagaciones victimológicas precedentes.

El *IX Symposio*[41] tuvo lugar en Amsterdam en 1997 y se dedicó, fundamentalmente, al análisis del delito como fenómeno social. Además, se trataron —desde perspectivas teóricas y prácticas— otros temas; por ejemplo, los derechos constitucionales de las víctimas del delito, la violencia doméstica y la victimización continuada o las iniciativas legislativas surgidas al respecto en la Europa del este. También se estudiaron las encuestas de victimización realizadas en casi medio centenar de países.

Todo ello sentado, hay que subrayar que el actual interés por la Victimología —que crece incontenible también en España— se debe,

---

[41]   Ya en abril de 1995 se había celebrado, en México, el quincuagésimo Curso Internacional de Criminología dedicado al tema *Justicia y atención a víctimas del delito*. Vid. La minuciosa información que G. PICCA facilita al respecto en la *Revue de science criminelle et de Droit pénal comparé* de 1995, págs. 667 y s.s.

fundamentalmente, a la superación de los tradicionales planteamientos jurídico-penales y criminológicos que centraban —como ya se indicó— toda su atención en el delincuente, con olvido de que éste no es el único que toma parte en ese drama que constituye siempre el delito. Además, y si bien hay que reconocer que no siempre en la etiología del delito es relevante la intervención de la víctima, que en ocasiones puede perfectamente ser sustituida por otra y que las víctimas accidentales nada aportan al nacimiento de la conducta delictiva, cuando se supera la inteligencia de que no es ésta una regla sin relevantes excepciones, se abre camino resueltamente la curiosidad científica no sólo por la víctima en cuanto elemento integrante de la pareja criminal sino también, y sobre todo, por su aportación a la dinámica del hecho delictivo, que —en ocasiones— puede resultar decisiva.

Como consecuencia de todo lo mencionado, la Victimología en su desenvolvimiento se ha preocupado preferentemente de las cuestiones siguientes: de las indemnizaciones a las víctimas de hechos delictivos, de la elaboración y ejecución de programas de ayuda y tratamiento a las mismas, de alcanzar una mejor comprensión del fenómeno criminal en función de la posible intervención de la víctima que puede matizar la responsabilidad del delincuente, del exámen de la predisposición victimal, en orden a una más fructífera prevención del crimen, y de la específica protección de las víctimas-testigo.

Interés por las víctimas —y por la Victimología— que se manifiesta tanto desde opciones conservadoras como progresistas[42]. Efectivamente, los conservadores insisten en que ha llegado la hora de prestar una atención prioritaria a la víctima y de reducir a sus justos términos la concedida a los delincuentes; por otro lado, desde ámbitos progresistas se denuncia, también, el tradicional desinterés por unas víctimas que —de igual forma que los delincuentes— en cifras significativas proceden de sectores sociales desfavorecidos, cuando no marginados, y que encuentran enormes dificultades para hacer frente a las muy diversas consecuencias nocivas que dimanan de su condición de víctima[43].

En definitiva, y al margen de otro tipo de valoraciones, parece haber llegado el momento de poner fin a la ironía, ya denunciada por

---

[42]    Cfr.: G. ARZT, *Viktimologie und Strafrecht,* en *Monatsschrift für Kriminologie und Strafrechtsreform,* 1984, pág. 119.

[43]    En términos semejantes, vid.: PETERS, *Consideraciones teóricas sobre la Victimología,* cit., pág. 114.

NORMANDEAU[44], que suponía convertir en destinatarios de todos los movimientos humanitarios a los delincuentes y prescindir de actitudes de signo semejante respecto de las víctimas. Bien entendido que en la moderna Victimología se manifiesta con cierta intensidad la preocupación por evitar la tentación maniquea de contraponer los derechos de la víctima a los derechos del delincuente[45].

En efecto, la tutela eficaz de los derechos de las víctimas ha de respetar escrupulosamente las garantías propias de un Estado de Derecho; se ha dicho —con razón[46]— que cualquier lectura "defensista" y, por ello, antigarantista de la Victimología no resultaría hoy de recibo.

# V. LA VICTIMOLOGÍA COMO DISCIPLINA CIENTÍFICA

La década de los años setenta es, sin duda, la de la consolidación de la Victimología. Empero, el camino recorrido no ha sido fácil. No han faltado las reticencias, incluso las oposiciones frontales, ante la "nueva ciencia" cuando ésta ha pretendido presentarse como una disciplina autónoma y paralela a la Criminología[47].

Este rechazo quizá sólo pueda sorprender a los desconocedores de los entresijos científicos, alcanzados muchas veces por pretensiones colonialistas. Es indudable que durante muchos años la víctima del delito ha sido ignorada por la especulación criminológica. El delincuente desempeñaba un indiscutido papel protagonista, explicándose el delito en función de las características de su autor; la víctima aparecía así como ese "objeto, neutro, pasivo, estático, fungible que nada aporta a la génesis del hecho criminal"[48]. La Criminología tradicional ha demostra-

---

[44]    Vid.: A. NORMANDEAU, *Compensation d'Etat aux victimes de la criminalité,* en *Revue internationale de Criminologie et de Police technique,* 1967, pág. 184.

[45]    Vid.: E. LARRAURI, *Victimología,* en la obra colectiva *De los delitos y de las víctimas,* ADHOC, Buenos Aires, 1992, pág. 284 y s.

[46]    Cfr.: GARCÍA-PABLOS, *Prólogo* a mi libro*Victimología* ya cit., pág. 11.

[47]    En la década de los años sesenta ya se había radicalizado la confrontación entre defensores y detractores de la independencia científica de la Victimología respecto de la Criminología. Vid. al respecto: F. R. PAASCH, *Problémes fondamentaux et situation de la Victimologie,* en *Revue internationale de Droit pénal,* 1967, fundamentalmente págs. 126 y s.s.; ROBERT, *La victimologie, victime des postulats criminologiques et sociologiques,* cit., págs. 225 y s.s.

[48]    Cfr.: GARCÍA-PABLOS, *Manual de Criminología,* cit., pág. 76.

do muy poco interés por la problemática de las víctimas. Sin embargo, cuando modernamente surge la Victimología con la vocación de llenar este vacío algunos criminólogos se resisten a su reconocimiento como ciencia independiente.

La Victimología, afirma LÓPEZ-REY, no es más que el residuo de una concepción superada de la criminalidad y de la Criminología. La Victimología —añade— significaría la existencia de victimólogos, "y cabe preguntarse cuál, aparte de una proliferación de disquisiciones, debería ser su cometido. ¿Sería el de prevenir o reeducar a toda posible víctima? El papel de la víctima, incluso respecto a su personalidad, ha sido ya en parte tenido en cuenta por los Códigos penales, especialmente en la formulación de ciertas agravantes y atenuantes. Las mismas, al igual que ciertas figuras delictivas, muestran que las víctimas pueden ser provocadoras, poco escrupulosas y otras cosas más, pero ¿justifica ello la erección de una disciplina nueva? ¿Puede tomarse en serio que, en todos los casos delictivos, se proceda al exámen psicológico y psiquiátrico de la víctima a fin de determinar la coactuación de su personalidad? Aun suponiendo que ello fuera económicamente hacedero, ¿se justificaría que las víctimas de los grandes agiotajes, contaminaciones, persecuciones políticas, de los torturadores, de una serie de depredaciones en tiempo de paz y guerra, de motines y algaradas, de secuestros de personas, pasajeros y demás, del contagio venéreo, envenenamiento o deformación como consecuencia de ingerir sustancias alimenticias, productos farmacéuticos, etc., las lesionadas como consecuencia de un serie de accidentes y otras muchas, fueran examinadas psicopsiquiátricamente? ¿Olvidan los que postulan la invención de la victimología que solo tienen en cuenta una pequeña parte de la criminalidad para justificarla y que el sistema de cajas de indemnización y compensación, que no es nada nuevo, pero que funciona ya en bastantes países, da resultados más rápidos y mejores que los que podrían aportar los victimólogos? Si ha de ser inventada una victimología, ¿por qué habría de reducirse sólo a lo criminal? ¿Sería necesario inventar una victimología civil, comercial, industrial y muchas más?"[49].

Para RIVACOBA, las inquisiciones y conocimientos victimológicos no constituyen otra cosa que un enfoque más de los varios que integran la Criminología, de particular interés en determinados delitos; caso, por

---

[49]   Cfr.: M. LÓPEZ-REY, *Criminología. Criminalidad y planificación de la Política criminal,* Aguilar, Madrid, 1978, págs. 145 y s.

ejemplo, de la violación o la estafa[50]. Por ello, etiqueta la Victimología como "disciplina discutida".

Con buen sentido, afirmó SÁINZ CANTERO —mi inolvidable maestro— que puede rechazarse el intento de hacer de la Victimología una ciencia autónoma e independiente de la Criminología, siempre que se acepte como una rama de ésta que se ocupa de la víctima directa del crimen y que comprende el conjunto de conocimientos biológicos, psicológicos, sociológicos y criminológicos concernientes a la misma[51]. Tal planteamiento es perfectamente congruente con el objeto de estudio que a la Criminología atribuye el propio SÁINZ CANTERO: la descripción del hecho criminal, los factores que lo determinan, la personalidad de su autor y la víctima del delito, tanto en su personalidad como en su posible condición de factor o estímulo del hecho delictivo. Sin embargo, debe reconocerse que resulta una reivindicación tardía, cuando no interesada, por parte de aquellos criminólogos que han ignorado empecinadamente la condición y papel de las víctimas del delito.

En efecto, durante decenios y con mínimas matizaciones se ha venido definiendo la Criminología como la ciencia que se ocupa de determinar las causas o factores del delito a fines de prevención y tratamiento del delincuente[52]. Concepción estricta que, no sin tensiones, ha dado paso a otra más amplia y —por ello— más ambiciosa.

Así, y después de caracterizar esta ciencia como el conjunto ordenado de saberes empíricos sobre el delito, el delincuente, el comportamiento socialmente negativo y sobre los controles de esta conducta, reconoce KAISER que a todo ello hay que agregar lo concerniente a la víctima y a la prevención del delito[53]. Incluso, ha llegado a afirmarse que el nacimiento de la moderna Criminología no se produce hasta que la víctima del delito no resulta abarcada por su ámbito de investigación[54].

---

[50] Cfr.: DE RIVACOBA, *Elementos de Criminología,* cit., pág. 253.

[51] Cfr.: J.A. SÁINZ CANTERO, *Lecciones de Derecho penal,* Parte general, tercera edición, Bosch, Barcelona, 1990, pág. 82.

[52] Vid. por ejemplo: M. LÓPEZ-REY, *Introducción a la Criminología,* Instituto de Criminología de la Universidad Complutense, Madrid, 1981, pág. 13.

[53] Vid.: G. KAISER, *Introducción a la Criminología,* séptima edición, Dykinson, Madrid, 1988, págs. 25 y s.s.

[54] Cfr.: SCHNEIDER, *Kriminologie,* cit., pág. 91; E. LARRAURI, *La herencia de la Criminología crítica*, Siglo XXI de España Editores, Madrid, 1991, págs. 231 y s.s.

Parece, en definitiva, llegado el momento de recuperar a la gran ausente en la especulación criminológica. Ante esta realidad cede en trascendencia la pugna producida entre los que rechazan la independización teórica de las investigaciones de la situación, conducta y personalidad de la víctima y aquellos que pretenden otorgarle el rango de rama autónoma de investigación. Solución esta última que quizá aparezca teñida por un cierto reproche ante los injustificados olvidos del pasado.

De todas formas, la cuestión parece razonablemente zanjada cuando se aborda una caracterización extensiva, dinámica y totalizadora de la Criminología: como la ciencia empírica e interdisciplinar que se ocupa del crimen, del delincuente, de la víctima y del control social del comportamiento desviado; para utilizar la definición ofrecida por GARCÍA-PABLOS en una de las más sugestivas obras publicadas en España en la materia[55]. Desde esta óptica, tanto el objeto de estudio como los planteamientos metodológicos sugieren una integración científica, a lo que cabe añadir la evidencia de que la Victimología se ha ido convirtiendo, sin pausa, en uno de los principales polos de desarrollo de la especulación criminológica[56].

Ante los planteamientos de la Criminología tradicional bien pudiera defenderse la independencia de la Victimología; hoy no parece necesario. En el momento actual son muy pocos los criminólogos que olvidan en su obra la problemática de las víctimas, aunque se muestren contrarios a la autonomía o —incluso— a la existencia con rango científico de la Victimología. No puede extrañar, en consecuencia, que haya llegado a hablarse de una nueva tendencia de escuela en el ámbito de la especulación criminológica: la Criminología victimológica[57].

En cualquier caso, la moderna Victimología ha superado, a su vez, radicalismos pretéritos que, partiendo de la interacción victimario-víctima, habían incurrido en una especie de víctimo-centrismo que parecía ignorar a la figura del delincuente y caía, por ello, en el mismo error de parcialidad que se había reprochado a los más convencionales planteamientos criminológicos. Se subraya así que las víctimas no son

---

[55] Cfr.: GARCÍA-PABLOS, *Manual de Criminología,* cit., pág. 41.
[56] Vid. en este sentido: KAISER, *La Criminología hoy,* en *Cuadernos de Política criminal,* 1988, págs. 43 y s.s.
[57] Cfr.: R. GASSIN, *Les Ecoles en criminologie,* en *Revue de science criminelle et de Droit pénal comparé,* 1988, pág. 220.

seres aislados, sino relacionados con el mundo exterior y —sobre todo— con el delincuente y su conducta victimizante.

Incluso, en la reciente etapa de madurez victimológica se ha abierto camino la denominada "Victimología crítica"[58], permeable a las tendencias sociales de denuncia activa y de reforma —cundo no de desmantelamiento— de un sistema penal inoperante y, en ocasiones, opresor. Actitud inconformista que aborda, también, una decidida autocrítica e incide en la revisión de no pocos planteamientos tradicionales en este ámbito: por ejemplo, el vano intento de explicar la victimización como un fenómeno unitario o la invocación de estadísticas al respecto desprovistas de pautas interpretativas o de procedencia exclusivamente oficial.

Tales críticas suben de tono cuando se reprocha a la "vieja" Victimología el apoyo prestado a una Política criminal conservadora, que pretende luchar contra la delincuencia empleando penas más severas y más policía, y de propagar un miedo emocional al crimen, sustentando una ideología de autoprotección que recomienda a los ciudadanos vivir enclaustrados en una especie de fortaleza, con notables beneficios —sobre todo— para las industrias de seguridad[59]. No le falta razón a FATTAH cuando nos previene ante tales explotaciones ideológicas de la Victimología[60].

## VI. LA VICTIMODOGMÁTICA

Todo ello sentado, no puede extrañar que muy pronto el movimiento victimológico —en su conjunto— irradiase su influencia sobre la dogmática jurídico-penal, incorporando alguno de los principios y planteamientos victimológicos a la estructura general del Derecho penal; de forma singular, los derivados de la interacción delincuente-víctima.

---

[58]	Vid. al respecto: M. HERRERA MORENO, *La hora de la víctima. Compendio de Victimología*,EDERSA, Madrid, 1996, págs. 115 y s.s.

[59]	Vid.: H.J. SCHEIDER, *Temas principales y deficiencias en el actual pensamiento criminológico*, en *Revista de Derecho penal y Criminología*, 1994, pág. 866 y s.

[60]	Cfr.: E. FATTAH, *La Victimologie au carrefour entre la science et l'ideologie*, en *Revue internationale de Criminologie et de Police technique*, 1995, pág. 137.

En efecto, desde hace al menos un cuarto de siglo se habla, sobre todo en la doctrina alemana, de una *Viktimodogmatik* que pretende abordar un análisis dogmático orientado al comportamiento de las víctimas y con especial incidencia en la teoría jurídica del delito. Victimodogmática que parte de la inteligencia de que algunas víctimas contribuyen —dolosa o imprudentemente— a la propia victimización, lo que puede influir en la responsabilidad criminal del delincuente, incluso hasta el punto de erradicarla.

De tal forma, y superando los planteamientos tradicionales que indagan sobre el hecho delictivo y sobre su autor para determinar si nos encontramos ante un supuesto que requiere la imposición de una pena, aspira la Victimodogmática a completar este diagnóstico con la valoración del papel desempeñado por la víctima; es decir, si la misma merece y necesita la protección dispensada por el Derecho penal. De no ser así y en base del fundamental principio de la *ultima ratio* puede llegar a excluirse la respuesta punitiva[61]. Orientación victimológica que, en expresión de SILVA SÁNCHEZ, sólo resultaría viable en una teoría del delito abierta a las ciencias empíricas y sociales, y no encerrada en sí misma como construcción lógico-abstracta[62].

Nos encontramos, pues, ante la pretensión de encontrar en el comportamiento de la víctima una categoría de carácter dogmático, es decir, que implique un principio a tener en cuenta en toda la sistemática del delito y no sólo —por ejemplo— con relación al consentimiento o la provocación. En no escasa medida se está aludiendo a una reinterpretación de la dogmática jurídico-penal con base en los principios victimológicos. Por ello, mucho se ha caminado en este ámbito desde las primigenias aportaciones, tendentes a trasplantar a la dogmática los principios victimológicos respecto, exclusivamente, del tipo de estafa[63]. La protección penal sólo se abriría camino cuando se rebasasen las posibilidades de autoprotección de la víctima.

---

[61]    Cfr.: K. MADLENER, *La reparación del daño sufrido por la víctima y el Derecho penal*, en *Estudios de Derecho penal y Criminología*, en Homenaje al Profesor José María Rodríguez Devesa, Universidad nacional de educación a distancia, II, Madrid, 1989, pág. 12.

[62]    Cfr.: J.Mª SILVA SÁNCHEZ, *¿Consideraciones victimológicas en la teoría jurídica del delito? Introducción al debate sobre la Victimodogmática,* en *Criminología y Derecho penal al servicio de la persona*, Libro-Homenaje al Profesor Antonio Beristain, San Sebastián, 1989, pág. 634, en nota.

[63]    Sobre tal evolución, vid.: T. HILLENKAMP, *Vorsatztat und Opferverhalten*, Verlag Otto Schwartz, Göttingen, 1981.

Así, desde el campo victimodogmático se ha propiciado un notable interés por los principios de subsidiariedad, necesidad de protección y oportunidad, al tiempo que se divulga la idea de que el comportamiento de la víctima puede legitimar un retroceso en la protección penal y, por ello, incidir también en los planteamientos político-criminales de determinación de la pena. De todas formas, la novedad de tales planteamientos es sólo relativa[64], supone la teorización de algo que —en mayor o menor medida— ha estado siempre presente en todos los Códigos penales: la inteligencia de que el comportamiento de la víctima puede atenuar o eximir la responsabilidad del autor.

No faltan, empero, reticencias ante los planteamintos apuntados y el rechazo del enfoque victimodogmático incide, sobre todo, en sus pretensiones de generalidad. No hay datos —afirma ROXIN— que apoyen la tesis de que el legislador haya querido hacer depender el merecimiento o la necesidad de pena con carácter general de que la víctima adopte las medidas de autoprotección exigibles: un hurto sigue siendo un hurto aunque la víctima haya procedido de modo sumamente descuidado con las cosas propias.

Tampoco —concluye— se puede deducir directamente de la idea de subsidiariedad el principio victimológico. Aunque es cierto que el Derecho penal constituye la *ultima ratio* de la política social, ello significa solamente que no se puede imponer una pena cuando el Estado tenga a su disposición otros medios menos gravosos para solucionar los conflictos sociales, pero no que también tenga que renunciar a intervenir cuando el ciudadano se pueda proteger a sí mismo. Extender el principio de subsidiariedad a las posibilidades de autoprotección del ciudadano sería desconocer que los ciudadanos han establecido el poder estatal, fundamentalmente, para descargarse de las tareas de protección; donde "vigila el ojo de la ley" el particular puede dedicar sus energías al desarrollo en vez de al mero aseguramiento de su personalidad[65].

---

[64]  Vid.: SILVA SÁNCHEZ, *La consideración del comportamiento de la víctima en la teoría jurídica del delito. Observaciones doctrinales y jurisprudenciales sobre la "Victimodogmática"*, en *La Victimología*, Cuadernos de Derecho Judicial, Madrid, 1993, pág. 19.

[65]  Vid.: C. ROXIN, *Derecho penal. Parte general*, tomo I, *Fundamentos. La estructura de la teoría del delito,* traducción de la segunda edición alemana, Civitas, Madrid, 1997, págs. 562 y s.s.

En cualquier caso, la pretensión de elaborar una Victimodogmática como proyección de la Victimología —y con incidencia, incluso, en los fines del propio Derecho penal[66]— ha sido acogida con cierta frialdad en España[67], al menos hasta fechas bien recientes.

---

[66]   Vid.: J.Mª Silva Sánchez, *Sobre la relevancia jurídico- penal de la realización de actos de "reparación"*, en *Revista del Poder Judical*, nº 45, 1997,fundamentalmente págs. 194 y s.s.

[67]   Cfr.: J.M. Tamarit Sumalla, *La víctima en el Derecho penal*, Aranzadi, Pamplona, 1998, pág. 43; M. Cancio Meliá, *Conducta de la víctima e imputación objetiva en Derecho penal. Estudio sobre los ámbitos de responsabilidad de víctima y autor en actividades arriesgadas,* Bosch, Barcelona, 1998, fundamentalmente págs. 252 y s.s.

*Capítulo II*
# Clasificación de las víctimas y victimización secundaria

## I. LOS DISTINTOS TIPOS DE VÍCTIMA

A la vista de la literatura especializada, hay que reconocer que existen tantas clasificaciones sobre los tipos de víctima como autores se han ocupado del tema[1] —y han sido muchos— desde la decisiva década de los años cuarenta. Recuérdese que tanto VON HENTIG como MENDELSHON elaboraron ya las primeras tipologías victimales, convertidas con posterioridad en modelos clasificatorios de obligada referencia.

Con razón, ha llegado a afirmarse que prácticamente ningún victimólogo ha logrado sustraerse a tal «tentación categorizadora»[2], aunque la inmensa mayoría de los esquemas propuestos no supongan más que retoques —no siempre afortunados— de los modelos tradicionales. Por otro lado, no todas las tipologías se han construido exclusivamente sobre criterios jurídico-penales (modelo uniaxial), incidiendo en ocasiones en la más compleja problemática de la victimización estructural o socioeconómica (modelo multiaxial).

Actualmente, sin embargo, parece haberse renunciado a la minuciosidad y ambición clasificatoria de otros momentos históricos para valorarse más la elaboración de categorías proyectables al ámbito penal y, más concretamente, suelen proponerse tipologías sólo aplicables a modalidades criminales específicas.

---

[1]  Cfr.: G. LANDROVE DÍAZ, *Victimología*, cit. pág. 39. Una muy compleja exposición de las tipologías victimológicas se ofreció ya en la obra de RODRÍGUEZ MANZANERA *Victimología. Estudio de la víctima*, cit., págs. 81 y s.s. Vid. también: C. HERRERO HERRERO, *Criminología (Parte general y especial)*, Dykinson, Madrid, 1997, págs. 161 y s.s.

[2]  Cfr.: HERRERA MORENO, *La hora de la víctima. Compendio de Victimología*, cit., pág. 137.

En la inteligencia de que los criterios clasificatorios más generalizados se construyen sobre las relaciones entre victimario y víctima, la
especial vulnerabilidad de esta última o la concurrencia de ciertos
factores situacionales, pueden esquematizarse —sin afán de
exhaustividad— las tipologías más ampliamente difundidas en los
siguientes términos:

## 1. *Víctimas no participantes* (o fungibles)

También denominadas, en ocasiones, víctimas enteramente inocentes o
víctimas ideales. En caso de existir, la relación entre el criminal y la víctima
es irrelevante y, precisamente por ello, sustituible en la dinámica criminal.
En este sentido todos los miembros de la colectividad son víctimas potenciales; todos están expuestos a la victimización. Víctimas anónimas que
nada aportan al desencadenamiento de la conducta delictiva[3].

Las víctimas fungibles no desempeñan este papel en función de una
concreta relación con el delincuente; el hecho delictivo no se desencadena en base a su intervención, consciente o inconsciente. Suele distinguirse al respecto entre víctimas accidentales e indiscriminadas.

Las víctimas *accidentales* aparecen colocadas por el azar en el camino
de los delincuentes; caso, por ejemplo, del cliente que se encuentra en un
establecimiento comercial o bancario en el momento de consumarse un
robo o del que sufre el atropello derivado de la conducción imprudente
de un vehículo de motor.

Las víctimas *indiscriminadas* representan una categoría incluso más
amplia que la anterior al no sustentar, en ningún momento, vínculo
alguno con el infractor. El ejemplo tradicional viene constituido por los
atentados terroristas, ya que —con cierta frecuencia— sus víctimas son
personas dañadas por la acción terrorista sin intervención de motivos
personales y sin que medie relación alguna con la organización[4].

---

[3]  En líneas generales, coinciden con las víctimas *indiferentes* de que, por contraposición a las *determinadas*, hablaba JIMÉNEZ DE ASÚA: para el que sale a la calle con
objeto de atracar a cualquiera, al primer transeúnte, la víctima es indiferente «sea
hombre o sea mujer; no le interesa ni su nombre ni su condición, lo único que le
importa es apoderarse de lo que lleva en el bolsillo, con el grito, que se hizo famoso
en España, de *la bolsa o la vida* « (Cfr.: *La llamada Victimiología*, cit., pág. 25).

[4]  Cfr.: F. ALONSO-FERNÁNDEZ, *Psicología del terrorismo. La personalidad del terrorista
y la patología de sus víctimas*, segunda edición, Masson-Salvat, Barcelona, 1994,
pág. 294.

## 2. *Víctimas participantes* (o **infungibles**)

Son aquéllas que desempeñan un cierto papel en la génesis del delito. Integran los supuestos más evidentes de intervención, voluntaria o no, de la víctima en la dinámica criminal y ofrecen una amplia gama de posibilidades:

Por ejemplo, omitiendo las precauciones más elementales y facilitando con ello la realización del hecho criminal (no cerrar las vías de acceso al inmueble, dejar a la vista un objeto valioso en un vehículo de motor abierto, transitar a altas horas de la noche por un barrio conflictivo, etc.). Comportamientos todos que pueden facilitar o, incluso, generar la victimización.

Otras veces las víctimas no se limitan a ser imprevisoras; desempeñan un papel más relevante: son las víctimas de su propia provocación. El delito surge, precisamente, como represalia o venganza por la previa intervención de la víctima.

También son participantes las víctimas *alternativas,* es decir, aquéllas que deliberadamente se colocan en posición de serlo, dependiendo del azar su condición de víctima o de victimario. El ejemplo clásico viene constituido por el duelo.

Finalmente, las víctimas *voluntarias* constituyen el más característico ejemplo de participación: en estos casos el delito es el resultado de una instigación de la propia víctima o de un pacto libremente asumido; piénsese en la eutanasia, determinados supuestos de homicidio-suicidio por amor o la mutilación solicitada por un sujeto para eximirse del cumplimiento del servicio militar.

## 3. *Víctimas familiares*

Dentro de las tipologías que toman en cuenta la relación previa entre víctima y autor del delito (víctima conocida o desconocida) hay que subrayar la especial condición de las víctimas pertenecientes al mismo grupo familiar del infractor; se trata de los supuestos de vulnerabilidad convivencial o doméstica. Los malos tratos y las agresiones sexuales producidos en este ámbito tienen, fundamentalmente, como víctimas a sus miembros más débiles: las mujeres y los niños. La indefensión de estas víctimas —que llegan a sufrir, además, graves daños psicológicos— aparece subrayada por la existencia al respecto de una muy elevada «cifra negra».

Se trata, además, de una grave problemática social que carece de fronteras; si bien cada vez son más los países en que la respuesta social ante estos hechos supera decididamente arcaicas justificaciones o trivializaciones de los mismos.

## 4. *Víctimas colectivas*

Como superación de las primeras investigaciones victimológicas que se limitaban al estudio de la pareja penal y del papel desempeñado por la víctima individual —por la persona física— se ha ido abriendo camino la idea de que, en algunos casos, son muchos los victimizados. Consecuentemente, también las personas jurídicas, determinados colectivos, la comunidad o el Estado pueden ser víctimas. Ciertos delitos lesionan o ponen en peligro bienes jurídicos cuyo titular no es la persona natural. Ello no quiere decir que nos encontremos ante delitos sin víctima; simplemente que la victimización sufrida por grupos no es menos seria que la derivada de las relaciones bipersonales.

Se destaca así la despersonalización, colectivización y anonimato que caracterizan las relaciones entre delincuente y víctima en una muy característica criminalidad de nuestro tiempo: delitos financieros, fraudes al consumidor, delitos cometidos mediante ordenadores y, en definitiva, muy amplias parcelas de lo que suele denominarse delincuencia de cuello blanco. En estos casos, la difícil identificación de la víctima o su imposible individualización y la ausencia de una relación personal y directa con el infractor determinan la puesta en marcha de complejos mecanismos de neutralización o justificación[5].

---

[5]    Al respecto, afirma GARCÍA-PABLOS que «el carácter anónimo o colectivo de la víctima explica que las *organizaciones* y *personas jurídicas* (sociedades, empresas, etc.) sean, con más frecuencia que las personas físicas, víctimas de determinados delitos. La despersonalización de aquéllas es un mecanismo de neutralización o justificación del infractor, un aliciente para la comisión del delito o un pretexto tranquilizador que rebaja su culpa. Así, por ejemplo, en los *hurtos a grandes almacenes* dicha despersonalización de la víctima (empresa) permite al empleado infiel argumentar que no dañan a nadie (negación de la víctima) o que la empresa se lo merece por explotar a sus trabajadores (culpabilización de la víctima), que no son conductas delictivas, sino un justo sobresueldo (negación de la ilicitud del acto), y que en cualquier caso se trata de cosas de poco valor e incluso en mal estado. En cuanto a la *criminalidad informática* (delitos cometidos mediante los ordenadores), el hecho de que sea muy difícil determinar la relación entre infractor y víctima existente —

En cualquier caso, al lado de la clásica víctima individual se ha consolidado modernamente esta víctima de dimensión colectiva que, en ocasiones, se denomina también víctima *oculta*; precisamente porque de su propia despersonalización y anonimato se deriva una elevada «cifra negra», con la consiguiente impunidad de los infractores, delincuentes de cuello blanco en la mayoría de los casos, como ya se indicó.

## 5. *Víctimas especialmente vulnerables*

Quizá resulte excesivo hablar de víctimas *natas*, pero no es menos cierto que la probabilidad de convertirse en víctima de un delito no está igualmente distribuida entre todos los miembros del colectivo social.

Algunos sujetos, en función de circunstancias de muy diversa naturaleza, ofrecen una predisposición victimógena específica. Nos encontramos, en definitiva, ante los denominados factores de vulnerabilidad. Al respecto, suele distinguirse entre factores personales y sociales[6].

Entre los primeros, la edad del sujeto pasivo juega un papel decisivo en un elevado número de delitos; porque la víctima es todavía muy joven o demasiado anciana para ofrecer una resistencia eficaz. Lo mismo cabe decir del estado físico o psíquico del sujeto; la mayor o menor fortaleza incidirá en su vulnerabilidad, que puede verse notablemente incrementada por el padecimiento de ciertas enfermedades o minusvalías. También la raza —sobre todo en determinados países— proyecta sobre algunas minorías muy cualificados índices de victimización. Con rela-

---

la ausencia, despersonalización o anonimato de esta última— es también un factor decisivo. La entidad y despersonalización de las empresas implicadas, la extensión de sus demarcaciones geográficas, la división del trabajo y el elevadísimo nivel de especialización, la complejidad de sus tecnologías, variedad de sus respectivos productos y organigramas hacen casi invisible la criminalidad entre empresas, ocasionando estos delitos, además, grave daño a la economía nacional y a los consumidores. Otro tanto sucede con muchos delitos *financieros* y con la criminalidad contra el *medio ambiente*. El anonimato y el carácter colectivo (difuso) de la víctima (el orden económico mismo, la sociedad) limitan al máximo la visibilidad social de estos delitos. El delincuente aprovecha la especial psicología de la víctima masa, indiferente y poco motivada si la entidad del perjuicio concreto que se le ha causado no le compensan los gastos e incomodidades de una reclamación judicial, y, sobre todo, la injusta desconfianza, recelo y escepticismo con que la sociedad suele recompensar a quien ha sido víctima de delitos de esta especie» (Cfr.: *Manual de Criminología*, cit., pág. 88).

ción al sexo, la mujer es con frecuencia víctima de una serie de delitos cuya etiología responde a factores pretendidamente culturales que la facilitan, tanto en los ámbitos familiar, social o laboral. Por último, la homosexualidad hace especialmente vulnerables a estos sujetos, forzados arbitrariamente por la sociedad a la marginación y expuestos, con frecuencia, a chantajes o agresiones físicas casi siempre impunes; hasta el punto de que suelen ser considerados como integrantes de un específico «grupo de riesgo»[7].

Los factores sociales que predisponen a la victimización ofrecen, también, una variada gama de posibilidades: la desahogada posición económica de un sujeto, su estilo de vida, la ubicación de su vivienda, el contacto frecuente con grupos marginales, etc., pueden constituir otros tantos acicates para los delincuentes. Todo ello al margen —por supuesto— del riesgo profesional inherente a determinados oficios o actividades; los policías, los empleados en servicios de vigilancia, los taxistas, los trabajadores en entidades bancarias, etc., ven personalmente multiplicada la posibilidad de convertirse en víctimas de la conducta criminal. A estas actividades profesionales tradicionalmente arriesgadas hay que añadir, en los últimos tiempos, la ejercida en las farmacias. Sin olvidar, naturalmente, que el ejercicio de la prostitución incrementa en grado sumo la vulnerabilidad de estos sujetos. La prostituta es con frecuencia víctima de delitos contra la vida y víctima, también, de la brutalidad del rufián (porque no gana lo suficiente o no le entrega todo lo que gana) o de la violencia de los clientes; muchas veces termina integrándose en las siniestras listas de «desaparecidos» sin que su suerte parezca interesar a nadie[8].

## 6. *Víctimas simbólicas*

Son de difícil ubicación en las clasificaciones tradicionales. En estos casos, la victimización se produce con la específica finalidad de atacar a un determinado sistema de valores, un partido político, una ideología,

---

[6]   Vid. por ejemplo, la exposición acometida por R. RAMÍREZ GONZÁLEZ en su obra *La Victimología* (Editorial Temis, Bogotá, 1983, págs. 11 y s.s.).

[7]   Cfr.: Mª D. FERNÁNDEZ RODRÍGUEZ, *El chantaje*, PPU, Barcelona, 1995, pág. 25.

[8]   Cfr.: L. GARRIDO GUZMÁN, *La prostitución: estudio jurídico y criminológico*, Edersa, Madrid, 1992, pág. 133.

una secta religiosa o una familia a la que la víctima pertenece y de la que constituye un elemento básicamente representativo. No faltan ejemplos históricos ilustrativos de inmolaciones de esta naturaleza; los asesinatos de MARTIN LUTHER KING o ALDO MORO suelen citarse como paradigmáticos de esta victimización simbólica.

### 7. *Falsas víctimas*

Frente a los sujetos realmente victimizados, existen otros que por diversas razones (ánimo de lucro, venganza, senilidad, autoexculpación o, simplemente, deseo de llamar la atención) denuncian un delito que nunca existió. Estas víctimas falsas ofrecen una doble morfología:

En primer lugar, la víctima *simuladora* que actúa conscientemente al provocar la innecesaria puesta en marcha de la maquinaria de la justicia, con el deseo de generar un error judicial o —al menos— de alcanzar la impunidad por algún hecho delictivo propio.

En segundo término, la víctima *imaginaria* que erróneamente cree —por razones psicopatológicas o inmadurez psíquica— haber sido objeto de una agresión criminal.

## II. LA VICTIMIZACIÓN SECUNDARIA

En función de la naturaleza del delito, de la personalidad de cada uno de los sujetos pasivos y de una amplia gama de circunstancias concurrentes, se derivan muy diferentes consecuencias de la infracción penal para las víctimas. Ello sentado, suele distinguirse al respecto entre la denominada victimización primaria y la secundaria.

La *victimización primaria* refleja la experiencia individual de la víctima y las diversas consecuencias perjudiciales primarias producidas por el delito, de índole física, económica, psicológica o social. En efecto, con frecuencia los daños experimentados por la víctima no se limitan a la lesión o puesta en peligro del bien jurídico del que es titular[9]; la

---

[9]    Vid. en este sentido: GARCÍA-PABLOS, *Manual de Criminología*, cit., pág. 92 y s.

víctima sufre a menudo un severo impacto psicológico, que incrementa el daño material o físico del delito; también la impotencia ante la agresión, o el miedo a que se repita, producen ansiedad, angustia o abatimiento, cuando no complejos de culpabilidad con relación a los hechos acaecidos, lo que —con cierta frecuencia— repercute en los hábitos del sujeto y altera su capacidad de relación. Por otro lado, la respuesta social a los padecimientos de la víctima no es siempre solidaria, en el mejor de los casos cristaliza en actitudes compasivas, lo que —a su vez— genera también aislamiento. En definitiva, al hablar de victimización primaria se está aludiendo a las iniciales consecuencias del delito; a la victimización producida por el mismo.

La *victimización secundaria* se deriva de las relaciones de la víctima con el sistema jurídico-penal, con el aparato represivo del Estado, y supone, en último término, el frustrante choque entre las legítimas expectativas de la víctima y la realidad institucional[10]. Segunda experiencia victimal que —con cierta frecuencia— resulta incluso más negativa que la primaria, antes aludida, al incrementar el daño causado por el delito con otros de dimensión psicológica o patrimonial. En contacto con la administración de justicia o la policía, las víctimas experimentan muchas veces el sentimiento de estar perdiendo el tiempo o malgastando su dinero; otras, sufren incomprensiones derivadas de la excesiva burocratización del sistema o, simplemente, son ignoradas. Incluso, en algunos casos y con relación a determinados delitos, las víctimas pueden llegar a ser tratadas de alguna manera como acusados y sufrir la falta de tacto o la incredulidad de determinados profesionales. A veces, los interrogatorios de la defensa se orientan a tergiversar su intervención en los hechos que se juzgan; caso —por ejemplo— del abogado que intenta hacer «confesar» a la víctima de una agresión sexual que el acceso carnal se produjo con su consentimiento. Nos encontramos, en definitiva, ante prácticas y actitudes inadmisibles[11] que exigen una urgente rectificación.

Consecuentemente, no puede extrañar que esta victimización secundaria se considere aun más negativa que la primaria: porque es el propio

---

[10]    Cfr.: M. A. Soria Verde y otros, *Delincuencia y victimización*, en *La víctima: entre la justicia y la delincuencia. Aspectos psicológicos, sociales y jurídicos de la victimización*, PPU, Barcelona, 1993, pág. 62.

[11]    Vid.: J. Verin, *La victime et le systéme pénal*, en *Revue de science criminelle et de Droit pénal comparé* 1980, pág. 770.

sistema el que victimiza a quien se dirige al mismo solicitando justicia y protección, porque su nocividad se añade a la derivada del delito, porque la víctima se siente especialmente frustrada en sus expectativas y, sobre todo, porque tal proceso afecta al prestigio del propio sistema y condiciona negativamente la actitud de la víctima y del colectivo social respecto del mismo[12].

Por todo ello, y con la finalidad de proteger a las víctimas de la victimización secundaria[13], el Comité de Ministros del Consejo de Europa aprobó, el 28 de junio de 1985, una serie de recomendaciones encaminadas a mejorar la situación de la víctima en el Derecho y el proceso penal y que requieren de los Estados miembros la adopción — entre otras— de las siguientes medidas: cuando la víctima de un delito se dirige a la policía debe ser tratada de tal forma que no sufra ningún daño psíquico adicional; también, se le deben indicar las posibilidades de recibir en instituciones públicas o privadas ayudas materiales, médicas y psicológicas; además, se le debe informar sobre sus derechos de reparación contra el delincuente y, en su caso, contra el Estado. A lo largo de todo el procedimiento, la víctima debe ser interrogada de forma cuidadosa y considerada; en modo alguno puede lesionarse su honorabilidad. Expresamente se alude a los niños, que deben ser interrogados tan sólo en presencia de sus padres, tutores o guardadores. Recomendaciones todas que ponen de relieve la preocupación del Consejo de Europa por la victimización secundaria, pero que están muy lejos de verse reflejadas de forma satisfactoria en los distintos ordenamientos jurídicos de los países miembros[14].

En España, la *Ley de 11 de diciembre de 1995*, de ayudas y asistencia a las víctimas de delitos violentos y contra la libertad sexual, subraya en su Exposición de motivos que han constituido un referente jurídico de primer orden para nuestro legislador las referidas recomendaciones del Comité de Ministros del Consejo de Europa.

---

[12]   Cfr.: G. LANDROVE DÍAZ, *El caso de la mujer de vida licenciosa*, en *Jueces para la Democracia*, nº 6, 1989, pág. 5.

[13]   Vid. al respecto: F. GUTIÉRREZ-ALVIZ Y CONRADI, *Nuevas perspectivas sobre la situación jurídico-penal y procesal de la víctima*, en *Poder judicial*, nº 18, 1990, págs. 82 y s.s.

[14]   Vid.: SCHNEIDER, *La posición jurídica de la víctima del delito en el Derecho y en el proceso penal*, en *Cuadernos de Política criminal*, 1988, pág. 375 y s.

## III. EL CONSEJO DE EUROPA Y LA VICTIMIZACIÓN SE-CUNDARIA

La *Recomendación* del Comité de Ministros del Consejo de Europa a los Estados miembros sobre la posición de la víctima en el marco del Derecho penal y del proceso penal, de 28 de junio de 1985, se encuentra concebida en los siguientes términos:

Considerando que los objetivos del sistema de justicia penal se expresan tradicionalmente y ante todo en términos de relación entre el Estado y el delincuente;

Considerando que, en consecuencia, el funcionamiento del sistema tiende a veces a incrementar y no a disminuir los problemas de la víctima;

Considerando que una función fundamental de la justicia penal debería ser la de responder a las necesidades de la víctima y la de proteger sus intereses;

Considerando que interesa igualmente incrementar la confianza de la víctima en la justicia penal y favorecer su cooperación, singularmente en calidad de testigo;

Considerando que hay que tener además en cuenta, a estos fines, en el sistema de justicia penal, los perjuicios físicos, psicológicos, materiales y sociales sufridos por las víctimas y examinar los progresos deseables para satisfacer sus necesidades en estas materias;

Considerando que las medidas que se adopten con este fin no están necesariamente en conflicto con otros objetivos del Derecho penal y del proceso penal, tales como el fortalecimiento de las reglas sociales y la reinserción del delincuente, sino que pueden de hecho ayudar a conseguirlo y facilitar la eventual reconciliación entre la víctima y el delincuente;

Considerando que las necesidades y los intereses de la víctima deberían ser más tomados en cuenta en todas las fases del proceso de la justicia penal;

Visto el Convenio Europeo sobre la Indemnización a las Víctimas de Delitos Violentos.

I. Recomienda a los Gobiernos de los Estados miembros revisar su legislación y su práctica respetando las líneas directrices siguientes:

A) *En el nivel policial*

1. Los funcionarios de policía deberían estar formados para tratar a las víctimas de modo comprensible, constructivo y tranquilizador.

2. La policía debería informar a la víctima sobre las posibilidades de obtener asistencia, consejos prácticos y jurídicos, reparación de su perjuicio por el delincuente e indemnización por el Estado.

3. La víctima debería poder obtener información sobre la suerte de la investigación policial.

4. En todo informe sometido a los órganos encargados de la persecución, la policía debería formular un atestado tan claro y completo como fuera posible sobre las lesiones y los daños sufridos por la víctima.

B) *En el nivel de la persecución*

5. No se debería adoptar una decisión discrecional sobre la persecución sin una adecuada consideración de la cuestión de la reparación del daño sufrido por la víctima, incluyendo todo esfuerzo serio desplegado a este fin por el delincuente.

6. La víctima debería ser informada de la decisión definitiva relativa a la persecución, salvo cuando indique que no desea esta información.

7. La víctima debería tener derecho a pedir la revisión por la autoridad competente de la decisión de archivo o derecho a proceder siendo citada directamente.

C) *Interrogatorio de la víctima*

8. En todas las fases del procedimiento, el interrogatorio de la víctima debería hacerse con respeto a su situación personal, a sus derechos y a su dignidad. En la medida de lo posible y en los casos apropiados, los niños y los enfermos o minusválidos mentales deberían ser interrogados en presencia de sus padres o del tutor o de cualquier persona cualificada para asistirles.

D) *Juicios*

9. La víctima debería ser informada: de la fecha y del lugar del juicio relativo a las infracciones que le han perjudicado; de las posibilidades de obtener la restitución y la reparación en el seno del proceso penal y de lograr el beneficio de asistencia o de asesoramiento jurídico; de las condiciones en las que podrá conocer las resoluciones que se pronuncien.

10. El Tribunal penal debería poder ordenar la reparación por parte del delincuente en favor de la víctima. A este efecto deberían suprimirse los actuales límites de jurisdicción y las demás restricciones e impedimentos de orden técnico que obstaculizan que esta posibilidad sea realidad de modo general.

11. La reparación, en la legislación, debería poder constituir bien una pena, bien un sustitutivo de la pena o bien ser objeto de resolución al mismo tiempo que la pena.

12. Todas las informaciones útiles sobre las lesiones y los daños sufridos por la víctima deberían ser sometidas a la jurisdicción para que pudiera, en el momento de fijar la naturaleza y el «quantum» de la sanción, tomar en consideración: la necesidad de reparación del perjuicio sufrido por la víctima; cualquier acto de reparación o de restitución efectuado por el delincuente o cualquier esfuerzo sincero del mismo en este sentido.

13. Debería darse una gran importancia a la reparación por el delincuente del perjuicio sufrido por la víctima cuando la jurisdicción pueda, entre otras modalidades, añadir condiciones de orden pecuniario a la resolución que acuerda un aplazamiento o una suspensión de la pena o una puesta a prueba o cualquier otra medida similar.

E) *En el momento de la ejecución*

14. Cuando la reparación se imponga como sanción penal, debería ser ejecutada del mismo modo que las multas y tener prioridad sobre cualquier otra sanción pecuniaria impuesta al delincuente. En los demás casos, se debería prestar a la víctima la máxima ayuda posible en esta operación de cobro.

F) *Protección de la vida privada*

15. La política de información y de relaciones con el público en el marco de la instrucción y el juicio de las infracciones debería tomar

debidamente en cuenta la necesidad de proteger a la víctima de toda publicidad que implicara un ataque a su vida privada o a su dignidad. Si el tipo de infracción, el estatuto particular, la situación o la seguridad personal de la víctima requieren de especial protección el proceso penal anterior a la sentencia debería tener lugar a puerta cerrada o la divulgación de los datos personales de la víctima debería ser objeto de restricciones adecuadas.

### G) *Protección especial de la víctima*

16. Cuando ello parezca necesario, y singularmente en los casos de delincuencia organizada, la víctima y su familia deberían ser eficazmente protegidas contra las amenazas y el riesgo de venganza por parte del delincuente.

II. Recomienda a los Gobiernos de los Estados miembros:

1. Examinar las ventajas que pueden presentar los sistemas de mediación y conciliación.

2. Promover y estimular las investigaciones sobre la eficacia de las disposiciones relativas a las víctimas.

*Capítulo III*
# Orígenes e internacionalización del movimiento de asistencia a las víctimas

## I. LOS PRIMEROS PROGRAMAS

Como ya se indicó en su momento, una de las finalidades perseguidas por el movimiento victimológico desde sus orígenes fue alcanzar la construcción de programas de asistencia a las víctimas. Los primeros logros tuvieron lugar en Nueva Zelanda (1963) e Inglaterra (1964). Muy pronto algunos Estados de Norteamérica, California (1965) y New York (1966), elaboraron también programas de compensación a las víctimas de crímenes violentos. Ya en 1967, se elaboró el de la provincia canadiense de Saskatchewan.

Estos programas, y otros que muy pronto fueron aprobados, tienen por objetivo compensar económicamente las pérdidas producidas por la victimización, sufragar los gastos derivados del tratamiento médico y, en su caso, hospitalización, resarcir la incapacidad para el trabajo, ayudar a las personas dependientes de víctimas fallecidas y compensar —de alguna forma— el sufrimiento derivado de la propia victimización.

Bien entendido que esta compensación lo es de carácter estatal, una especie de seguro social, a través del cual parte de los impuestos se destina a distribuir el costo de la victimización entre todos los ciudadanos. No se trata, pues, de la restitución, reparación o indemnización que el delincuente debe asumir frente a su víctima. Los fondos públicos se utilizan para compensar la nocividad del delito y como reconocimiento de que la sociedad, en su conjunto, es responsable de la prevención criminal por lo que, fracasada ésta, justo es que se repare el daño producido. Consecuentemente, la compensación a las víctimas de determinados delitos no se concibe como una modalidad de beneficencia pública, en favor de los más necesitados, sino como un derecho de los ciudadanos y una obligación del Estado[1].

Como ha subrayado GARCÍA-PABLOS[2], que el moderno Estado «social» asuma este compromiso es de estricta lógica y se aviene a las exigencias más elementales de justicia y solidaridad, evita el desamparo de la víctima en los casos de insolvencia del infractor o cuando éste es desconocido, y potencia la idea de solidaridad en las relaciones sociales, fomentando la cooperación de la víctima con el sistema legal y mejorando las actitudes de la ciudadanía respecto al mismo.

Entre las más relevantes características de la pionera aportación neozelandesa, de 1963[3], cabe mencionar las siguientes:

El tribunal, encargado de conceder la compensación a la víctima o a las personas a su cargo, está formado por tres magistrados que conocen, tan sólo, de los daños derivados de una serie de delitos específicos (contra la vida, lesiones, agresiones sexuales, secuestro, etc.). La compensación se produce incluso con ausencia de un proceso penal, caso de fallecimiento del delincuente con anterioridad al mismo, y puede derivarse de la intervención lesiva de un menor o un inimputable. La víctima, además de percibir la compensación, puede iniciar una acción civil contra el ofensor, y el Estado puede reclamar de éste la totalidad o parte del dinero pagado, recurriendo —incluso— a las ganancias alcanzadas por el delincuente con su trabajo en un establecimiento penitenciario.

Al margen de que en los programas posteriores al neozelandés se haya ido mejorando paulatinamente la mecánica de su funcionamiento, justo es reconocer que, con una experiencia que rebasa ya el tercio de siglo, no se han confirmado en todos sus extremos los temores que suscitó en su momento la puesta en marcha de estos programas de ayuda a las víctimas de la delincuencia violenta: las indemnizaciones estatales no han fomentado la negligencia de las potenciales víctimas, no se ha producido la paralizante burocratización que algunos profetizaban, ni los gastos para el erario público han alcanzado límites intolerables para las distintas economías nacionales, a pesar de que las limitaciones de

---

[1]    Cfr.: M. E. WOLFGANG, *La compensazione alle vittime di violenze alla persona*, en *La Scuola positiva*, 1964, pág. 456.

[2]    Cfr.: GARCÍA-PABLOS, *Manual de Criminología*, cit., pág. 95.

[3]    En Nueva Zelanda, la *Criminal Injuries Compensation Board* inició su funcionamiento el 1 de enero de 1964.

financiación son —en ocasiones— obstáculos insalvables para la ampliación de los diferentes programas.

Ello no obstante, hay que reconocer también que la eficacia de estos programas sufre importantes limitaciones: unas, derivadas de la falta de información de las víctimas, que ignoran la existencia de tales programas; otras, porque el número de sujetos que se benefician de los mismos no es muy elevado, por exigirse la comisión de un delito violento.

No faltan, por otro lado, las víctimas que se quejan de haber recibido una compensación inadecuada y poco acorde con los daños sufridos o el tiempo invertido en gestionarla.

En cualquier caso —y como se indica más adelante—, para acceder a estas compensaciones se exigen en los distintos programas existentes una serie de requisitos de muy diversa naturaleza: la inocencia de la víctima, su actitud cooperadora con la justicia (previa denuncia o comparecencia para testificar), expresa solicitud de la compensación, carencia de medios económicos que la justifiquen, etc.


## II. LA INTERNACIONALIZACIÓN DEL MOVIMIENTO ASISTENCIAL

En los primeros días del mes de diciembre de 1968 tuvo lugar la primera *Conferencia internacional sobre la indemnización a las víctimas inocentes de actos de violencia*[4]. Se celebró en la ciudad estadounidense de Los Angeles y participaron en la misma representantes de la mayoría de las jurisdicciones que por aquel entonces contaban ya con programas específicos en la materia. La conferencia se preocupó fundamentalmente de establecer medios de comunicación entre los administradores de los distintos programas, fomentar el intercambio de ideas sobre los problemas ya detectados y evaluar los logros obtenidos en los países participantes.

Si bien se reconoció que cada cuestión específica debía ser examinada en función del contexto de cada jurisdicción (político y económico), se

---

[4]   Vid. al respecto: G. GEIS y R. A. WEINER, *Conferencia Internacional sobre Indemnización a las Víctimas Inocentes de Actos de Violencia*, en *Revista internacional de Política criminal*, Naciones Unidas, 1968, págs. 127 y s.s.

alcanzaron una serie de conclusiones generales aplicables a los distintos problemas con que se enfrentaba la ejecución de cada uno de los programas de indemnización a las víctimas.

Por ejemplo, se acordó que los programas debían basarse en el derecho de todo ciudadano a recibir una indemnización por los daños personales sufridos como consecuencia de un delito violento. Bien es cierto que los representantes de los diferentes programas reconocieron que los mismos contenían cláusulas limitadoras de las indemnizaciones, para reducirlas a los supuestos en que las víctimas demostraban tener dificultades económicas o —incluso— encontrarse en situaciones de extrema penuria. Las limitaciones económicas se detectaron ya como uno de los obstáculos más significados para el buen funcionamiento de los programas de esta naturaleza y de ahí, precisamente, los criterios restrictivos apuntados.

Se estimó, también, que el método más adecuado para tratar el problema de la indemnización era el establecimiento de juntas de indemnización, independientes de los tribunales ordinarios, para obviar la burocratización y lentitud de éstos.

Preocupados fundamentalmente los participantes en la conferencia por la dimensión económica de los programas, se llegó a un acuerdo respecto de la necesidad de establecer un límite al montante de las indemnizaciones pagaderas a las víctimas de los delitos violentos, o a las personas dependientes de la misma cuando la víctima falleciera. En consecuencia, las indemnizaciones podrían variar teniendo en cuenta el nivel de vida de los sujetos antes de su victimización, con tal de no exceder de la cifra máxima establecida. Por ejemplo, se criticó el programa del Estado de California por fijar este máximo en cinco mil dólares; considerándose más razonable y ajustado a la realidad el programa del Estado de Maryland que lo cifraba en treinta mil dólares. También por unanimidad se acordó que la víctima debía ser indemnizada por los gastos realizados en asistencia médica o derivados de la necesidad de contratar servicio doméstico en función de las lesiones sufridas; en ambos casos, se acordó que no debía establecerse un límite máximo en este aspecto de la indemnización.

Por el contrario, hubo disparidad de criterios respecto de la conveniencia de conceder o no las indemnizaciones cuando se tratare de cantidades mínimas. Un sector de los participantes en la conferencia esgrimió la idea de que resultaba excesivamente duro negar a los solicitantes de escasos recursos económicos la posibilidad de obtener indemnizaciones de pequeña cuantía; otro sector defendió la conveniencia de establecer una cifra mínima, por debajo de la cual no se concederían las indemnizaciones, en base de que los gastos derivados de la tramitación de la demanda harían antieconómico este aspecto del programa.

En función de la trascendencia de las cuestiones aludidas, y de otras que también fueron abordadas, hay que concluir reconociendo que la conferencia de Los Angeles contribuyó decisivamente a impulsar estos proyectos y supuso el primer intento de análisis de los problemas detectados en los ya existentes. En cualquier caso, muchas de las cuestiones allí suscitadas habrían de replantearse en los años sucesivos al extenderse el movimiento de indemnización a las víctimas, que en 1968 había dado —simplemente— sus primeros pero decisivos pasos.

Con la específica finalidad de impulsar la elaboración de programas de esta naturaleza, el *I Symposio Internacional sobre Victimología*, celebrado en Jerusalén en 1973, incluyó entre sus recomendaciones las siguientes:

1) Todas las naciones, de forma urgente, deben considerar la implantación de sistemas estatales de compensación a las víctimas del delito, así como tratar de alcanzar el máximo de eficacia en la aplicación de los sistemas ya existentes y de los que en el futuro se elaboren.

2) Deben emplearse todos los medios posibles para difundir información sobre los sistemas de compensación y estimularse la participación de organismos, gubernativos o no, en su establecimiento.

3) Todos los modelos de compensación existentes deben ser estudiados y valorados con la finalidad de extender su aplicación, teniendo en cuenta las características particulares de las comunidades en que se aplican[5].

---

[5] *I Symposio Internacional sobre Victimología* en el que, además, se sugiere a todas las naciones que pretendan elaborar sistemas de compensación, o modificar los ya existentes, que tengan en cuenta los siguientes extremos:
1) ¿Debe existir un límite máximo y/o mínimo para la compensación?
2) ¿Qué clase de daños deben ser resarcidos (daño emergente, lucro cesante, daño moral, sufrimiento)?
3) ¿Debe tenerse en cuenta la conducta de la víctima en el momento del hecho y/o su situación en general en la determinación de la compensación?
4) ¿Debe el pago ser de derecho y negado solamente por razones que establezca el tribunal?

La internacionalización de esta problemática se alcanza, sobre todo, a partir del *XI Congreso Internacional de Derecho penal*, celebrado en septiembre de 1974, en Budapest. Allí se expresó el convencimiento de que la efectiva indemnización a las víctimas constituye una exigencia de interés público, que se justifica por los modernos imperativos de solidaridad social, especialmente en los casos en que el autor del delito es desconocido o, aun siendo condenado, resulta insolvente.

En consecuencia, se recomienda la creación de un sistema de indemnización a las víctimas, por parte del Estado o de instituciones públicas, con cargo al erario público. El legislador de cada país —se afirma— decidirá si esa indemnización se hace efectiva mediante un fondo especial o por medio de instituciones pertenecientes a la seguridad social.

Para orientar a los distintos legisladores en la elaboración jurídica de la institución, se construyeron una serie de principios informadores: la indemnización debe limitarse a los supuestos de delitos dolosos contra la vida y la integridad personal; en sede de delincuencia patrimonial sólo procederá en los casos especialmente graves, en los que la falta de ayuda resulta inadmisible; la condición de víctima debe ser atribuida a la

---

5) ¿Deben ampliarse los programas vigentes para incluir también los delitos contra la propiedad?

6) ¿Debe el Estado tener la posibilidad de reclamar al reo el importe de la compensación y/o ser autorizado para constreñir a éste a la entrega de parte de sus ganancias?

7) ¿Deben los Estados establecer un seguro obligatorio para ciertas profesiones que se fundan en elementos de fidelidad y confianza, para cubrir el daño causado por uno de sus miembros (médicos, abogados, agentes de bolsa, etc)?

8) ¿Deben estos sistemas de compensación admitir la posibilidad de apelación?

9) ¿Los daños y pérdidas sufridas por los testigos que tratan de ayudar a las víctimas deben generar un derecho a la compensación?

10) ¿Debería la víctima tener derecho a una compensación parcial, pero inmediata, que le permita cubrir los gastos iniciales, siendo atribución de los funcionarios correspondientes determinar la suma final?

11) ¿Una persona acusada que es reconocida inocente debe tener derecho a una compensación por los gastos derivados del proceso y/o de otras pérdidas?

12) ¿Debe el juez tener la posibilidad de ordenar en un proceso penal, y a través de la sentencia, una compensación a cargo del Estado?

13) ¿Debe organizarse una oficina de *ombudsman* para satisfacer las necesidades de las víctimas, sobre todo con el fin de mitigar el trauma inmediato, prevenir ulteriores daños por parte de la sociedad y también para ofrecer una ayuda a aquellos que han sido víctimas más veces?

persona directamente afectada por la infracción, si bien los parientes de la víctima, que están a su cargo y que sufren una disminución en sus medios de sustento, deben obtener una reparación; la indemnización debe ser reconocida como un derecho y no concedida *ex gratia*; los recursos económicos que integren el fondo de indemnización deben provenir de los impuestos, aunque no se rechaza la posibilidad de utilizar medios de otra naturaleza; la elección entre un mecanismo de indemnización judicial o administrativo se deja en manos de cada legislador nacional; los extranjeros víctimas de alguna de las infracciones antes aludidas deben ser indemnizados en función de los criterios vigentes en el país escenario del delito, sin exigencia de reciprocidad entre los Estados implicados, etc.

Por otro lado, de especial interés resultan una serie de intentos de promoción y armonización de programas en la materia llevados a cabo en el seno del Consejo de Europa[6]. En septiembre de 1977 el Comité de Ministros del Consejo de Europa adoptó una Resolución sobre compensaciones a las víctimas de infracciones criminales construida sobre las ideas de equidad y solidaridad sociales. Concretamente, se recomendó a los Estados miembros que cuando la reparación no puede ser asegurada por otros medios, el Estado debe contribuir a la indemnización de las personas que sufren graves lesiones como resultado de un delito y de aquellos que se encontraban a cargo de una persona muerta también por una acción criminal. Además, se establecieron los principios básicos para la regulación de las condiciones y modalidades de compensación, entidad económica de la misma, aspectos internacionales, etc.

Ya en 1983, el Comité de Ministros del Consejo de Europa aprobó el texto del Convenio europeo relativo a la compensación de las víctimas de infracciones violentas, abriendo esta convención a la firma de los Estados miembros en noviembre del mismo año e insistiendo en la orientación adoptada por la resolución de 1977. Con ello, se consolidó en la Europa occidental el movimiento de asistencia a las víctimas y se fijaron las exigencias mínimas a tener en cuenta en la formulación de los distintos programas nacionales[7].

---

6    Vid.: E. HARREMOES, *Activités du Conseil de l'Europe dans le domaine des problémes criminels (1975-1980)*, en *Revue de science criminelle et de Droit pénal comparé*, 1981, fundamentalmente pág. 63 y s.

7    Vid.: J. J. M. VAN DIJK, *La recherche et le mouvement relatif aux victimes en Europe*, en *Recherches sur la victimisation*, Conseil de l'Europe, Strasbourg, 1985, pág. 7.

En la Exposición de motivos de la Ley española de 11 de diciembre de 1995, *de ayudas y asistencia a las víctimas de delitos violentos y contra la libertad sexual*, se califica al Convenio europeo de 1983 de «referente jurídico de primer orden» en el tratamiento de esta materia; tal normativa —largamente esperada en nuestro país— constituye un notable intento de generalizar un esfuerzo asistencial que, con anterioridad, se había reservado exclusivamente para las víctimas de la delincuencia terrorista.

## III. EL CONVENIO EUROPEO DE 1983 SOBRE INDEMNIZACIÓN A LAS VÍCTIMAS DE DELITOS VIOLENTOS

El fundamental Convenio número 116 del Consejo de Europa, suscrito en Estrasburgo el 24 de noviembre de 1983, *sobre la indemnización a las víctimas de delitos violentos*[8], se encuentra concebido en los siguientes términos:

Los Estados miembros del Consejo de Europa, signatarios del presente Convenio. Considerando que el fin del Consejo de Europa es realizar una unión más estrecha entre sus miembros: Considerando que, por razones de equidad y solidaridad social, es necesario ocuparse de la situación de las víctimas de delitos intencionales de violencia que han sufrido lesiones corporales o daños en su salud o de las personas que estaban a cargo de víctimas fallecidas como consecuencia de tales delitos: Considerando que es necesario instaurar o desarrollar regímenes de indemnización de las víctimas por parte del Estado en cuyo territorio se hubieren cometido tales delitos, sobre todo cuando el autor del delito no ha sido identificado o carece de recursos: Considerando que es necesario establecer disposiciones mínimas en este esfera.

---

[8]   Sobre la trascendencia del Convenio europeo de 1983, vid.: P. PITTARO, *La Convenzione europea sul risarcimento delle vittime di reati violenti*, en *Rivista italiana di Diritto e Procedura penale*, 1984, pág. 775 y s.; E. MÜLLER-RAPPARD, *Les travaux du Conseil de l'Europe en matiére de protection des victimes d'actes criminels et notamment la «Convention européenne relative au dédommagement des victimes d'infractions violentes» du 24 de novembre 1983*, en *Revue internationale de Criminologie et de Police technique*, 1984, págs. 154 y s.s. Vid. también el *Rapport explicatif sur la Convention européenne relative au dédommagement des victimes d'infractions violentes*, Conseil de l'Europe, Strasbourg, 1984, págs. 5 y s.s.

Vista la Resolución 77, 27 del Comité de Ministros del Consejo de Europa, sobre la indemnización a las víctimas de delitos, han convenido lo siguiente:

## TÍTULO I
### Principios fundamentales

*Artículo uno*

Las Partes se comprometen a adoptar las disposiciones necesarias para llevar a efecto los principios enunciados en el Título I del presente Convenio.

*Artículo dos*

1. Cuando la indemnización no pueda ser asumida plenamente por otras fuentes, el Estado contribuirá a indemnizar:

a) A los que han sufrido graves lesiones corporales o daños en su salud como consecuencia directa de un delito intencional de violencia.

b) A las personas a cargo del fallecido como consecuencia de un delito de esa clase.

2. Se concederá la indemnización prevista en el párrafo precedente aunque no se pueda procesar o sancionar al autor.

*Artículo tres*

El Estado en cuyo territorio se hubiere cometido el delito concederá la indemnización:

a) A los nacionales de los Estados parte en el presente Convenio.

b) A los nacionales de todos los demás Estados miembros del Consejo de Europa con residencia permanente en el Estado en cuyo territorio se hubiere cometido el delito.

*Artículo cuatro*

La indemnización cubrirá como mínimo, según los casos, los elementos siguientes del perjuicio: pérdida de ingresos, gastos médicos y de hospitalización, gastos funerarios y, cuando se trate de personas a cargo, pérdida de alimentos.

*Artículo cinco*

Cuando sea necesario en el régimen de indemnizaciones podrán fijarse respecto de la totalidad de la indemnización o de algunos de sus elementos límites máximo y mínimo de las indemnizaciones que hayan de concederse.

*Artículo seis*

En el régimen de indemnizaciones podrá fijarse un plazo para la presentación de las solicitudes de indemnización.

*Artículo siete*

Se podrá reducir o suprimir la indemnización habida cuenta de la situación financiera del solicitante.

*Artículo ocho*

1. Se podrá reducir o suprimir la indemnización por motivos del comportamiento de la víctima o del solicitante antes o después del delito, o durante su perpetración, o en relación con el daño causado.

2. También se podrá reducir o suprimir la indemnización si la víctima o el solicitante tuvieron participación en la delincuencia organizada o pertenecieran a una organización que perpetre delitos de violencia.

3. Asimismo se podrá reducir o suprimir la indemnización en el caso en que la totalidad o parte de una indemnización fuera contraria al sentido de la justicia o al orden público.

*Artículo nueve*

Con el fin de evitar una duplicación de indemnizaciones, el Estado o la autoridad competente podrá deducir de la indemnización concedida, o reclamar a la persona indemnizada cualquier cantidad relacionada con el perjuicio sufrido, que haya pagado el delincuente, la seguridad social, o una entidad de seguros o de cualquier otro origen.

*Artículo diez*

El Estado o la autoridad competente podrán subrogarse en los derechos de la persona indemnizada hasta el máximo de la cantidad pagada.

*Artículo once*

Las Partes se comprometen a adoptar las medidas adecuadas para que los posibles solicitantes tengan acceso a la información relativa al régimen de indemnizaciones.

## TÍTULO II
### Cooperación internacional

*Artículo doce*

A reserva de la aplicación de acuerdos bilaterales o multilaterales de asistencia mutua entre Estados contratantes, las autoridades competentes de cada una de las Partes, a petición de las autoridades competentes de cualquier otra parte, prestarán la asistencia más amplia posible en el ámbito del presente Convenio. A ese fin, cada Estado Contratante, cuando deposite su instrumento de ratificación, aceptación, aprobación o adhesión, designará una *autoridad central* para recibir las solicitudes de asistencia, darles curso e informar al respecto al Secretario General del Consejo de Europa.

*Artículo trece*

1. Se mantendrá informado al Comité Europeo para las Problemas Criminales (CDPC) del Consejo de Europa de la aplicación del presente Convenio.

2. A ese fin, cada Parte comunicará al Secretario General del Consejo de Europa toda la información pertinente acerca de sus disposiciones legislativas o reglamentarias sobre las cuestiones que son objeto del presente Convenio.

## TÍTULO III
### Cláusulas finales

*Artículo catorce*

El presente Convenio quedará abierto a la firma de los Estados miembros del Consejo de Europa. Estará sujeto a ratificación, aceptación o aprobación. Los instrumentos de ratificación, aceptación o aprobación se depositarán en poder del Secretario General del Consejo de Europa.

*Artículo quince*

1. El presente Convenio entrará en vigor el primer día del mes que siga a la expiración de un período de tres meses después de la fecha en que tres Estados miembros del Consejo de Europa hubieran expresado su consentimiento de quedar vinculados por el Convenio de conformidad con lo dispuesto en el artículo 14.

2. Para todo Estado miembro que exprese posteriormente su consentimiento de quedar vinculado por el Convenio, entrará en vigor el primer día del mes que siga a la expiración de un período de tres meses después de la fecha del depósito del instrumento de ratificación, aceptación o aprobación.

*Artículo dieciséis*

1. Después de la entrada en vigor del presente Convenio, el Comité de Ministros del Consejo de Europa podrá invitar a cualquier Estado no miembro del Consejo de Europa a adherirse al presente Convenio, mediante decisión adoptada con mayoría prevista en el artículo 20 del Estatuto del Consejo de Europa y con el voto unánime de los representantes de los Estados contratantes con derecho a participar en dicho Comité.

2. Para todo Estado adherido, el Convenio entrará en vigor el primer día del mes que siga a la expiración de un período de tres meses después de la fecha del depósito del instrumento de adhesión en poder del Secretario General del Consejo de Europa.

*Artículo diecisiete*

1. Todo Estado, en el momento de la firma o al depositar su instrumento de ratificación, aceptación, aprobación o adhesión, podrá especificar el territorio o los territorios a los que se aplicará el presente Convenio.

2. Con posterioridad, todo Estado, en cualquier momento, mediante declaración dirigida al Secretario General del Consejo de Europa, podrá extender la aplicación del presente Convenio a cualquier otro territorio que se especifique en dicha declaración. Respecto a este territorio el Convenio entrará en vigor el primer día del mes que siga a la expiración de un período de tres meses después de la fecha en que reciba la declaración el Secretario General.

3. Toda declaración formulada conforme a lo dispuesto en los dos párrafos precedentes podrá retirarse, en lo que concierne a cualquier territorio especificado en dicha declaración, mediante notificación dirigida al Secretario General. La retirada surtirá efecto el primer día del mes que siga a la expiración de un período de seis meses después de la fecha en que reciba la declaración el Secretario General.

*Artículo dieciocho*

1. Todo Estado, en el momento de la firma o cuando deposite su instrumento de ratificación, aceptación, aprobación o adhesión, podrá formular una o varias reservas.

2. Todo Estado contratante que haya formulado una reserva conforme a lo dispuesto en el párrafo precedente, podrá retirarla total o parcialmente mediante notificación al Secretario General del Consejo de Europa. La retirada surtirá efecto en la fecha en que reciba la notificación el Secretario General.

3. La Parte que hubiere formulado una reserva respecto de una disposición del presente Convenio no podrá reclamar la aplicación por otra Parte de dicha disposición; no obstante, si la reserva es parcial o condicional, dicha Parte podrá reclamar la aplicación de dicha disposición en la medida en que la hubiera aceptado.

*Artículo diecinueve*

1. Toda Parte podrá denunciar en cualquier momento el presente Convenio mediante notificación dirigida al Secretario General del Consejo de Europa.

2. La denuncia surtirá efecto el primer día del mes que siga a la expiración de un período de seis meses después de la fecha en que reciba la notificación el Secretario General.

*Artículo veinte*

El Secretario General del Consejo de Europa notificará a los Estados miembros del Consejo y a todo Estado que se hubiere adherido al presente Convenio: a) toda firma; b) el depósito de todo instrumento de ratificación, aceptación, aprobación o adhesión; c) toda fecha de entrada en vigor del presente Convenio conforme a lo dispuesto en sus artículos

15, 16 y 17; d) cualquiera otra acta, notificación o comunicación que esté relacionada con el presente Convenio.

En fe de lo cual, los infrascritos, debidamente autorizados para ello, han firmado el presente Convenio. Hecho en Estrasburgo, el 24 de noviembre de 1983, en francés y en inglés, siendo ambos textos igualmente auténticos, en un ejemplar único que se depositará en los archivos del Consejo de Europa. El Secretario General del Consejo de Europa remitirá copias certificadas a cada uno de los Estados miembros del Consejo de Europa y a todo Estado invitado a adherirse al presente Convenio.

## IV. LA DECLARACIÓN DE LAS NACIONES UNIDAS DE 1985

También las Naciones Unidas se han preocupado, sobre todo en los últimos tiempos, por la problemática de las víctimas. Si bien en los diversos Congresos de las Naciones Unidas para la prevención del delito y tratamiento del delincuente no se aborda *directamente* esta cuestión hasta 1985.

Las referencias a la situación de las víctimas contenidas, por ejemplo, en los IV y V Congresos tuvieron —simplemente— carácter incidental[9] y surgieron al discutirse los temas relativos a la extensión y dimensiones de la criminalidad, la tortura o los tratos inhumanos o degradantes.

Con mayor claridad se perfila la preocupación por las víctimas en el VI Congreso, celebrado en Caracas en 1980. Allí se recomendó a los expertos y agencias de la ONU la elaboración de directrices en la materia, subrayándose que el problema de las víctimas de la criminalidad no podía ser ignorado desde una perspectiva internacional. Consecuentemente, en la reunión del Comité para la prevención y control del crimen, celebrada en Viena en 1982, se incluyó en el programa del VII Congreso el tema de las víctimas del delito.

Ya en 1985, el *V Symposio Internacional de Victimología*, que tuvo por sede Zagreb, discutió y perfeccionó el documento que fue presentado

---

9     Cfr.: M. LÓPEZ-REY Y ARROJO, *Criminología internacional*, Publicaciones del Instituto de Criminología de la Universidad Complutense, Madrid, 1983, pág. 156.

ese mismo año al VII Congreso de las Naciones Unidas para la prevención del delito y tratamiento del delincuente, celebrado en Milán entre el 26 de agosto y el 6 de septiembre. Congreso que debatió y recomendó a la Asamblea General la publicación de una *Declaración sobre los principios fundamentales de justicia para las víctimas de delitos y del abuso de poder*[10].

El 29 de noviembre de 1985, la Asamblea General de las Naciones Unidas aprobó el texto recomendado por el VII Congreso y dio publicidad a la Resolución 40/34, que indica las medidas que han de tomarse en los planos internacional y regional para mejorar el acceso a la justicia y el trato justo, el resarcimiento, la indemnización y la asistencia social a las víctimas de delitos y esboza las principales medidas que han de utilizarse para prevenir la victimización ligada a los abusos de poder y proporcionar remedio a las víctimas de esos abusos.

En esta declaración se ha querido ver el momento en que la víctima —la gran olvidada del Derecho penal y de la Criminología— pasa a un primer plano y la Victimología afirma su lugar en el universo de las ciencias penales[11]. En cualquier caso, muchas de las medidas que la resolución recomienda se superponen a las proposiciones en su día elaboradas por el Consejo de Europa.

Así, por ejemplo, la Asamblea General en la mencionada Resolución 40/34 reconoce que millones de personas en el mundo sufren daños como resultado de delitos y del abuso del poder y que los derechos de esas víctimas no son protegidos adecuadamente. Se reconoce, también, que las víctimas y —con frecuencia— sus familiares, los testigos y otras personas que les prestan ayuda, están injustamente expuestas a pérdidas, daños o perjuicios, y que además pueden sufrir dificultades cuando comparecen en el enjuiciamiento de los delincuentes. Por ello, se afirma la necesidad de que se adopten medidas nacionales e internacionales a fin de garantizar el reconocimiento y el respeto universales y efectivos de los derechos de las víctimas de delitos y del abuso de poder, destacándose la necesidad de promover el progreso de todos los Estados en los

---

[10]    Sobre este VII Congreso de las Naciones Unidas, que incluyó por vez primera en su orden del día la problemática de las víctimas, vid.: C. SOMERHAUSEN, *La prévention du crime pour la liberté, la justice, la paix et le développement*, en *Revue de Droit pénal et de Criminologie*, 1986, págs. 475 y s.s.

[11]    Cfr.: RODRÍGUEZ MANZANERA, *Victimología. Estudio de la víctima*, cit., pág. 302.

esfuerzos que se realicen en ese sentido, sin perjuicio de los derechos de los sospechosos o delincuentes.

En consecuencia, se recomienda que, en los planos internacional y regional, se adopten todas las medidas apropiadas para la consecución de los siguientes objetivos:

a) Promover las actividades de formación destinadas a fomentar el respeto de las normas y principios de las Naciones Unidas y reducir los posibles abusos.

b) Patrocinar las investigaciones prácticas de carácter cooperativo sobre los modos de reducir la victimización y ayudar a las víctimas, y promover intercambios de información sobre los medios más eficaces para alcanzar esos fines.

c) Prestar ayuda a los gobiernos que la soliciten con miras a ayudarlos a reducir la victimización y aliviar la situación de las víctimas.

d) Establecer medios de proporcionar un recurso a las víctimas cuando los procedimientos nacionales resulten insuficientes.

Finalmente —y recomendando la mayor difusión posible de la misma— se aprueba la *Declaración sobre los principios fundamentales de justicia para las víctimas de delitos y del abuso de poder*, que se incluye como *anexo* en la propia resolución y que está redactada en los términos que a continuación se reproducen.

## A. *Las víctimas de delitos*

1. Se entenderá por «víctimas» las personas que, individual o colectivamente, hayan sufrido daños, inclusive lesiones físicas o mentales, sufrimiento emocional, pérdida financiera o menoscabo sustancial de sus derechos fundamentales, como consecuencia de acciones u omisiones que violen la legislación penal vigente en los Estados Miembros, incluida la que proscribe el abuso de poder.

2. Podrá considerarse «Víctima» a una persona, con arreglo a la presente Declaración, independientemente de que se identifique, aprehenda, enjuicie o condene al perpetrador e independientemente de la relación familiar entre el perpetrador y la víctima. En la expresión «víctima» se incluye además, en su caso, a los familiares o personas a su cargo que tengan relación inmediata con la víctima directa y a las personas que hayan sufrido daños al intervenir para asistir a la víctima en peligro o para prevenir la victimización.

3. Las disposiciones de la presente Declaración serán aplicables a todas las personas sin distinción alguna, ya sea de raza, color, sexo, edad, idioma, religión, nacionalidad, opinión política o de otra índole, creencias o prácticas culturales, situación económica, nacimiento o situación familiar, origen étnico o social, o impedimento físico.

*Acceso a la justicia y trato justo*

4. Las víctimas serán tratadas con compasión y respeto por su dignidad. Tendrán derecho al acceso a los mecanismos de la justicia y a una pronta reparación del daño que hayan sufrido, según lo dispuesto en la legislación nacional.

5. Se establecerán y reforzarán, cuando sea necesario, mecanismos judiciales y administrativos que permitan a las víctimas obtener reparación mediante procedimientos oficiales u oficiosos que sean expeditos, justos, poco costosos y accesibles. Se informará a las víctimas de sus derechos para obtener reparación mediante esos mecanismos.

6. Se facilitará la adecuación de los procedimientos judiciales y administrativos a las necesidades de las víctimas:

a) Informando a las víctimas de su papel y del alcance, el desarrollo cronológico y la marcha de las actuaciones, así como de la decisión de sus causas, especialmente cuando se trate de delitos graves y cuando hayan solicitado esa información.

b) Permitiendo que las opiniones y preocupaciones de las víctimas sean presentadas y examinadas en etapas apropiadas de las actuaciones siempre que estén en juego sus intereses, sin perjuicio del acusado y de acuerdo con el sistema nacional de justicia penal correspondiente.

c) Prestando asistencia apropiada a las víctimas durante todo el proceso judicial.

d) Adoptando medidas para minimizar las molestias causadas a las víctimas, proteger su intimidad, en caso necesario, y garantizar su seguridad, así como la de sus familiares y la de los testigos en su favor, contra todo acto de intimidación y represalia.

e) Evitando demoras innecesarias en la resolución de las causas y en la ejecución de los mandamientos o decretos que concedan indemnizaciones a las víctimas.

7. Se utilizarán, cuando proceda, mecanismo oficiosos para la solución de las controversias, incluidos la mediación, el arbitraje y las

prácticas de justicia consuetudinaria o autóctona, a fin de facilitar la conciliación y la reparación en favor de las víctimas.

*Resarcimiento*

8. Los delincuentes o los terceros responsables de su conducta resarcirán equitativamente, cuando proceda, a las víctimas, sus familiares o las personas a su cargo. Ese resarcimiento comprenderá la devolución de los bienes o el pago por los daños o pérdidas sufridos, el reembolso de los gastos realizados como consecuencia de la victimización, la prestación de servicios y la restitución de derechos.

9. Los gobiernos revisarán sus prácticas, reglamentaciones y leyes de modo que se considere el resarcimiento como una sentencia posible en los casos penales, además de otras sanciones penales.

10. En los casos en que se causen daños considerables al medio ambiente, el resarcimiento que se exija comprenderá, en la medida de lo posible, la rehabilitación del medio ambiente, la reconstrucción de la infraestructura, la reposición de las instalaciones comunitarias y el reembolso de los gastos de reubicación cuando esos daños causen la disgregación de una comunidad.

11. Cuando funcionarios públicos u otros agentes que actúen a título oficial o cuasioficial hayan violado la legislación penal nacional, las víctimas serán resarcidas por el Estado cuyos funcionarios o agentes hayan sido responsables de los daños causados. En los casos en que ya no exista el gobierno bajo cuya autoridad se produjo la acción u omisión victimizadora, el Estado o gobierno sucesor deberá proveer al resarcimiento de las víctimas.

*Indemnización*

12. Cuando no sea suficiente la indemnización procedente del delincuente o de otras fuente, los Estados procurarán indemnizar financieramente:

a) A las víctimas de delitos que hayan sufrido importantes lesiones corporales o menoscabo de su salud física o mental como consecuencia de delitos graves.

b) A la familia, en particular a las personas a cargo, de las víctimas que hayan muerto o hayan quedado física o mentalmente incapacitadas como consecuencia de la victimización.

13. Se fomentará el establecimiento, el reforzamiento y la ampliación de fondos nacionales para indemnizar a las víctimas. Cuando proceda, también podrán establecerse otros fondos con ese propósito, incluidos los casos en los que el Estado de nacionalidad de la víctima no esté en condiciones de indemnizarla por el daño sufrido.

*Asistencia*

14. Las víctimas recibirán la asistencia material, médica, psicológica y social que sea necesaria, por conducto de los medios gubernamentales, voluntarios, comunitarios y autóctonos.

15. Se informará a las víctimas de la disponibilidad de servicios sanitarios y sociales y demás asistencia pertinente, y se facilitará su acceso a ellos.

16. Se proporcionará el personal de policía, de justicia, de salud, de servicios sociales y demás personal interesado capacitación que lo haga receptivo a las necesidades de las víctimas y directrices que garanticen una ayuda apropiada y rápida.

17. Al proporcionar servicios y asistencia a las víctimas, se prestará atención a las que tengan necesidades especiales por la índole de los daños sufridos o debido a factores como los mencionados en el párrafo 3 *supra*.

## B. Las víctimas del abuso de poder

18. Se entenderá por «víctimas», las personas que, individual o colectivamente, hayan sufrido daños, inclusive lesiones físicas o mentales, sufrimiento emocional, pérdida financiera o menoscabo sustancial de sus derechos fundamentales, como consecuencia de acciones u omisiones que no lleguen a constituir violaciones del derecho penal nacional, pero violen normas internacionalmente reconocidas relativas a los derechos humanos.

19. Los Estados considerarán la posibilidad de incorporar a la legislación nacional normas que proscriban los abusos de poder y proporcionen remedios a las víctimas de esos abusos. En particular, esos remedios incluirán el resarcimiento y la indemnización, así como la asistencia y el apoyo materiales, médicos, psicológicos y sociales necesarios.

20. Los Estados considerarán la posibilidad de negociar tratados internacionales multilaterales relativos a las víctimas, definidas en el párrafo 18.

21. Los Estados revisarán periódicamente la legislación y la práctica vigentes para asegurar su adaptación a las circunstancias cambiantes, promulgarán y aplicarán, en su caso, leyes por las cuales se prohiban los actos que constituyan graves abusos de poder político o económico y se fomenten medidas y mecanismos para prevenir esos actos, y establecerán derechos y recursos adecuados para las víctimas de tales actos, facilitándoles su ejercicio.

Así reproducidos los términos de tan fundamental *Declaración de principios*, justo es reconocer que no constituyó una tarea fácil lograr la incorporación a la misma de la mención a las víctimas del abuso de poder. En efecto, un cualificado sector de opinión temía —fundadamente— que algunas naciones se negasen a contraer compromisos de protección y apoyo a unas víctimas que su Derecho interno no reconocía como tales. Superadas todas las dificultades, la inclusión final de tan debatida referencia ha sido entendida como la confirmación de una Victimología abierta y flexible, no estrictamente supeditada a la literalidad de las victimizaciones formales[12].

Sin embargo, el efectivo desarrollo de aquellas disposiciones ha sido lento y desigual, cuando no inexistente. Por ello, las Naciones Unidas han tratado de impulsar el espíritu de la Declaración de 1985[13] reuniendo en Viena a un grupo de expertos internacionales, en 1995. Se aprobó así la elaboración de un plan global en favor de las víctimas de los delitos y del abuso de poder y un modelo para el establecimiento de los servicios de ayuda a las víctimas en los países en vías de desarrollo; también, la puesta en marcha de un dispositivo internacional de intervención en materia de asistencia a las víctimas en situaciones de emergencia[14].

---

[12]  Cfr.: HERRERA MORENO, *La hora de la víctima. Compendio de Victimología*, cit., pág. 132.

[13]  Cfr.: G. PICCA, *Ayuda a las víctimas. Mediación penal*, en EGUZKILORE, *Cuaderno del Instituto Vasco de Criminología*, n.º extraordinario, diciembre de 1997, pág. 78.

[14]  Vid. El texto del *Informe sobre las víctimas del crimen y de abuso de poder*, elaborado por un grupo de expertos de las Naciones Unidas (Viena, diciembre de 1995) en EGUZKILORE, *Cuaderno del Instituto Vasco de Criminología, n.º 9, 1995, págs. 83 y s.s.*

## Capítulo IV

# Los programas de asistencia, compensación y auxilio a las víctimas del delito

## I. DETERMINACIONES PREVIAS

Las primeras construcciones en orden al establecimiento de concretos programas de asistencia, compensación y auxilio a las víctimas del delito fueron logradas —como ya se indicó— en la década de los años sesenta del presente siglo. A las pioneras aportaciones de Nueva Zelanda (1963) e Inglaterra (1964) sucedieron, muy pronto, otras en algunos Estados de Norteamérica y diversas provincias canadienses. Nos encontramos, pues, ante las primeras cristalizaciones jurídico-positivas de una de las preocupaciones más agudamente sentidas en el ámbito del movimiento victimológico.

Actualmente, casi la totalidad de los Estados de Norteamérica poseen programas de esta naturaleza y lo mismo ocurre en la inmensa mayoría de las provincias y territorios del Canadá. En el Distrito Federal de México, la Ley de protección y auxilio a las víctimas de delitos fue promulgada ya en 1969.

En Europa, a partir de la década de los setenta se ha ido consolidando en las distintas legislaciones nacionales este movimiento de ayuda a las víctimas: en Austria desde 1972, en Finlandia desde 1973, en Irlanda desde 1974, en Holanda desde 1975[1], en Noruega y Alemania Federal

---

[1] Sobre la ley holandesa, que entró en vigor el 1 de enero de 1976 y se aplicó retroactivamente a los hechos delictivos violentos producidos desde el 1 de enero de 1973, vid.: M. DERKSEN, *La reprise d'un débat*, en *Déviance et Société*, 1983, págs. 379 y s.s.

desde 1976[2], en Francia desde 1977[3], en Suecia desde 1978, en Luxemburgo desde 1984, en Bélgica desde 1985[4], etc.

Al margen de las previsiones específicas en materia de terrorismo, en España una normativa de aquellas características se hizo esperar hasta la promulgación de la Ley de 11 de diciembre de 1995, *de ayudas y asistencia a las víctimas de delitos violentos y contra la libertad sexual.* Las recomendaciones de cualificados organismos internacionales y las positivas experiencias foráneas antes aludidas fueron tenidas en cuenta por nuestro legislador a la hora de poner fin a su tradicional despreocupación por la suerte de las víctimas.

Tales sistemas de intervención estatal suponen una notable transformación del añejo modelo de reparación privada basado en la responsabilidad civil *ex delicto*, porque si bien la indemnización pública no se contempla generalmente como una respuesta sustitutiva, sino subsidiaria de la privada, representa la implantación en este ámbito del principio de solidaridad social. Así, el Estado asume la carga de reparar —al menos en parte— los nocivos efectos de delitos que no ha sabido evitar

---

[2]    Sobre la ley de la República Federal Alemana de 1976, normativa —por otro lado— sin precedentes en aquel país, vid.: S. STOCK, *Indemnisation des victimes d'actes de violence par l'Etat en République Fédérale Allemande*, en *Déviance et Société*, 1983, págs. 367 y s.s.

[3]    En Francia, la *Ley de 8 de julio de 1983* vino a reforzar los criterios de protección a las víctimas introducidos por la *Ley de 3 de enero de 1977*. Sobre el proceso legislativo francés en la materia, vid.: A. D'HAUTEVILLE, *Le nouveau droit des victimes*, en *Revue internationale de Criminologie et de Police technique*, 1984, fundamentalmente págs. 455 y s.s.

[4]    En Bélgica, la *Ley de 1 de agosto de 1985* recoge, con carácter experimental, muchos de los criterios ya utilizados en programas de otros países. Así, creó un Fondo de ayuda a las víctimas de delitos violentos, financiado fundamentalmente por el propio Ministerio de Justicia. La compensación económica es subsidiaria y beneficia solamente a las víctimas de delitos dolosos lesivos para la integridad de las personas cuando el autor de los mismos no está en condiciones de indemnizar. Para la concesión se tiene en cuenta, sobre todo, la situación económica de la víctima y su comportamiento en el proceso de victimización. Como supuestos especiales, se contemplan las indemnizaciones a aquellos que son lesionados por auxiliar a la víctima de una de las agresiones aludidas y a los miembros de la policía víctimas de la violencia criminal. Sobre la ley-programa belga de 1985, vid.: P. MORLET, *L'aide de l'Etat aux victimes d'infractions de violence*, en *Revue de Droit pénal et de Criminologie*, 1987, págs. 891 y s.s.; D. MARTÍN, *Le mouvement d'aide aux victimes en Belgique francophone: tendances, problémes actuels et perspectives*, en *Revue de Droit pénal et de Criminologie*, 1989, fundamentalmente págs. 791 y s.s.

y, al mismo tiempo, intenta que la insolvencia o ilocalización del delincuente no sigan siendo obstáculos insalvables para una adecuada satisfacción de las víctimas[5].

Naturalmente, no todos los programas existentes alcanzan idénticos niveles de eficacia. Muchas y de muy variada índole son —como se verá— las críticas que han recibido las distintas soluciones nacionales. Cabe, sin embargo, subrayar que el más patente ejemplo de inaplicación viene representado por la ley del Distrito Federal de México, teóricamente vigente desde 1969, y que —por el contrario— la ley de la República Federal Alemana, que entró en vigor el 16 de mayo de 1976, suele ser mencionada como aquella que da una más razonable respuesta a las pretensiones de quienes han sido víctimas de determinados hechos delictivos.

En otros países no han logrado cristalizar en Derecho positivo algunas relevantes iniciativas de esta naturaleza. Quizá el ejemplo más significativo de ello venga representado por el Proyecto italiano de Ley sobre reparación a las víctimas del delito[6], elaborado y presentado por el *Centro Nazionale di Prevenzione e Difesa Sociale*, en 1975. Fundamentalmente, razones de tipo económico impidieron en su día la puesta en marcha del mismo.

No faltan naciones, sobre todo europeas, que —desde hace años— muestran una voluntad inequívoca de alcanzar en la materia una normativa homologable a la de los países de su entorno. Ya en 1986, se elaboró en Suiza un Anteproyecto de *Loi fédérale sur l'aide aux victimes d'infractions contre la vie et l'integrité corporelle* [7].

Este movimiento legislativo, que crece incontenible en los últimos tiempos, encuentra su razón de ser en argumentaciones de muy diversa naturaleza[8]:

---

[5]    Cfr.: J. M. TAMARIT SUMALLA, *La reparación a la víctima en el Derecho penal. Estudio y crítica de las nuevas tendencias político-criminales*, Fundació Jaume Callís, Barcelona, 1994, pág. 26.

[6]    Vid. la obra colectiva *Vittime del delitto e solidarietá sociales. Una proposta di Politica legislativa*, Giuffré, Varese, 1975, fundamentalmente págs. 13 y s.s.

[7]    Vid. al respecto: P.-H. BOLLE, *Le sorte de la victime des actes de violence criminels en Droit pénal suisse: de l'enfer au paradis*, en *Criminología y Derecho penal al servicio de la persona*, Libro-Homenaje al Profesor Antonio Beristain, cit., págs. 53 y s.s.

[8]    Vid.: F. LOMBARD, *Les différents systémes d'indemnisation des victimes d'actes de violence et leurs enjeux*, en *Revue de science criminelle et de Droit pénal comparé*, 1984, pág. 280 y s.

En primer término, se invocan argumentos de tipo *humanitario* que inciden en las necesidades de las víctimas, olvidadas durante demasiado tiempo en beneficio del protagonismo de los delincuentes en el ámbito de la justicia penal.

En segundo lugar, se manejan también argumentaciones *filosófico-políticas*; los ciudadanos —a través del contrato social— han delegado la autoridad en el Estado, en consecuencia, debe éste garantizar la seguridad de todos los miembros del colectivo ciudadano. Incluso, y cuando el delito ya se ha producido, el Estado debe proporcionar a las víctimas un nivel de vida razonable.

Finalmente, se esgrimen razones *político-criminales*; es necesario —se afirma— favorecer la participación de los ciudadanos víctimas de actos de violencia en la detención y condena de los agresores; con ello, la justicia alcanzará mayores niveles de eficacia.

## II. PRINCIPIOS GENERALES DE LOS DIVERSOS PROGRAMAS

Hay que reconocer que las distintas soluciones nacionales, y al margen de la persecución de finalidades comunes con base en criterios no siempre coincidentes, ofrecen peculiaridades diferenciadoras. A veces, radican las mismas en cuestiones de fondo; en ocasiones, afectan exclusivamente a problemas de procedimiento o de fuentes de financiación[9]. Sin embargo, a la vista de los diferentes programas, no es difícil entresacar una serie de notas comunes a la mayoría de ellos.

1) Todas las legislaciones afirman el carácter *subsidiario* de la indemnización estatal, es decir, exigen la ausencia de indemnizaciones alcanzadas por otra vía (caso, por ejemplo, de los fondos nacionales de garantía con relación a los accidentes automovilísticos). La intervención del Estado en la materia se contempla, pues, como un último recurso.

2) Ayudas que —también con carácter general— se conceden incluso en los supuestos en que resulta imposible perseguir o condenar al autor

---

[9]   Vid.: M. Delmas-Marty, *Des victimes: repéres pour un approche comparative*, en *Revue de science criminelle et de Droit pénal comparé*, 1984, págs. 216 y s.s.

del hecho delictivo, especialmente en los casos en que éste se encuentra en paradero desconocido.

3) La mayoría de los programas limitan la asistencia a las víctimas de *actos criminales violentos*; con ayuda a los familiares dependientes de la persona fallecida o asistencia en los casos de incapacidad permanente o temporal para las actividades profesionales. Menos frecuentes son las previsiones indemnizatorias en los supuestos de delitos patrimoniales; las que existen suelen restringirse a los casos de situación económica desesperada de las víctimas.

4) También se observa un criterio claramente restrictivo respecto a la indemnización de los daños morales (incluida, sin embargo, en los sistemas de muchos Estados norteamericanos, algunas provincias canadienses y en la ley francesa de 1983).

5) Es mayoritario el criterio de limitar las indemnizaciones a los supuestos en que el daño causado a las víctimas entraña un *perjuicio de tipo económico*. Exigiéndose, en ocasiones, una grave situación material de la víctima como consecuencia de la infracción. Este principio, sin embargo, genera muy severas críticas por estimarse que no deben las víctimas ser sometidas a los mismos criterios que inspiran los programas de asistencia social; la condición de víctima —se afirma—no debe valorarse en función de la situación económica del sujeto. Además, los propios administradores de alguno de los programas en que está legalmente impuesto aquel criterio denuncian, no sólo su carácter discriminatorio, sino también las costosas investigaciones que supone su efectiva aplicación en la práctica[10].

6) La casi totalidad de los programas fijan, para las indemnizaciones, unos *límites* —máximos y mínimos— con la finalidad de reducir gastos y de eliminar, en el segundo caso, un elevado número de peticiones de sumas de escasa relevancia; no faltan críticas a esta solución que sólo perjudica a las víctimas de peor condición financiera y para las que incluso muy limitadas indemnizaciones pueden suponer algo no desdeñable. Una vez más, los problemas de financiación inciden decisivamente en este problemática.

---

[10]   Con relación a esta problemática en los distintos programas existentes en los Estados Unidos de Norteamérica, vid.: S. VALLIERES, *Une nouvelle victime illusoire: de rien á si peu en passant par l'indemnisation*, en *Déviance et Société*, 1983, pág. 362.

7) Con frecuencia se limitan las indemnizaciones a los daños derivados de *delitos dolosos*; ello no obstante, existen programas que compensan a las víctimas de delitos contra la vida y la integridad personal incluso cuando el delincuente ha actuado culposamente. En cualquier caso, se exige que la conducta básica constituya una infracción prevista y sancionada en las respectivas leyes penales, si bien se engloban, también, los daños causados por personas en estado de demencia, por ejemplo.

8) La mayoría de las legislaciones excluyen de las indemnizaciones — o las reducen sustancialmente— cuando la víctima, de una u otra forma, contribuye a la realización del resultado dañoso; es decisivo, pues, el comportamiento del sujeto que pretende la indemnización y, sobre todo, sus relaciones con el autor del hecho criminal. En consecuencia, sólo resulta indemnizada la *víctima enteramente inocente*, dudoso estereotipo de ambigua significación. En Bélgica, por ejemplo, para cuantificar el importe de las ayudas se tiene en cuenta, entre otras cuestiones, el comportamiento del solicitante de la misma en los supuestos en que éste hubiera contribuido, directa o indirectamente, a la producción del perjuicio o a su agravamiento y las relaciones de la víctima con el delincuente.

9) Muchos países, y con la finalidad de que la indemnización no beneficie al autor del delito, excluyen de la ayuda a las víctimas unidas al delincuente por un lazo familiar o por la simple convivencia. Por supuesto, disposiciones de esta naturaleza eliminan del ámbito indemnizatorio a ciertas categorías de víctimas que se encuentran en condiciones muchas veces dramáticas; piénsese, por ejemplo, en las mujeres maltratadas por su pareja. Precisamente por ello, y para no excluir a todas las víctimas de la violencia doméstica, existen programas que contienen una excepción a la regla general antes aludida y que permite indemnizar en estos supuestos cuando lo requiera el interés de la justicia. Muchos programas norteamericanos contienen disposiciones de esta naturaleza.

10) En algunos países esta compensación a las víctimas se abona a través de un *pago único*, con cargo a un fondo especial (caso de Inglaterra, por ejemplo); en otros, se ha optado por la concesión de una *pensión asistencial* (Alemania o Austria).

11) Con relativa frecuencia, se prevé la posibilidad de conceder, por razones de urgencia, *ayudas provisionales* a la víctima o sus derechohabientes y *complementos de ayuda*, cuando —otorgada ésta—

el perjuicio se hubiera agravado de forma notable. Ambas posibilidades se contemplan, por ejemplo, en la normativa belga.

12) En cuanto a las cuestiones de procedimiento, todos los sistemas exigen la solicitud presentada dentro de un determinado *plazo*; en los diferentes Estados de Norteamérica varía éste entre los tres meses y los dos años. Francia lo ha fijado en un año. En Suecia se extiende hasta los dos años a partir del momento en que se produjo la infracción.

13) Muchas legislaciones exigen —además de la petición expresa— que la víctima haya denunciado la infracción ante las autoridades judiciales o la policía. Incluso, no faltan los países en los que se requiere una cooperación con la policía en el curso de las investigaciones o comparecencia para testificar, etc. En definitiva, sólo es indemnizable la *víctima cooperadora*. Además de perseguir el reforzamiento de la colaboración ciudadana con la justicia, exigencias de esta naturaleza se consideran necesarias para actuar como filtro de posibles demandas fraudulentas.

14) Es frecuente, también, que en los distintos programas se aluda a la posibilidad de que el Estado exija el *reembolso* total o parcial de las ayudas concedidas cuando éstas se hubieren logrado, en todo o en parte, en función de declaraciones falsas u omisiones de la víctima o de sus derechohabientes.

15) En algunos países existen —incluso— *indemnizaciones especiales*, previstas para los supuestos de actos intencionales violentos contra miembros de la policía y contra particulares que hubieren acudido en ayuda de las víctimas de agresiones de aquella naturaleza. En este sentido, se contiene una minuciosa regulación en el programa de Bélgica.

16) Una última cuestión es profundamente polémica y muy diferentes las respuestas legislativas ofrecidas a la misma[11]. Se trata de la *problemática de los extranjeros*. Tal condición supone en muchos países un obstáculo insalvable para obtener la indemnización (Austria, por ejemplo). En otros no existe discriminación entre nacionales y extranjeros (Holanda o Inglaterra). No faltan los que incluyen en los programas

---

[11] Vid.: B. VILLMOW, *Les implications de la recherche sur la victimisation en ce qui concerne la politique criminelle et sociale*, en *Recherches sur la victimisation*, Conseil de l'Europe, Strasbourg, 1985, pág. 133.

limitadoras cláusulas de reciprocidad, casos de Alemania o Francia[12]; al margen de otro tipo de valoraciones, se denuncia la falta de generosidad que evidencia este criterio, sobre todo con relación a los trabajadores extranjeros, quienes —además— pagan sus impuestos en el país en que desarrollan su actividad laboral.

De la conjugación de los más extendidos criterios antes mencionados, cabe deducir un concepto de *víctima indemnizable*, de alcance muy limitado si se compara con el número de víctimas reales. En efecto, lo sería tan sólo aquélla que ha sufrido una lesión en su integridad personal, que se encuentra en precaria situación económica, que no ha colaborado en su victimización y que coopera con el aparato represivo estatal en la persecución de la delincuencia. En definitiva, la mayoría de las víctimas de hechos criminales no resultan protegidas por los programas aludidos.

Tan restrictivo criterio obedece, en ocasiones, a limitaciones económicas insoslayables, a pesar de las muchas fórmulas ensayadas para obtener una adecuada financiación[13]. A veces, se recurre al importe de las penas pecuniarias; otras, como en Bélgica, al pago por el culpable —en concepto de contribución y al margen de la multa— de una determinada cantidad de dinero siempre que se pronuncie una sentencia

---

[12] *Cláusula de reciprocidad* contenida, también, en la ley belga de 1985, que exige —en su art. 31— que la víctima sea «en el momento de cometerse el acto de violencia, de nacionalidad belga, o estuviera autorizada para entrar, permanecer o establecerse en el Reino y, en este último caso y si no es apátrida ni refugiada, que posea la nacionalidad de un Estado que hubiera concedido, en hipótesis semejante y en el momento del acto de violencia, una indemnización al ciudadano belga».

[13] Una de las más complejas fórmulas de financiación es la contenida en la *Ley mexicana de protección y auxilio a las víctimas de delitos*, de 1969. En efecto, el Fondo de reparaciones se integra con las siguientes percepciones: A) La cantidad que el Estado recabe por conceptos de sanciones que se hagan efectivas en los casos de incumplimiento de obligaciones inherentes a la libertad provisional bajo caución, la suspensión condicional de la condena y la libertad condicional, según lo previsto por las leyes respectivas. B) La cantidad que el Estado recabe por concepto de multas impuestas como pena, por las autoridades judiciales. C) La cantidad que por concepto de reparación del daño deban cubrir los reos sentenciados a tal pena por los tribunales del Estado, cuando el particular beneficiado se abstenga de reclamar en tiempo dicha reparación, o renuncie a ella, o cuando la misma se deba al Estado en calidad de perjudicado. D) El cinco por ciento de la utilidad líquida anual de todas las industrias, servicios y demás actividades lucrativas existentes en los reclusorios estatales. E) Las aportaciones que para este fin hagan el propio Estado y los particulares.

condenatoria; ha llegado, incluso, a utilizarse las sumas obtenidas por la venta de objetos robados recuperados por la policía y que no son reclamados por sus legítimos propietarios (Estado de New York); en Canadá el Gobierno Federal apoya financieramente los distintos programas de las provincias y territorios (solución arbitrada también en Alemania). Por ello, es difícil que muchos programas lleguen a abrirse a soluciones indemnizatorias en beneficio de las víctimas de delitos patrimoniales, quizá —precisamente— porque éstos son los más numerosos en la realidad de todos los países. Idéntica motivación económica ofrece, evidentemente, la restrictiva exigencia de la grave situación material de la víctima. A todo ello cabe añadir que, en no pocas ocasiones, las dificultades financieras determinan graves retrasos en el pago de las indemnizaciones por los respectivos programas. Retrasos que sufren especialmente unos sujetos que deben su condición de víctima indemnizable —entre otras razones— a su precaria situación económica.

Al margen de los problemas de financiación, hay que subrayar que —con frecuencia— las víctimas desconocen la existencia de estos programas. La falta de información se produce incluso en países que cuentan con muchos y ambiciosos programas. Tal es el caso, por ejemplo, de Canadá, donde las víctimas que se benefician de la indemnización no llegan en ocasiones al 2% del total de las mismas[14]. Con relación a los Estados Unidos de Norteamérica, el porcentaje gira en torno al 8%[15]. En Alemania, los datos más recientes indican que no llega al 10% el número de víctimas que presentan sus solicitudes ante las correspondientes oficinas de asistencia; incluso, la mayoría de las veces toman la iniciativa las compañías aseguradoras médicas, que llegan así a convertirse en los principales beneficiarios del sistema.

En no pocas ocasiones, las críticas se centran en la excesiva burocratización que sufren los mecanismos legales de indemnización; hasta tal punto que ha llegado a hablarse del sentimiento de frustación experimentado por las víctimas, sobre todo cuando después de un largo período de espera su petición es rechazada o resulta de muy modesta dimensión económica.

---

[14]   Cfr.: R. HASTINGS, *Politiques et pratiques canadiennes*, en *Déviance et Société*, 1983, pág. 351.
[15]   Cfr.: LOMBARD, *Les différents systémes d'indemnisation des victimes d'actes de violence et leurs enjeux*, cit., pág. 288.

En cualquier caso, el porvenir de todos estos programas se encuentra marcado por limitaciones de signo económico, sobre todo cuando se plantea la posibilidad de su ampliación. Las dificultades para la obtención de mayores recursos financieros se experimenta, incluso, en aquellos países de más saneada economía. Por todo ello, no puede extrañar que las iniciativas en este ámbito se orienten en los últimos tiempos a lograr mecanismos que propicien la indemnización a las víctimas por parte del agresor y a crear, o consolidar, programas de servicios y asistencia a las víctimas y testigos.

## III. PROGRAMAS DE REPARACIÓN A CARGO DEL IN-FRACTOR. LA CONCILIACIÓN VÍCTIMA-OFENSOR

Los modernos programas de reparación y conciliación delincuente-víctima constituyen formas de reacción —iniciadas en la década de los años setenta en Canadá[16] y los Estados Unidos de Norteamérica y, posteriormente, en diversos países europeos— que pueden relativizar e, incluso, en el marco de la pequeña y mediana criminalidad, eliminar la pretensión punitiva del Estado.

En efecto, al lado de los programas estatales de indemnización antes aludidos, surgen iniciativas tendentes a implicar a los delincuentes en una reparación en beneficio de la víctima. En estos casos, es el autor del hecho delictivo el que indemnizará a través del pago de una cantidad de dinero, de la realización de una concreta actividad o mediante la prestación de ciertos servicios. Y todo ello en el marco de una modalidad que le permite evitar la imposición de una pena o como una especie de pena en sentido estricto.

Se trata de un proceso de compensación y conciliación que han propiciado tanto las Naciones Unidas como el Consejo de Europa y que supone incentivar al delincuente para que repare el daño que ha causado. Estos incentivos se utilizan no sólo para satisfacer las legíti-

---

[16] Sobre los orígenes canadienses de estos procedimientos de compensación y mediación, vid.: H. J. Schneider, *Recompensación en lugar de sanción. Restablecimiento de la paz entre el autor, la víctima y la sociedad*, en *Estudios penales y criminológicos*, XV, Universidad de Santiago de Compostela, 1992, pág. 214 y s.

mas pretensiones de la víctima, sino también para implicar al victimario en la reparación y reducir así la actividad de las instancias judicial y penitenciaria, habida cuenta que puede —en determinados casos— evitarse el proceso penal.

Nace así la ideología de la denominada *diversion* [17], en cuanto orientación político-criminal tendente a evitar el proceso penal o las sanciones de esta naturaleza —sobre todo las privativas de libertad—, mediante la revisión de los mecanismos tradicionales de control social y la apertura a nuevos modelos de intervención menos formalizados y, por ello, más rápidos y eficaces. La crisis de legitimación que sacude hoy al Derecho penal también explica —al menos en parte— la fascinación que tales iniciativas han despertado en amplios sectores científicos.

Los defensores de estos programas insisten en subrayar que al implicar a los culpables en los mismos se les obliga a constatar el daño real producido por su conducta, lo que —por lo menos en principio— debe repercutir muy favorablemente en su rehabilitación; lo que no ocurre, por ejemplo, con el cumplimiento de una pena privativa de libertad. En la actualidad, constituye algo más que una figura retórica el reconocimiento de la caída del mito del tratamiento. También se indica que la víctima queda más satisfecha con una decisión que obligue a su ofensor a reparar personalmente los daños causados[18.] Incluso, que supone un mecanismo económico en su ejecución, ya que permite un notable ahorro de recursos al Estado y una notable descongestión de la Administración de justicia. Se presenta así tal iniciativa como una respuesta al delito razonable y humanitaria que beneficia tanto a la víctima como al delincuente y llamada —además— a otorgar una nueva dimensión a la justicia penal, superando criterios simplemente retributivos[19] al apostar por el restablecimiento de la paz social.

---

[17] Suele utilizarse el término *diversion* como sinónimo de *desinstitucionalización* o *desjudicialización*, implicando en los Estados Unidos de Norteamérica la evitación de un procedimiento judicial tras la detención de un menor o de un joven por la policía. Vid. al respecto: H. J. KERNER, *Conciliación víctima-ofensor y reparación de daños en el Derecho penal alemán. Consideraciones sobre la nueva situación jurídica y las experiencias de la aplicación práctica*, en *Cuadernos de Política criminal*, 1997, pág. 376.

[18] Vid. en este sentido: J. SHAPLAND, *Victims, the criminal justice system and compensation*, en *British Journal of Criminology*, 1984, fundamentalmente pág. 144.

[19] Vid.: A. SERRANO MAÍLLO, *La compensación en Derecho penal*, Dykinson, Madrid, 1996, fundamentalmente págs. 244 y s.s.

La idoneidad de los programas de conciliación entre el delincuente y su víctima ha sido esquematizada por Dünkel en los siguientes términos: las víctimas aceptan en gran medida las ofertas de reparación, disculpas, etc., aunque la indemnización material completa pase muchas veces —como accesoria— a un segundo plano; los delincuentes cumplen (por regla general) de manera efectiva los acuerdos de reparación; los contactos directos entre delincuente y víctima son percibidos de forma positiva por ambas partes, habida cuenta que eliminan las imágenes hostiles o los temores de la víctima y crean en el delincuente umbrales de inhibición, al tiempo que lo enfrentan con el sufrimiento de su víctima; aun prescindiendo de un proceso criminal se pueden garantizar los principios de justicia, equidad o protección de las víctimas y —también— de los propios delincuentes; además, es practicable la reparación dentro de un proceso penal como sanción independiente o como obligación en el marco de la suspensión de la condena a prueba, o instituciones similares; finalmente, estima que —en su potencial resocializador y en su aspecto preventivo general— la reparación es, por lo menos, de eficacia equivalente a las sanciones tradicionales[20].

La mediación o conciliación víctima-ofensor se ofrece, pues, como un nuevo recurso resolutivo de procedencia victimológica —pero con implicaciones más ambiciosas— que favorece la reparación. Habilita un espacio de encuentro entre victimario y víctima para hacer posible un acuerdo de contenido reparador y, con ello, facilitar la solución de una grave crisis interpersonal; sin la hostilidad y tensión emocional que suelen acompañar al proceso convencional.

Al margen de las peculiaridades de cada uno de los programas existentes en el ámbito comparatista (nacionales, regionales o comarcales), el consenso es siempre la base del encuentro conciliador[21]; se trata de una opción voluntaria tanto para la víctima como para el ofensor, si

---

[20]   Vid.: F. Dünkel, *La conciliación delincuente-víctima y la reparación de daños: desarrollos recientes del Derecho penal y de la práctica del Derecho penal en el Derecho comparado*, en *Victimología*, Servicio Editorial de la Universidad del País Vasco, San Sebastián, 1990, pág. 141 y s.

[21]   Para una visión esquemática de los rasgos comunes a los diversos programas, vid.: M. Herrera Moreno, *Introducción a la problemática de la conciliación víctima-ofensor. Hacia la paz social por la conciliación*, en *Revista de Derecho penal y Criminología*, 1996, págs. 381 y s.s., E. Giménez-Salinas, *La conciliación víctima-delincuente: hacia un Derecho penal reparador*, en *La victimología*, Cuadernos de Derecho Judicial, cit., págs. 358 y s.s.

bien —como expediente previo— éste debe admitir su responsabilidad para acceder a la vía conciliatoria. El mediador, en algunos casos, es un experto sometido a control administrativo y, en otros, un profesional de la justicia; siempre, un elemento personal imprescindible[22].

En ocasiones, la conciliación tiene carácter extraprocesal, con renuncia del Ministerio Fiscal al ejercicio de la acción; otras veces, puede ser decidida en alguna de las fases del proceso, suspendiendo el fallo o estimándose el compromiso reparador como atenuación de la responsabilidad o gravamen impuesto para el disfrute de la libertad condicional. En cualquier caso, nos encontramos siempre ante una cierta recuperación del control del conflicto penal por parte de la víctima.

Las experiencias pioneras en la materia tuvieron lugar en el ámbito del Derecho penal juvenil (que en no pocos países integra las actividades de delincuentes jóvenes adultos de hasta veintiún o veinticinco años, según los casos), sin que ello despertase inquietud alguna; al contrario, las singularidades de la vía conciliatoria se justificaban en atención a la salvaguarda de los intereses del joven. Las reticencias surgieron —como veremos— cuando se abrió camino la pretensión de extender tales planteamientos al Derecho penal común.

En efecto, el procedimiento penal de menores ha sido en diversos países el banco de pruebas para la introducción de sistemas basados en la conciliación entre autor y víctima[23]. Los éxitos alcanzados en este ámbito suelen explicarse en base de la superior receptividad de los jóvenes (respecto de los adultos) ante el trabajo de unos profesionales para hacerles comprender las lesivas consecuencias de sus actos y en la disposición más favorable de las propias víctimas a un contacto o a un acuerdo al conocer que los malhechores han sido unos menores[24].

---

[22]  Cfr.: R. ARCE y F. FARIÑA, *Estudio psicosocial de la víctima*, en *Fundamentos de la Psicología jurídica*, Ediciones Pirámide, Madrid, 1995, pág. 442.

[23]  Por ejemplo, la alemana Ley de Tribunales de jóvenes (*Jungendgerichtsgesetz*) contempla hoy como medios correctivos específicos —entre otros— la reparación por el joven, y en la medida de sus posibilidades, de los perjuicios causados, la disculpa personal ante el ofendido, ciertas prestaciones de trabajo o el pago de una cantidad de dinero a una institución de utilidad social. En Austria, la Ley federal de Tribunales de menores permite la compensación extrajudicial del delito en términos muy generosos.

[24]  Cfr.: TAMARIT SUMALLA, *La reparación a la víctima en el Derecho penal. Estudio y crítica de las nuevas tendencias político-criminales*, cit., pág. 45.

No faltan, sin embargo, voces que denuncian las limitaciones de estos programas[25], sobre todo cuando se postula su generalización: desde un punto de vista teórico, se parte de una supuesta naturaleza privada de la infracción criminal no defendible con base en el Derecho positivo; por otro lado, en la práctica no parece aconsejable su utilización en algunos delitos violentos, pues la víctima teme encontrarse de nuevo con su agresor; añádase que la posible insolvencia del delincuente vacía de contenido aquellas modalidades de reparación que suponen el pago de una determinada cantidad por parte del infractor a su víctima.

Efectivamente, la reparación material fracasa, en no pocas ocasiones, por la falta de recursos del victimario. Por ello, se critica en diversos países que a muchos delincuentes se les dificulte o imposibilite la realización de prestaciones reparadoras en beneficio de la víctima, precisamente, por la existencia de pretensiones estatales (multas y similares) de satisfacción prioritaria; de este modo, el Estado lesiona indirectamente los intereses de la víctima.

Desde una óptica crítica se insiste, sobre todo, en que —aún identificado y detenido el delincuente de solvente situación económica— no todos los delitos aconsejan el recurso a reparaciones de esta naturaleza. Por ello, actualmente suelen reservarse para los casos de infracciones patrimoniales; cuando se trata de agresiones sexuales o se han utilizado armas por el agresor es lógico que la víctima se limite a exigir el castigo del delincuente pero que se niegue a tener contacto alguno con el mismo[26].

A ello cabe añadir que estos programas encuentran sus límites naturales en aquellos casos en que, además de la razonable satisfacción de los intereses individuales de la víctima, surgen los aspectos preventivos generales de afirmación del Derecho y de restablecimiento del orden social. Caso, por ejemplo, de la delincuencia contra la vida y —en general— de los delitos caracterizados por la utilización de violencia.

En cualquier caso, y al margen de muy positivas experiencias —en Austria o Finlandia— que permiten incluso sustituir la persecución penal por medio, precisamente, de la reparación del daño causado o acudiendo a mecanismos de arbitraje extrajudicial para solucionar

---

[25]   Vid.: García-Pablos, *Manual de Criminología*, cit., pág. 94.
[26]   Vid.: Villmow, *Les implications de la recherche sur la victimisation en ce qui concerne la politique criminelle et sociale*, cit., pág. 128.

conflictos de esta naturaleza entre los ciudadanos, muchas son las dificultades que se intuyen en el horizonte de estas iniciativas, que, en no escasa medida, *privatizan* el ejercicio de la justicia penal. No resulta fácil —se afirma— integrar la reparación en una Política criminal abierta al delincuente y a la víctima, y que descargue a los tribunales del conocimiento de casos que pueden solucionarse por otros cauces, sin que sufra la idea de la justicia[27].

Sobre todo, se alega al respecto que la sustitución del proceso penal convencional por los mecanismos de mediación puede afectar a ciertas garantías insoslayables. Y, en efecto, pudieran —al menos— verse comprometidos por estas modernas tendencias hacia la desformalización y desjuridización los principios de presunción de inocencia, culpabilidad, igualdad y no injerencia en la esfera interna, entre otros[28].

Quizá la conciliación víctima-ofensor, en los términos antes aludidos, no constituya una panacea para la generalidad de los conflictos derivados de la criminalidad; es decir, una especie de *nueva justicia* que viene a ocupar un lugar protagonista y excluyente de añejos planteamientos hoy superados. Tampoco, sin embargo, una irreflexiva y pragmática pretensión de erradicar toda fundamentación garantista del ámbito jurídico-penal. Sin radicalismos esterilizadores, el problema se plantea a la hora de fijar sus justos límites y una esfera razonable de aplicación.

## IV. PROGRAMAS DE ASISTENCIA INMEDIATA

Los denominados programas de asistencia inmediata surgen del reconocimiento de que, con frecuencia, necesitan las víctimas de delitos violentos una intervención de crisis; es decir, una asistencia inaplazable de tipo material, físico o psicológico. Con ello se trata fundamentalmente de estabilizar la situación emocional de la víctima, impidiendo su traumatización. Aunque existe una cierta tendencia a sobredimensionar

---

[27]  Vid.: Madlener, *La reparación del daño sufrido por la víctima y el Derecho penal*, en *Estudios de Derecho penal y Criminología*, Homenaje al Profesor José María Rodríguez Devesa, cit., II, pág. 31 y s.

[28]  Cfr.: J. Mª Silva Sánchez, *Prólogo* a la obra colectiva *Mediación y justicia juvenil*, Fundació Jaume Callís, Barcelona, 1995, pág. 7.

los porcentajes de víctimas con necesidad de atención urgente de esta naturaleza, se estima que un tercio de las víctimas de delitos violentos necesitan realmente esta intervención de crisis[29]. Consecuentemente, en no pocas oportunidades, la conveniencia de esta intervención *à chaud* resulta incuestionable.

Los destinatarios naturales de estos programas son, frecuentemente, ancianos o mujeres maltratadas o agredidas sexualmente; la asistencia inmediata que se les dispensa en los «centros de crisis» viene determinada por la específica situación de la víctima, al margen de la intervención policial o judicial, que no siempre se produce por tratarse de situaciones a veces no denunciadas. Por ello, estos programas pueden desarrollarse, también, por organizaciones independientes —de carácter religioso o local— que prestan servicios de apoyo psicológico, económico, asesoría legal, alojamiento en determinados centros o cuidado de niños, etc.

Sobre todo en los supuestos de violación —para respetar una terminología hoy ausente de nuestro sistema penal—y otros atentados sexuales contra la mujer, se insiste en la necesidad de que la asistencia inmediata se preste por personal especializado —preferentemente femenino— y en instalaciones adecuadas para las entrevistas y asesoramiento. Con ello, se trata de incidir en la fase aguda del denominado *síndrome de la violación* [30], que tiene lugar inmediatamente después de la victimización y que puede durar unos días o pocas semanas, para dar paso —con frecuencia— a las fases de pseudoadaptación y de integración. Se caracteriza por la desorganización en el estilo de vida de la víctima, el miedo, la ansiedad, la aparición de conductas incoherentes y de sentimientos de incredulidad y confusión acerca de la traumática experiencia sufrida. Son frecuentes, también, en esta fase aguda los trastornos psicosomáticos, como la fatiga generalizada, las alteraciones en el sueño o el apetito y las disfunciones sexuales; en definitiva, se trata de una «respuesta normal a una situación anormal»[31].

---

[29]    Vid.: PETERS, *Consideraciones teóricas sobre la Victimología*, cit., pág. 124 y s.
[30]    Vid.: E. ECHEBURUA, P. CORRAL y B. SARASUA, *El impacto psicológico en las víctimas de violación*, en *Cárcel de mujeres*, Instituto Vasco de Criminología, San Sebastián, 1989, pág. 58 y s.
[31]    Cfr.: A. SÁNCHEZ y M.A. SORIA VERDE, en la obra colectiva ya cit. *La víctima: entre la justicia y la delincuencia. Aspectos psicológicos, sociales y jurídicos de la victimización*, pág. 104.

Superada la intervención de crisis, que ayuda a encajar el impacto primero de la victimización, se abre camino una fase informativa, menos acuciante pero no menos trascendente. La víctima recibe así información sobre sus derechos y sobre la existencia de los programas asistenciales.

Por otro lado, y en orden a la protección especial de las víctimas, entre las recomendaciones hechas por el Comité de Ministros del Consejo de Europa sobre la posición de la víctima en el marco del Derecho penal y del proceso penal, de 1985, se indica que —cuando ello parezca necesario— la víctima y su familia deben ser eficazmente protegidas contra las amenazas y riesgos de venganza por parte de los delincuentes. Con ello se trata, obviamente, de evitar una rechazable victimización reduplicada, de frecuente aparición cuando se produce la denuncia de los atentados sexuales antes mencionados.

# V. PROGRAMAS DE ASISTENCIA A LA VÍCTIMA-TESTIGO

Los programas de asistencia a la víctima-testigo son los de más reciente aparición y nacen —sobre todo en los Estados Unidos de Norteamérica y Canadá—, precisamente, con la finalidad de promover la cooperación de la víctima que debe testificar en el proceso. Con ellos, se trata de superar la constelación de inconvenientes que se derivan de su intervención como testigo: acudir a los requerimientos judiciales, someterse a interrogatorios, pérdidas de tiempo o dinero, abandono por algunas horas o algunos días del lugar de trabajo, etc. Con cierta frecuencia, se reflejan en las encuestas sobre victimización realizadas en diferentes países las quejas de los testigos sobre el trato recibido en su comparecencia ante los tribunales de justicia.

En definitiva, este tipo de programas ayuda y asesora a las víctimas-testigo para asegurar su colaboración con el propio sistema penal, eliminando sus reticencias o inhibiciones. Obviamente, la asistencia a las víctimas en este caso no es totalmente desinteresada.

Como ha esquematizado SANGRADOR[32], estos programas suelen ofrecer alguno de los siguientes servicios: asesoramiento de la víctima-testigo

---

[32]   Vid.: SANGRADOR, *La Victimología y el sistema jurídico penal*, cit., 96 y s.

sobre su intervención en el procedimiento penal; hacer requerimientos puntuales sobre las fechas en que debe acudir a los tribunales y forma de hacerlo; establecer contactos con el lugar de trabajo del testigo para facilitar los permisos oportunos; prestación de otros servicios de ayuda (cuidado de niños, en su caso, o acondicionamiento de salas de espera adecuadas).

En estos programas de asistencia a la víctima-testigo juega, con frecuencia, un relevante papel la figura del abogado —financiado por el Estado— que se ocupa del asesoramiento jurídico y asistencia personal durante el proceso y ante las posibles intervenciones policiales; además, intenta evitar el impacto negativo que puede sufrir su cliente ante las actitudes agresivas del letrado de la defensa, que busca una culpabilización de la propia víctima, el sensacionalismo de ciertos medios de comunicación social o, simplemente, las incomodidades derivadas de la burocratización y distanciamiento característicos del sistema penal[33].

Un hito importante en este campo vino determinado por la promulgación en los Estados unidos de Norteamérica, en 1982, de una Ley Federal para la protección de las víctimas y testigos de hechos criminales[34]; normativa que mejoró notablemente la posición de unas y otros en el procedimiento criminal y que trata —en esencia— de evitar actos intimidatorios o de venganza contra los mismos, frecuentes cuando se pretende actuar contra la delincuencia organizada.

La Ley española de 23 de diciembre de 1994, *de protección a testigos y peritos en causas criminales*, prevé al respecto una serie de medidas que pueden adoptarse a lo largo de todo el proceso y ser mantenidas, incluso, finalizado aquél, si persiste el riesgo que las determinó. Se trata así de garantizar la seguridad de los testigos —que, en ocasiones, han sufrido previamente la victimización— y de reducir su conducción coactiva tan sólo a aquellos casos en que deliberadamente pretendan incumplir con el deber constitucional de colaborar con la justicia.

En definitiva, tales esfuerzos normativos se orientan no sólo a la específica protección de las víctimas-testigo ante eventuales presiones, amenazas o represalias, sino también a garantizar la fiabilidad de su

---

[33]  Al respecto, vid.: GARCÍA-PABLOS, *Manual de Criminología*, cit., pág. 96 y s.
[34]  *Victim and Witness Protection Act*, de 12 de octubre de 1982.

testimonio y —por ello— a preservar lo que suele denominarse *calidad del procedimiento criminal*[35].

# VI. EL MOVIMIENTO ASOCIATIVO DE LAS VÍCTIMAS

Al margen de las respuestas institucionales cristalizadas en los diversos programas de asistencia, compensación y auxilio a las víctimas —que no siempre son conocidos y utilizados por sus naturales destinatarios— hay que subrayar la aparición, notablemente incrementada en los últimos tiempos, de un movimiento asociativo propiciado por las propias víctimas que tratan, así, de superar la indefensión nacida de su aislamiento. Con ello, se fomenta la aparición de verdaderos grupos de presión[36], tendentes a sensibilizar a las autoridades de sus necesidades más apremiantes y de lograr una mejor defensa de sus intereses.

Incluso, en el ámbito procesal penal los colectivos de víctimas —como tales— tienen ya una significativa presencia; constituyéndose como parte en el proceso, sobre todo en los supuestos de macrovictimización derivada, por ejemplo, de la delincuencia ecológica o contra los consumidores. Resulta cada vez más frecuente la personación de los grupos o asociaciones de víctimas en el proceso penal[37]. Y estas asociaciones pueden llegar a alcanzar una relevancia social no desdeñable, convirtiéndose así en nuevas instancias de notable peso político.

Justo es reconocer, sin embargo, que tal movimiento asociativo aparece con frecuencia integrado en coaliciones sociales de denuncia que lo desvían de sus primigenios planteamientos, en aras de una mayor eficacia. En ocasiones esta estrategia de las alianzas los alinea con grupos de afectados por ciertas enfermedades o de consumidores,

---

[35]   Vid.: M. Lemonde, *La protection des témoins devant les tribunaux français*, en *Revue de science criminelle et de Droit pénal comparé*, 1996, pág. 816.

[36]   Cfr.: Lombard, *Les différents systémes d'indemnisation des victimes d'actes de violence et leurs enjeux*, cit., pág. 290.

[37]   Vid.: I. Germán Mancero, *La víctima en el proceso penal: la protección del interés colectivo y difuso a través de la personación de las asociaciones y grupos de víctimas en el proceso*, en *Cuadernos de Política criminal*, 1995, págs. 239 y s.s.; I. J. Subijana Zunzunegui, *La Victimología y el proceso penal. Breves reflexiones victimológicas sobre dos sentencias de la Sala Segunda del Tribunal Supremo*, en *Actualidad penal*, 1998, págs. 379 y s.s.

ecologistas, promotores de la pena de muerte, colectivos de inmigrantes, minorías raciales, feministas, etc. Su relevancia social aparece así multiplicada.

Por otro lado, el complejo e internacionalizado fenómeno del asociacionismo victimal ha aportado notables beneficios en los ámbitos promocional y asistencial, pero —también— ha propiciado la posible instrumentalización de unas legítimas aspiraciones por planteamientos político-criminales de claro signo represivo y vindicativo[38]; por la sesgada utilización de los sentimientos de inseguridad ciudadana, de miedo a la victimización[39] o experiencias de tipo emocional, de tal modo que las víctimas se sientan impulsadas al respaldo de concretas opciones políticas si desean ver satisfechas sus reivindicaciones.

En efecto, no resulta difícil detectar en ocasiones una manipulación políticamente rentable —sobre todo en períodos electorales— que insiste en el pretendido antagonismo entre el respeto de los derechos de la víctima y los del victimario, de tal forma que la negación o restricción de éstos se convierta en mecanismo necesario para la garantía de aquéllos. Por razones obvias, la exacerbación de las políticas represivas —impropias de un sistema garantista— encuentran un terreno especialmente idóneo cuando se trata de enfrentar la delincuencia terrorista.

Tal patología *victimagógica* no alcanza, naturalmente, a todos los movimientos asociativos de víctimas de los hechos criminales. Sin embargo, se trata de un riesgo siempre presente que no puede ser ignorado. Muchas veces son las propias asociaciones las que defienden su independencia y se resisten a toda suerte de manipulación política; empresa no siempre sencilla.

En muchos países es el propio Ministerio de Justicia el que fomenta decididamente la aparición de asociaciones de estas características[40], financiando en parte su funcionamiento.

---

[38] Vid.: HERRERA MORENO, *La hora de la víctima. Compendio de Victimología*, cit., págs. 120 y s.s.

[39] Cfr.: C. RUIDÍAZ GARCÍA, *Justicia y seguridad ciudadana*, EDERSA, Publicaciones del Instituto de Criminología de la Universidad Complutense de Madrid, 1997, pág. 161.

[40] Con relación a la experiencia francesa, vid.: M.-C. DESDEVISES, *Les associations d'aide aux victimes*, en *Revue de science criminelle et de Droit pénal comparé*, 1985, págs. 541 y s.s.

En los Estados Unidos de Norteamérica, la *Victim Services Agency* surgió, simplemente, como un servicio de información para las víctimas y testigos de hechos criminales; muy pronto, sin embargo, experimentó una notable expansión en sus actividades. La influyente *National Organization for Victim Assistance* (N.O.V.A), nacida en 1975, presta cualificada asistencia a las víctimas, apoya sus reivindicaciones y se encarga de los intereses de muchos servicios locales.

Europa no es ajena a este movimiento asociativo que, en ocasiones, cristaliza en organizaciones nacionales que aglutinan iniciativas locales[41]. Así, se constituyó en Holanda una Comisión nacional de ayuda a las víctimas, en Francia el *Institut national d'aide aux victimes et de médiation* (I.N.A.V.E.M) o la *National Association of Victims Support Schemes* (N.A.V.S.S) que agrupa diversos proyectos locales en Inglaterra, País de Gales e Irlanda del Norte.

En España, y con la limitada finalidad de prestar ayuda de tipo moral y material exclusivamente a las víctimas de actividades terroristas en cualquiera de sus formas, existe desde 1981 una *Asociación Víctimas del Terrorismo*, quizá la más conocida en nuestro país y a la que en su momento se prestará especial atención. Otras asociaciones han nacido, también, con la finalidad de incidir en supuestos muy concretos de victimización (determinado tipo de atentados contra la libertad sexual, por ejemplo); a veces son constituidas para intervenir en un único proceso, caso de la Asociación de víctimas del aceite de colza desnaturalizado o de la presa de Tous.

---

[41]  Vid.: PETERS, *Consideraciones teóricas sobre la Victimología*, cit., pág. 117.

*Capítulo V*
# El movimiento victimológico español

## I. PROBLEMÁTICA

Durante demasiados años, la contemplación que el sistema jurídico español ha hecho de la situación de las víctimas del delito ha sido francamente insatisfactoria[1], encontrándose —por ello— muy lejos de las soluciones adoptadas por muchos de los países de nuestro entorno. Con muy concretas excepciones el Estado social y democrático invocado en el art. 1 de la Constitución española ha dejado en el más absoluto abandono a la víctima inocente del delito. En efecto, nadie atendía sus necesidades en tanto recaía sentencia firme y ésta era ejecutada; en los casos —demasiado frecuentes— de insolvencia del penado, el Estado también se ha desentendido de la suerte de la víctima[2].

Al margen de otro tipo de valoraciones hay que reconocer, asimismo, que la preocupación científica por la problemática de las víctimas no se ha sentido en España —al menos con cierta seriedad— hasta fechas relativamente recientes[3]. Paulatinamente fueron surgiendo razonables aportaciones que, obviamente, subrayaban el abandono existente en la materia en nuestro sistema jurídico y exponían las fórmulas, más o menos ambiciosas, ensayadas en otros países y en algún caso desde hace ya muchos años.

La creciente preocupación por la suerte de las víctimas se concretaba en la denuncia del vacío legislativo español y en el reconocimiento de que la mayoría de los países homologables al nuestro disponían ya de una

---

[1]  Vid.: G. Landrove Díaz, *La desprotección de las víctimas en el Derecho español*, en *Victimología*, Servicio Editorial de la Universidad del País Vasco, cit., págs. 13 y s.s.

[2]  Cfr.: García-Pablos, *Manual de Criminología*, cit., págs. 102 y s.

[3]  Vid.: A. Beristain, *Nueva Criminología desde el Derecho penal y la Victimología*, Tirant lo Blanch, Valencia, 1994, págs. 253 y s.s.

normativa en orden a la indemnización por el Estado en favor de las víctimas desamparadas de determinadas infracciones criminales; se invocaban, también, las sugerencias al respecto del Consejo de Europa, al que España pertenece, cristalizadas en la invitación, hecha en 1983, a que los países miembros estableciesen regímenes estatales de indemnización; incluso, se vinculaba esta iniciativa con la idea del Estado social que inspira, desde 1978, nuestro sistema constitucional y sus lógicas exigencias de equidad y solidaridad social[4].

No faltaban al respecto, planteamientos decididamente ambiciosos que no se limitaban a demandar la introducción en nuestro sistema de una normativa simplemente indemnizadora, sino que recomendaban proyectar la protección a las víctimas en varios planos perfectamente diferenciados[5] y en la línea ya experimentada con éxito en muchos países:

1) En primer lugar, con la articulación de una asistencia adecuada a las víctimas y el establecimiento de un fondo especial indemnizatorio, dentro de determinados parámetros.

2) En segundo término, con la creación de una especial atenuación de la responsabilidad criminal, de efectos penológicos especiales para los supuestos en que el delincuente (con independencia del móvil de arrepentimiento) hiciese cuanto le fuere posible para eliminar o disminuir la nocividad del delito.

3) Finalmente, con la instrumentación de los medios adecuados para que en la fase policial o preprocesal, durante el sumario o diligencias judiciales y en el acto del juicio oral, así como en la ejecución, se dispensase al ciudadano la atención que exige su victimización.

Se abrió así camino la idea de que había llegado el momento de plantearse —por lo menos— la homologación del sistema español en la materia con los ya existentes en diversos países de nuestro entorno. Además, se entendió que el conocimiento de las experiencias foráneas podía contribuir decisivamente a la remoción de los obstáculos que, evidentemente, ofrecía una iniciativa de esta naturaleza.

---

[4]    Vid. al respecto: F. BENITO ALONSO, *Hacia un sistema de indemnización estatal a las víctimas del delito en España*, en *La Ley*, 1988, 3, fundamentalmente pág. 903.

[5]    Cfr.: E. RUIZ VADILLO, *El futuro inmediato del Derecho* penal. *Los principios básicos sobre los que debe asentarse. Las penas privativas de libertad. La jurisprudencia del Tribunal Constitucional y del Tribunal Supremo*, en EGUZKILORE, *Cuaderno del Instituto Vasco de Criminología*, nº extraordinario, enero de 1988, pág. 162.

En esta línea, la *Memoria* de la Fiscalía General del Estado de 1989 demandó —por vez primera con cierta claridad— una mayor y más eficaz protección de las víctimas del delito en España[6]. Se reconoce allí que la protección de las víctimas no se agota con la sanción al delincuente y que el ejercicio de la acción civil conjuntamente con la penal debe tener en el procedimiento criminal la eficacia suficiente para no verse reducido a un mero alarde burocrático. Pero, además de esta lógica pretensión de lograr una mayor eficacia en el aseguramiento de las responsabilidades económicas derivadas del delito, se recomendaba dar un paso más en este ámbito: la cobertura oficial de los daños con relevancia económica producidos por el delito, y no como meras prestaciones complementarias a dilucidar en el terreno del seguro privado, sino como prestación social obligatoria. Concretamente, se aludía a la cobertura estatal en los casos de insolvencia del reo y de los demás responsables civiles, directos o subsidiarios.

En tales términos fue consolidándose la inteligencia en nuestro país de que el problema de las víctimas es, sobre todo, el de la protección *ex post* como responsabilidad del Estado social[7] ante las consecuencias dañosas de la victimización que el aparato oficial de la prevención y la represión no ha logrado evitar.

## II. LAS INICIATIVAS FRACASADAS

En cualquier caso, hay que reconocer que la preocupación por esta problemática no era radicalmente nueva en España, aunque sí lo fuese en cuanto a su profundidad. Tanto a nivel legislativo como doctrinal existen antecedentes muy lejanos en el tiempo[8]; bien es verdad que con nula trascendencia práctica.

---

[6]   Vid.: *Memoria* elevada al Gobierno de S.M. por el Fiscal General del Estado al inicio del año judicial, Madrid, 1989, págs. 79 y s.s. En términos semejantes se pronunció la *Memoria* de 1992, págs. 689 y s.s.

[7]   En este sentido, vid. con carácter general: M. PISANI, *Per le vittime del reato*, en *Rivista italiana di Diritto e Procedura penale*, 1989, pág. 465 y s.

[8]   Probablemente por influencia del pensamiento de J. BENTHAM en orden a la satisfacción subsidiaria a costa del Tesoro público: «El mejor fondo donde pueda tomarse la satisfacción es la hacienda del delincuente, porque así llena en un grado superior de conveniencia las funciones de la pena... Pero si el delincuente carece de

En efecto —y aunque huérfano del necesario desarrollo positivo—, en el Código penal de 1848 el art. 123 se encontraba redactado en términos inequívocos: «Una ley especial determinará los casos y forma en que el Estado ha de indemnizar al agraviado de un delito o falta, cuando los autores y demás responsables carecieren de medios para hacer la indemnización».

De bello principio y máxima de justicia habla PACHECO, en su comentario al precepto de referencia. Lo justifica argumentando que el ciudadano que cumple religiosamente con sus obligaciones y contribuye al mantenimiento del Estado tiene derecho a reclamar algo más que la estéril protección que normalmente se le dispensa. Empero, el más cualificado comentarista del Código de 1848 se mostraba razonablemente escéptico al preguntarse «¿cuándo pasará de ser una máxima, cuándo se convertirá en hecho ese *desideratum* ?»[9].

Otros comentaristas de la época ofrecen el mismo talante realista. Denuncian la inexistencia de la ley invocada en el art. 123 antes reproducido, para añadir que «ni existirá probablemente nunca entre nosotros», aun reconociendo que si el ciudadano paga soldados, administración y magistrados, ¿por qué no ha de recibir a cambio el seguro de cualquier daño material que un delincuente desconocido o miserable le ocasione?[10]. En cualquier caso, y a pesar de las dificultades económicas que entraña la puesta en marcha del sistema de indemnizaciones estatales, se valora positivamente este recordatorio que hacía el Código

---

bienes, ¿deberá quedarse sin satisfacción el individuo perjudicado por el delito? No... la satisfacción es casi tan necesaria como la pena, y deberá pagarse por el tesoro público en el caso propuesto; porque es un objeto de bien general, como que la seguridad de todos está interesada en ello. La obligación del tesoro público está fundada en una razón que tiene la evidencia de un axioma: porque una carga pecuniaria dividida en la totalidad de los individuos es nada para cada uno de ellos, en comparación de lo que sería para uno solo o para un corto número. Si la *aseguración* es útil en las empresas de comercio, no lo es menos en la grande empresa social, en que los asociados se hallan reunidos por un encadenamiento de casualidades, sin conocerse, sin elegirse, sin poderse evitar, ni preservarse con su prudencia de una multitud de lazos que pueden ponerse unos a otros. Las calamidades que nacen de los delitos no son menos unos males reales que las que vienen de los accidentes de la naturaleza» (*Tratados de legislación civil y penal*, edición preparada por M. RODRÍGUEZ GIL, Editora Nacional, Madrid, 1981, pág. 289 y s.).

9    Cfr.: J. F. PACHECO, *El Código penal concordado y comentado*, I, sexta edición, Madrid, 1888, pág. 502.

10   Cfr.: J. DE CASTRO Y OROZCO y M. ORTIZ DE ZÚÑIGA, *Código penal explicado*, I, Granada, 1848, pág. 239.

penal al Gobierno para que no olvidase una obligación que no es menos sagrada por la evidencia de que nadie se hubiese ocupado de su efectivo cumplimiento[11].

Para no reaparecer en el futuro, se esfuma del Código penal de 1870 un precepto de aquellas características; naturalmente, nunca llegó a promulgarse la ley aludida en el mismo. Las razones de ello, en opinión de GROIZARD[12], son exclusivamente de tipo material, hijas de la escasez de recursos del erario público, que impidieron y habrían de impedir en el futuro el cumplimiento de un precepto tan digno de encomio como arreglado a lo que exige la justicia.

Hay que subrayar, sin embargo, que las precisiones del art. 123 del viejo Código de 1848 son utilizadas —en ocasiones— para cuestionar el adjetivo «novedoso» que suele utilizarse para etiquetar el impulso victimológico experimentado en los últimos tiempos. Incluso, ha llegado a hablarse de simple *renacimiento* de la cuestión victimológica en España o de *redescubrimiento* de las víctimas.

Muchos años después, y entre las casi dos mil enmiendas presentadas al *Proyecto de Ley Orgánica de Código penal* de 1980 existía una, de adición, que proponía la incorporación al futuro Texto punitivo de una Disposición adicional segunda redactada en los siguientes términos: «En el plazo de un año a partir de la promulgación de este Código, el Gobierno remitirá a las Cortes un proyecto de ley de creación de un Fondo de Garantía para las víctimas del delito»[13]. Con ello se trataba, obviamente, de satisfacer exigencias ya planteadas por la doctrina española[14] y, sobre todo, de alcanzar una más eficaz protección de las víctimas de hechos criminales, singularmente cuando el delito queda impune o los responsables fueren insolventes.

Las motivaciones de dicha enmienda insistían en los criterios ya cristalizados en otros países en concretos programas de asistencia. En primer término, se subrayaba que la moderna Política criminal presta

---

[11]  Vid.: T. Mª. DE VIZMANOS y C. ÁLVAREZ MARTÍNEZ, *Comentarios al Código penal*, I, Madrid, 1848, pág. 380 y s.

[12]  Cfr.: A. GROIZARD Y GÓMEZ DE LA SERNA, *El Código penal de 1870 concordado y comentado*, II, Burgos, 1872, pág. 544.

[13]  Enmienda 1.283 del Grupo Parlamentario Comunista.

[14]  Cfr.: F. BUENO ARÚS, *La protección de la víctima en el Proyecto de Código penal 1980*, en *Estudios penales y criminológicos*, IV, Universidad de Santiago de Compostela, 1981, pág. 226.

atención no sólo a la problemática del delincuente y de su reinserción social, sino también a las víctimas de los hechos criminales; en segundo lugar, se hacía hincapié en que la asistencia del Estado a las víctimas del delito se corresponde con la idea de un Estado social y democrático de Derecho, por lo que el ciudadano-víctima no debe ser considerado un individuo aislado, abandonado a su suerte frente al fenómeno criminal, cuyas causas se encuentran en la propia estructura social, económica y cultural de la sociedad española. La protección de las víctimas —se afirmaba— es una vía de protección social tan eficaz, al menos, como el propio sistema punitivo.

Las *directrices* que allí se ofrecían para la creación del Fondo de Garantía eran las siguientes:

En orden a la cobertura, el Fondo debía cubrir las indemnizaciones de daños y perjuicios derivados del delito o falta que produjere lesiones o muerte. Se excluían expresamente del ámbito de cobertura los delitos de que debiera responder civilmente la Administración pública, los delitos cometidos con ocasión de la circulación de vehículos de motor[15] y aquellos que produjeren daños inferiores a quince mil pesetas. Con el establecimiento del límite mínimo —a partir del cual entraría en juego la cobertura— se trataba, simplemente, de excluir los daños de menor cuantía y relevancia para las víctimas, en la línea de muchas soluciones foráneas.

---

[15] Con la finalidad de evitar la desprotección de las víctimas, y con especial relevancia en el ámbito de la circulación de vehículos a motor, el Consorcio de Compensación de Seguros asimiló en virtud de *Real Decreto de 13 de noviembre de 1981* las funciones y recursos de diversos organismos autónomos, desde entonces suprimidos. Se trata de un organismo autónomo adscrito al Ministerio de Economía y Hacienda que, en diversos supuestos, asumía la obligación de indemnizar cuando fallan los mecanismos convencionales de cobertura. Correspondía al Consorcio —por ejemplo— indemnizar a quienes hubiesen sufrido daños corporales, por siniestro ocurrido en España, en aquellos casos en que el vehículo causante o el conductor eran desconocidos y los daños corporales y materiales producidos por el vehículo que estando asegurado hubiese sido robado o hurtado. La *Ley de 19 de diciembre de 1990*, para adaptar el Derecho español a la Directiva 88/357 CEE, aprobó el nuevo estatuto legal del Consorcio de Compensación de Seguros, constituido como entidad de Derecho público (modificado, a su vez, por *Ley de 8 de noviembre de 1995*, de ordenación y supervisión de los seguros privados). Vid. en la materia: J. L. GAYO LAFUENTE y A. ESTELLA LÓPEZ, *El Consorcio de Compensación de Seguros y la responsabilidad civil de la circulación*, Editorial Comares, Granada, 1997, fundamentalmente págs. 27 y s.s.

Respecto de la cuantía de la indemnización, se consagraba como principio general el de la indemnización plena; descontándose sin embargo, de la misma las cantidades que en concepto de indemnización recibiere el perjudicado de otros fondos públicos. Además, se establecía un límite máximo (el doble del salario mínimo interprofesional) a la indemnización de los daños derivados de la pérdida de sueldos o salarios.

La financiación del Fondo de Garantía debía abordarse —exclusivamente y como ocurre en todos los países que han optado por sistemas semejantes— con fondos públicos, sobre todo con las cantidades procedentes del pago de multas y de la realización de efectos decomisados; expresamente se prohibía utilizar, de forma directa o indirecta, el trabajo penitenciario como fuente de financiación.

La concesión de la indemnización no precisaría de pronunciamiento judicial penal previo; la existencia de delito sería apreciada por la comisión gestora exclusivamente a los efectos de la indemnización. Con ello, se lograría la máxima rapidez y eficacia, alcanzándose la indemnización en los casos de autor desconocido o en rebeldía.

El Fondo de Garantía sería gestionado por una comisión de especialistas en Derecho, con preferencia miembros de la carrera judicial, que procederían a evaluar y liquidar los daños sufridos por la víctima.

Efectuado el pago, el Fondo de Garantía tendría derecho a la repetición de lo pagado contra cualquiera de los civilmente responsables del daño indemnizado. En definitiva, la creación del Fondo no puede suponer una sustitución del responsable del delito por el Estado; el Fondo se limita a adelantar el abono de todos o parte de los perjuicios causados por la victimización.

Para la puesta en marcha de tan novedoso sistema en el Derecho español, y como reconocimiento de las exigencias financieras que el mismo entraña, se aconsejaba aplazar su elaboración definitiva, emplazando al Gobierno para que abordase los estudios pertinentes y, sobre todo, tuviese en cuenta la experiencia ofrecida por países que cuentan con sistemas semejantes desde hace ya muchos años. Programas que, evidentemente, han tenido a la vista los redactores de la enmienda de referencia, a pesar de que no inciden en cuestiones ampliamente debatidas en la materia (total inocencia de la víctima, problemática de los delitos culposos, posible ampliación a algunos supuestos de delincuencia patrimonial, plazos de presentación de la solicitud, etc.), por tratarse exclusivamente de una sugerencia al Gobierno en orden a la redacción del oportuno proyecto de ley.

Como es sabido, el Proyecto de Código penal de 1980 fue arrinconado por los avatares políticos del momento. Tampoco tuvo mejor suerte la Propuesta de Anteproyecto de 1983, en la que —por otro lado— tampoco tenía cabida la creación de un Fondo de Garantía como el antes esbozado. Idéntico criterio fue seguido por el resto de los textos prelegislativos elaborados ya en la década siguiente y por el Código penal vigente desde mayo de 1996.

## III. LAS LIMITACIONES DE SIGNO ECONÓMICO

Resulta evidente, pues, que en las últimas décadas del siglo XX se replanteó con cierta intensidad en España la preocupación por las víctimas del delito; lo que faltaba era una respuesta adecuada de los poderes públicos. Sin embargo, la ausencia de sensibilidad del sistema ante tan acuciante problema social era provocada —en no escasa medida— por reticencias de orden económico. Lógicas dificultades de financiación que acechan, también, a los sistemas de indemnización existentes en otros países pero que no han impedido el funcionamiento de tan solidarias iniciativas.

Incluso, los más decididos partidarios del establecimiento en nuestro país de un sistema de indemnización estatal a las víctimas esgrimían ya entonces una serie de argumentos tendentes a minimizar los obstáculos de signo económico en la materia[16].

a) Porque —se afirmaba— es cuestión de prioridades del gasto público y la indemnización a las víctimas desamparadas puede hacerse a costa de otras atenciones de las que es más hacedero prescindir.

b) Porque no todas las víctimas lo serían indemnizables; se limitaría la asistencia a las que sufriesen daños personales como consecuencia de la infracción, con exclusión expresa de los daños simplemente materiales, muchas veces de notable relevancia económica.

c) Porque el sistema de cobertura estatal sería —simplemente— un último recurso, al asumir el Estado la obligación de indemnizar cuando la víctima no pudiera serlo eficazmente por los cauces ordinarios.

---

[16]    Vid.: BENITO ALONSO, *Hacia un sistema de indemnización estatal a las víctimas del delito en España*, cit., pág. 894 y s.

d) Porque los perjuicios a indemnizar y su cuantía pueden circunscribirse a unos límites razonables.

e) Porque debía excluirse, en cualquier caso, la duplicidad de indemnizaciones; así, el Estado podría deducir de la indemnización pertinente las cantidades que la víctima hubiere percibido por la misma causa.

f) Porque el sistema podía matizarse con mecanismos correctores —como los existentes en muchos países— de muy diversa naturaleza: ponderación de la situación económica de la víctima, establecimiento tajante de un plazo para la presentación de la solicitud, exclusión del ámbito indemnizatorio de los daños de mínima cuantía, valoración del comportamiento de la víctima en la génesis del hecho criminal en orden a la reducción —o supresión en su caso— de la indemnización, etc.

Como consecuencia de todo ello se insistía en que, de existir realmente una voluntad política de abordar la construcción de un sistema indemnizatorio, debía afrontarse con decisión la vertiente económica del problema ya que es ésta la fundamental preocupación de las víctimas y de quienes se sienten solidarios con ellas. Ya no hacen falta —se concluía— más construcciones teóricas sobre la Victimología o su independencia de otras ciencias, ni sobre el concepto o clasificación de las víctimas; sin más preámbulos debía abordarse, de una vez por todas, la solución de tan grave problemática social.

## IV. ESQUEMAS OFRECIDOS PARA LA CONSTRUCCIÓN DE UN SISTEMA INDEMNIZATORIO

A la vista de las lagunas y limitaciones entonces sufridas por el Derecho español en la materia, no resulta sorprendente que se produjesen algunas iniciativas orientadas a la eliminación de aquellas carencias. Incluso, llegó a exponerse algún ensayo de construcción de un sistema indemnizatorio[17] que homologase la normativa española a la ya existente en diversos países de nuestro entorno. Construcción del sistema que se entendió debía hacerse con las máximas cautelas pero con toda la decisión que exige el fin perseguido.

---

[17]   Vid.: BENITO ALONSO, *Hacia un sistema de indemnización estatal a las víctimas del delito en España*, cit., fundamentalmente págs. 895 y s.s.

Quizá con un planteamiento excesivamente ambicioso, se estimó que debieran dar lugar a la indemnización estatal todos aquellos hechos susceptibles de ser calificados como delito o falta, cometidos dolosa o culposamente y sea cual fuere el bien jurídico lesionado, siempre que se ocasionen determinados daños a las víctimas.

Respecto de los daños y perjuicios indemnizables se adoptaba una postura más realista y más extendida en el ámbito del Derecho comparado. Subrayando las dificultades económicas que entraña un proyecto de esta envergadura, se excluían de la cobertura los daños causados en las cosas o bienes, para reducirse a los ocasionados a las personas: muerte y lesiones, con abono de los gastos derivados del tratamiento médico y hospitalario o de la adquisición de prótesis indispensables.

Habida cuenta que no se trataba de establecer un sistema de cobertura generalizado ni —mucho menos— pleno, se apuntó la conveniencia de establecer unos límites mínimo y máximo. Se reconocía, también, que el importe concreto de la indemnización era cuestión a decidir en atención a dos cuestiones básicas: en primer lugar, de las disponibilidades económicas del país, no equiparables a las de otras naciones que pueden mostrarse más generosas; en segundo término, por la sensibilización que se alcanzase ante el problema de las víctimas. En cualquier caso, se consideraba que debía fijarse un límite máximo con carácter absoluto.

Para tener derecho a la indemnización estatal se consideró imprescindible que una persona física —nacional o extranjera— hubiese sufrido daños corporales y no hubiese podido obtener una indemnización efectiva y suficiente por otros medios. Se configuraba así la indemnización con carácter subsidiario de último grado, con el fin de evitar duplicidades. En suma, podría el Estado deducir de la indemnización a conceder cualquier cantidad relacionada con el daño sufrido que haya pagado cualquier otra persona o institución (el delincuente, el responsable civil subsidiario, la entidad aseguradora, la Seguridad Social, etc.). Además, se consideraba mecanismo clave del sistema esbozado que el Estado se subrogase en los derechos que asistieren a la víctima contra las personas responsables del daño causado por el hecho criminal.

En otro orden de cosas, se afirmaba que el comportamiento y las circunstancias de la víctima debían tenerse muy en cuenta para la aplicación general del sistema. Y no sólo en el momento de la cuantificación indemnizatoria en función de la situación económica de la víctima y de su familia, sino también en atención al comportamiento de la víctima (provocación del hecho criminal), sus relaciones con el delincuente (parentesco, por ejemplo), actitud ante el daño causado (negativa al tratamiento médico, agravación dolosa o imprudente de las lesiones, etc.) y otras circunstancias de semejante naturaleza. Evidentemente, con ello se invocaba la filosofía de la víctima inocente como víctima indemnizable.

Se estimó que el importe de la indemnización debía satisfacerse al titular de una sola vez, sin perjuicio de los anticipos y complementos pertinentes. Anticipo o ayuda provisional a la víctima que debía concederse siempre que ésta lo solicitase justificando la apremiante necesidad, sin bien se sugiere que este anticipo no debería superar la cuarta parte del límite máximo de la indemnización.

Se consideraba imprescindible la creación de un órgano específico que actuase, en la resolución de estas cuestiones, conforme a los principios de legalidad y eficacia. A tal efecto se brindaba, incluso, la denominación: Fondo Nacional de Garantía para Víctimas de Delitos (FONGAVID), a configurar como organismo autónomo adscrito al Ministerio de Justicia y gestionado por una Comisión de carácter cuasijurisdiccional[18]. La financiación de este Fondo correría a cargo de los Presupuestos Generales del Estado, sin renunciar a otras fuentes específicas de financiación, como el importe de las penas de multa o la realización de objetos decomisados.

En la inteligencia de que la indemnización reconocida a las víctimas del delito debe otorgarse con la mayor rapidez, para que el sistema sea realmente eficaz, se consideraba adecuado el procedimiento de urgencia

---

[18] Comisión a la que se pretendía otorgar la siguiente fisonomía: «Un miembro de la carrera judicial con categoría de Magistrado, que ejercería las funciones de Presidente y sería designado por el Gobierno, a propuesta del Ministerio de Justicia, oído el Consejo General del Poder Judicial; tres Vocales, de los cuales uno pertenezca al Cuerpo de Letrados del Estado; otro, de profesión Abogado y el tercero, una persona en pleno uso de sus derechos civiles y que se haya destacado por su interés hacia los problemas de las víctimas del delito; un Secretario, designado por el Ministro de Justicia. Las decisiones se adoptarían por mayoría siendo voto de calidad el del Presidente, caso de empate. El Ministerio de Justicia proveería a la Comisión de los medios personales y materiales precisos para el adecuado desarrollo de sus funciones, entre las cuales estarían la fundamental de gestionar el Fondo Nacional de Garantía y la de adoptar las medidas apropiadas para que las víctimas y causahabientes tengan acceso a la información propia del régimen de indemnización estatal» (Cfr.: BENITO ALONSO, *Hacia un sistema de indemnización estatal a las víctimas del delito en España*, cit., pág. 901 y s.).

previsto en la Ley de Procedimiento Administrativo, con las adaptaciones que se estimasen oportunas.

En un año se fijaba el plazo de prescripción de la acción para formular las peticiones; el cómputo se iniciaría a partir del momento de la comisión del hecho delictivo. En los casos de lesiones, se indicaba que el plazo no comenzará a correr hasta el momento en que el sujeto haya curado de las mismas.

Finalmente, y para garantizar la eficacia y rapidez del sistema, se abría la posibilidad de que la Comisión adoptase el acuerdo oportuno sin necesidad de previo pronunciamiento judicial; para ello, apreciaría la existencia de delito o falta exclusivamente a los efectos de concesión de la indemnización, sin que tales acuerdos vinculasen —naturalmente— al juez o tribunal penal. Por otro lado, si de la resolución jurisdiccional se desprendía la inexistencia de la infracción, el interesado se vería obligado a devolver lo ya percibido.

Entre otras iniciativas legislativas de signo semejante, cabe destacar —por ejemplo— la Proposición de Ley sobre *Derechos que asisten a las víctimas de delitos violentos*, de 1992[19], que no llegó a convertirse en Derecho positivo y que recogía no pocos de los planteamientos victimológicos ya entonces ampliamente difundidos en España. Fundamentalmente, que el Estado puede y debe amparar a las víctimas, supliendo las limitaciones de la justicia en orden al efectivo cumplimiento de las indemnizaciones debidas, sin que ello suponga una especie de responsabilidad civil estatal respecto de las víctimas, sino que dicha intervención se fundamenta exclusivamente en razones de equidad y solidaridad social. Además, se pretendía atribuir a la normativa propuesta carácter general, de modo que abarcase a todas las víctimas de la violencia, terrorista o no; estableciéndose, sin embargo, un tratamiento indemnizatorio diferente por lo que el terrorismo supone de violencia específica, amenaza individualizada y crueldad añadida.

Además de las cuestiones estrictamente económicas tenían cabida en el proyecto los aspectos jurídico-procesales relativos a las víctimas o simplemente informativos; de la misma forma que otras prestaciones asistenciales, como la creación en los centros sanitarios de una estructura especializada en la recuperación de las víctimas de los delitos

---

[19]    *Boletín Oficial de las Cortes Generales de 22 de junio de 1992.*

violentos y el fomento de asociaciones para la defensa de los derechos de las personas victimizadas.

En otro orden de cosas, y con la finalidad de conseguir un funcionamiento menos discrecional y más homogéneo del sistema, se proponía que el órgano encargado de la concesión de las indemnizaciones fuese de naturaleza judicial y no meramente administrativa.

Todo ello ofreció a esta problemática una fisonomía hasta entonces inédita en nuestro país. En efecto, a la preocupación científica reflejada en la literatura jurídico-penal y criminológica se unía la existencia de modelos —alguno muy estimable— en ordenamientos foráneos, las sugerencias y recomendaciones brindadas por congresos internacionales, las Naciones Unidas o el Consejo de Europa, la vigencia en España de una normativa reguladora —ya entonces— de los resarcimientos a las víctimas de bandas armadas y elementos terroristas, algunas iniciativas parlamentarias y muy razonables ensayos de construcción de un sistema indemnizatorio a las víctimas de hechos criminales. Lo único que parecía faltar entre nosotros era la voluntad política de encontrar respuestas solidarias para un problema que a toda la ciudadanía alcanza; en definitiva, que un Estado que se pretende social y democrático de Derecho diese pruebas de serlo efectivamente.

Incluso, no faltaron serias advertencias en orden a la posibilidad de manipulaciones políticas al respecto, habida cuenta que la rentabilidad electoral es siempre una tentación ya experimentada en democracias más sólidas que la española. Son demasiados los programas «victimagógicos», advirtió en su día GARCÍA-PABLOS[20], de imposible cumplimiento que no cuentan con las prioridades reales de la víctima y que utilizan a ésta como un mero pretexto para la consecución de otros fines menos confesables.

Quizá uno de los ejemplos más llamativos de esta construcción *artificial* de programas asistenciales en la materia venga constituido por la ya mencionada Ley mexicana de protección y auxilio a las víctimas de delitos, de 1969. Iniciativa sorprendente en aquel momento —y en aquel lugar— que ofrecía, incluso, una muy compleja fórmula de financiación pero que nació de espaldas a la realidad nacional mexicana y al funcionamiento de las instituciones que la harían posible. Por ello, los

---

[20]   Cfr.: GARCÍA-PABLOS, *Manual de Criminología*, cit., pág. 96.

frutos de aquella normativa no pueden sorprender a nadie: se limitó a jugar un dudoso papel testimonial y nunca llegó a ser aplicada.

## V. LOS PROGRAMAS LOCALES DE ASISTENCIA A LAS VÍCTIMAS

Al menos durante varios años, la inexistencia en España —a nivel estatal— de un programa, no ya indemnizatorio, sino simplemente de asistencia a las víctimas del delito, fue paliada en determinadas comunidades autónomas por iniciativas de carácter local, muchas veces marcadas por limitaciones de signo económico o de personal.

Se trata, en realidad, de programas locales de asistencia inmediata semejantes a los ya existentes en otros países desde hace muchos años y orientados, fundamentalmente, a lograr una intervención informativa y de crisis, sin renunciar por ello a la atención continuada cuando ésta es necesaria.

Estas iniciativas, nacidas en la década de los años ochenta, fueron acogidas en un principio con escepticismo, cuando no con reticencia, por el colectivo social, las instituciones o —incluso— las propias víctimas, sus naturales destinatarios. Algunos años después pueden ofrecer un satisfactorio balance, a pesar de las dificultades de todo género que han tenido que salvar. No sólo acometieron *ex novo* la construcción de estos programas asistenciales sino que desarrollaron una difícil tarea informativa y de divulgación.

En Valencia surgió, en abril de 1985, la primera oficina de Ayuda a las Víctimas del Delito (A.V.D) existente en España[21]. Depende de la Dirección General de Justicia de la Generalidad Valenciana y realiza, fundamentalmente, una ingente labor informativa, de asistencia jurídica, apoyo emocional y acercamiento de la víctima a todos los recursos sociales que contribuyen a paliar o solucionar en la medida de lo posible

---

[21]  Sobre su funcionamiento y medios materiales y personales utilizados, vid.: F. MONTERDE FERRER, *Victimología. Proyecciones asistenciales prácticas*, en *La Victimología*, Cuadernos de Derecho Judicial, cit., págs. 257 y s.s.

los problemas derivados de la victimización[22], que en la mayoría de los casos son absolutamente desconocidos para ella. Esta pionera aportación se propuso —desde el primer momento— llamar la atención de los medios de comunicación social en su misión informativa para divulgar la idea de que es posible iniciar en España un movimiento, como el que existe en otros países, de ayuda a las víctimas de hechos criminales, y desencadenar la apertura de organismos de esta naturaleza en otros lugares de la geografía nacional, sobre todo en aquellas ciudades de alta densidad de población y determinadas características urbanas. De hecho, su ya amplia experiencia ha sido tenida en cuenta a la hora de abordarse en nuestro país otras iniciativas de esta naturaleza.

En abril de 1989 inició su andadura el Servicio de atención a las víctimas de la ciudad de Barcelona (S.A.V) y aunque su actividad se limitó tan sólo a algunos meses, cabe subrayar que entre los objetivos de este servicio municipal se encontraban los siguientes: promover los derechos de la víctima ante los tribunales de justicia; elevar el número de denuncias presentadas por actividades delictivas, como indicador de confianza en el sistema judicial; propiciar el movimiento asociativo de las víctimas para que estas asociaciones potencien sus derechos, expongan sus necesidades y actúen como interlocutores frente a las instituciones públicas; asesorar y realizar un seguimiento de la denuncia presentada por la víctima hasta la culminación del procedimiento criminal; recoger información sobre los procesos de victimización en la ciudad de Barcelona; facilitar la ayuda a las víctimas en su entorno social.

El S.A.V. barcelonés intentó realizar, en primer término, una muy amplia acción informativa: sobre la forma de conseguir letrados de oficio que defiendan los derechos de la víctima, posibilidades de hacer efectiva la responsabilidad civil derivada de los hechos criminales o adopción de medidas que eviten una victimización posterior (cambio de cerraduras, cancelación de tarjetas de crédito, etc.).

A la intervención de crisis y asesoramiento podía seguir una atención continuada sobre la víctima, tendente a facilitarle información sobre la evolución de la denuncia, a reducir el sentimiento de inseguridad y aislamiento en que se encontrase o a ponerla en contacto con el servicio

---

[22] En 1995, es decir, a los diez años de su entrada en funcionamiento, la Oficina valenciana había dispensado un total de 32.946 atenciones; como precisa su *Memoria* de 1997, sólo en ese año se alcanzó la cifra de 4.187.

correspondiente —bajo seguimiento del S.A.V.— si presenta alguna alteración psíquica como consecuencia de la traumática experiencia sufrida.

En Palma de Mallorca, la oficina de Ayuda a la Víctima del Delito, dependiente de la Consejería Adjunta a la Presidencia del Gobierno Balear, se abrió al público en diciembre de 1989 y es un centro dedicado a la atención y asistencia de las personas que han sido víctimas de cualquier tipo de delito. Entre sus líneas maestras de actuación cabe aludir a las siguientes: informar a las víctimas sobre los recursos sociales e institucionales que se pueden utilizar para remediar su situación; asesorar a la víctima sobre su actuación ante la policía y los tribunales de justicia; procurar para la misma la mejor asistencia social y sanitaria, fundamentalmente en los casos de lesiones y delitos contra la libertad sexual; proporcionar a la víctima las atenciones psicológicas y materiales adecuadas para mitigar el impacto de la victimización.

En función de las peculiares características de las Islas Baleares y del muy notable impacto del turismo en las mismas, nace una de las notas individualizadoras de esta iniciativa: la necesidad de que el personal integrado en la A.V.D. balear conozca —al menos— el inglés, el castellano y el catalán. Con ello, se trata de dar una respuesta adecuada a la particular situación de las víctimas extranjeras y de evitar la indefensión producida por las dificultades idiomáticas y el desconocimiento del medio.

Naturalmente, una victimización de semejantes características se produce —también— en otras zonas del territorio nacional español; por ejemplo, en los núcleos turísticos de la Costa del Sol. No faltan estudios que ponen de relieve el elevado riesgo de victimización que sufren allí los turistas y, al propio tiempo, propuestas para el establecimiento de programas específicos de prevención o asistencia[23]. Habida cuenta que la seguridad ciudadana es uno de los elementos fundamentales que se contemplan al elegir un destino turístico, tal problemática incide no sólo en el marco objetivo de la delincuencia, sino también en la economía de toda una región.

Recién iniciada la última década del siglo XX, otras oficinas de asistencia a las víctimas —de análogas características a las antes

---

[23]   Vid.: P. STANGELAND, J. L. DÍEZ RIPOLLÉS y Mª A. DURÁN DURÁN, *El blanco más fácil: la delincuencia en zonas turísticas*, Tirant lo Blanch, Valencia, 1998.

aludidas— se abrieron en Alicante (en 1990) y en Bilbao (en 1991); esta última dependiente del Departamento de Justicia del Gobierno Vasco y, más concretamente, de su Dirección de Derechos Humanos[24].

A renglón seguido se pusieron en marcha las de Castellón (en 1992), Las Palmas de Gran Canaria (en 1993), San Sebastián (en 1994) o Vitoria y Murcia (ambas en 1995). Ya en 1996, y dependiendo de la Generalitat catalana, las de Barcelona, Tarragona, Lérida y Gerona; en 1997, las de Santa Cruz de Tenerife, San Bartolomé de Tirajana y Logroño. En definitiva, pocos años después de la pionera aportación valenciana las iniciativas locales tenían ya una relevante implantación en nuestra geografía, después de vencer —en algunos casos— toda suerte de dificultades.

---

[24] Sobre el aludido servicio de asistencia a las víctimas, que entró en funcionamiento en octubre de 1991, vid.: J. R. PALACIO SÁNCHEZ-IZQUIERDO, *La asistencia a las víctimas del delito en Vizcaya*, en EGUZKILORE, *Cuaderno del Instituto Vasco de Criminología*, n² 6, 1992, págs. 153 y s.s.

*Capítulo VI*

# La normativa española de ayudas y asistencia a las víctimas

## I. LA LEY 35 DE 11 DE DICIEMBRE DE 1995, DE AYUDAS Y ASISTENCIA A LAS VÍCTIMAS DE DELITOS VIOLENTOS Y CONTRA LA LIBERTAD SEXUAL

### 1. *Significado*

Con la promulgación en España de la *Ley 35 de 11 de diciembre de 1995*, de ayudas y asistencia a las víctimas de delitos violentos y contra la libertad sexual, se ha pretendido una cierta generalización de planteamientos que hasta entonces sólo habían incidido en la delincuencia terrorista[1]. La creciente preocupación por la suerte de las víctimas, las experiencias foráneas y las sugerencias y recomendaciones de cualificados organismos internacionales —antes invocadas— constituyeron otros tantos puntos de referencia para nuestro legislador[2], que trató así de colmar una de las lagunas más sensibles de nuestro ordenamiento jurídico. Se otorga, pues, carta de naturaleza al fenómeno de la victimización en España, como habían reivindicado los programas electorales de algunos partidos y ciertas iniciativas parlamentarias, incorporándose nuestro país al grupo de los que contaban ya con un instrumento legal *ad hoc* para la compensación y protección de las víctimas[3].

---

[1]   Cfr.: F. Soto Nieto, *Ayudas a las víctimas de los delitos violentos. Su relación con el proceso penal*, en *La Ley* de 23 de marzo de 1998, pág. 16.

[2]   La Disposición transitoria única de la Ley 35 de 11 de diciembre de 1995 obligó al Gobierno español a depositar el instrumento de ratificación del Convenio 116 del Consejo de Europa de 1983 en un plazo de seis meses a partir de la entrada en vigor de la propia ley.

[3]   Vid.: J. Solé Riera, *La tutela de la víctima en el proceso penal*, J. M. Bosch Editor, Barcelona, 1997, pág. 221.

Como eufemísticamente se afirma en la Exposición de motivos de la ley mencionada, la víctima del delito ha padecido «un cierto abandono» desde que el sistema penal sustituyó la venganza privada por una intervención pública e institucional, ecuánime y desapasionada, para resolver los conflictos generados por la infracción de la ley penal. Sin embargo —se reconoce— el Estado debe acercarse al problema social y comunitario que supone el delito para prevenirlo y recuperar al infractor, pero también para reparar en la medida de lo posible el daño padecido por la víctima. Tal reconocimiento implica la exigencia de una intervención estatal dirigida a restaurar la situación en que se encontraba la víctima antes de padecer el delito o, al menos, a paliar los efectos que sobre ella ha producido.

Además, en el caso de los delitos violentos las personas victimizadas sufren las consecuencias de una alteración grave e imprevista de su vida habitual, evaluable en términos económicos. En los supuestos de lesiones corporales graves, la pérdida de ingresos y la necesidad de afrontar gastos extraordinarios, con lo que se acentúan los perjuicios derivados del hecho criminal; si se ha producido la muerte, las personas dependientes del fallecido se ven abocadas a situaciones de dificultad económica, con frecuencia severa. Consecuencias económicas del delito que, naturalmente, inciden con especial dureza en las capas sociales más desfavorecidas y en las personas con mayores dificultades para insertarse plenamente en el tejido laboral y social.

En cualquier caso, el concepto legal de ayudas públicas allí contemplado debe distinguirse de la indemnización; no cabe admitir —se argumenta— que la prestación económica que el Estado asume sea una indemnización, ya que éste no puede asumir sustitutoriamente las indemnizaciones debidas por el culpable del delito. Se trata de ayudas inspiradas en el principio de solidaridad social.

Al margen del equívoco *nomen iuris* atribuido a la normativa de 11 de diciembre de 1995, la Ley arbitra un sistema de ayudas de contenido económico para las víctimas de ciertos delitos y otro, más amplio, de simple asistencia.

En efecto, tal normativa está integrada por dieciséis artículos, tres disposiciones adicionales, una transitoria y dos finales, y se divide en dos capítulos: el primero, regulador de las ayudas públicas, en cuanto prestaciones económicas que el Estado asume en favor de la víctima; el segundo, dedicado a la asistencia de las víctimas, como concepto diferenciado de las ayudas económicas a las víctimas de los delitos violentos y concebido para la atención psicológica y social, entre otras posibles.

## 2. *Las ayudas públicas*

El sistema de *ayudas públicas* (art. 1) se prevé en beneficio de las víctimas directas e indirectas de los delitos dolosos y violentos, cometidos en España, con el resultado de muerte o de lesiones corporales graves o de daños graves en la salud física o mental; la exclusión de los delitos imprudentes obedece a criterios de prudencia financiera y es frecuente —como ya se indicó— en el ámbito del Derecho comparado. También se beneficiarán de estas ayudas las víctimas de los delitos contra la libertad sexual aun cuando éstos se perpetraren sin violencia.

Podrán acceder a estas ayudas quienes, en el momento de perpetrarse el delito, sean españoles o nacionales de algún otro Estado miembro de la Unión Europea o quienes, no siéndolo, residan habitualmente en España o sean nacionales de otro Estado que reconozca ayudas análogas a los españoles en su territorio; en caso de fallecimiento, tales exigencias lo serán respecto de los beneficiarios a título de víctimas indirectas, con independencia de la nacionalidad o residencia habitual del fallecido (art. 2.1). Se parte, pues, del concepto de residencia —habitual que no esporádica— y no del de domicilio, con lo que se amplía notablemente la posibilidad de ser beneficiario de tales ayudas[4].

El concepto de beneficiario (art. 2, apartado 2 y siguientes) se construye en los siguientes términos: a título de víctimas *directas*, las personas que sufran lesiones corporales graves o daños graves en su salud física o mental como consecuencia directa del delito. Como víctimas *indirectas*, en el caso de muerte y con referencia siempre a la fecha de ésta, el cónyuge del fallecido, si no estuviere separado legalmente, o la persona que hubiera venido conviviendo con el fallecido de forma permanente con análoga relación de afectividad a la del cónyuge, con independencia de su orientación sexual, durante —al menos— los dos años anteriores al momento del fallecimiento, salvo que hubieran tenido descendencia en común, en cuyo caso bastará la mera convivencia; los hijos del fallecido, siempre que dependan económicamente de él, con independencia de su filiación y edad, o de su condición de póstumos; los hijos que, no siendo del fallecido, lo fueren de las personas aludidas antes en primer término, siempre que dependieran económicamente de aquél.

---

[4]    Cfr.: F. J. PUYOL MONTERO, *Noticia de la Ley 35/1995 de 11 de diciembre, de ayudas y asistencia a las víctimas de delitos violentos y contra la libertad sexual*, en *La Ley*, 1996, 3, pág. 1357.

En defecto de las personas mencionadas, serán beneficiarios los padres de la persona fallecida si concurriere idéntica dependencia económica. También se consideran beneficiarios a título de víctimas indirectas los padres del menor que fallezca a consecuencia directa del delito.

Como precisa el art. 3, se podrá denegar la ayuda pública o reducir su importe cuando su concesión total o parcial fuere contraria a la equidad o al orden público, atendidas las siguientes circunstancias declaradas por sentencia: el comportamiento del beneficiario si hubiera contribuido, directa o indirectamente, a la comisión del delito o al agravamiento de sus perjuicios; las relaciones del beneficiario con el autor del delito, o su pertenencia a una organización dedicada a las acciones delictivas violentas. Si el fallecido a consecuencia del delito estuviera incurso en alguna de aquellas causas de denegación o limitación de las ayudas, podrán acceder a las mismas los beneficiarios a título de víctimas indirectas, si quedaren en situación de desamparo económico.

Como ya se indicó, los delitos susceptibles de generar ayudas públicas son aquellos cuyo resultado sea la muerte, lesiones corporales graves o daños graves en la salud física o mental. Por lo que respecta a la gravedad de las lesiones o los daños en la salud, la Ley se remite (art. 4) a efectos de su valoración a la legislación de la Seguridad Social.

La ayuda económica se declara incompatible con la percepción de las indemnizaciones por daños y perjuicios causados por el delito que se establezcan mediante sentencia y con las indemnizaciones o ayudas a que el beneficiario de las mismas tuviere derecho a través de un sistema de seguro privado o —en el supuesto de incapacidad temporal de la víctima— con el subsidio que pudiera corresponder por tal incapacidad en un régimen público de Seguridad Social (art. 5). El círculo se cierra —como se subraya en la Exposición de motivos— subrogándose el Estado, y hasta el total importe de la ayuda provisional o definitiva satisfecha a la víctima o beneficiarios, en los derechos que asistan a los mismos contra el obligado civilmente por el hecho delictivo (art. 13).

La *cuantificación de las ayudas* (art. 6) constituye —por razones obvias— una de las cuestiones centrales del sistema. Partiéndose para ello de la fijación de cuantías máximas correspondientes a cada una de las clases de incapacidad contempladas por la legislación de la Seguridad Social; sobre estos importes máximos la ayuda a percibir se establece aplicando coeficientes correctores en atención a la situación económica de la víctima, al número de personas que dependen económicamente de ella y al grado de afectación o menoscabo sufrido. Igual criterio se sigue en el supuesto de muerte: fijación de una cuantía máxima de ayuda y aplicación sobre ella de coeficientes correctores.

En efecto, el importe de las ayudas no podrá superar en ningún caso la indemnización fijada en la sentencia. Tal importe se determinará mediante la aplicación de las siguientes reglas:

De producirse una incapacidad temporal, la cantidad a percibir será la equivalente al duplo del salario mínimo interprofesional diario vigente, durante el tiempo en que el afectado se encuentre en tal situación después de transcurridos los seis primeros meses.

De producirse lesiones invalidantes, la cantidad a percibir como máximo se referirá al salario mínimo interprofesional mensual vigente en la fecha en que se consoliden las lesiones o daños a la salud y dependerá del grado de incapacitación de acuerdo con la siguiente escala:

Incapacidad permanente parcial: cuarenta mensualidades.

Incapacidad permanente total: sesenta mensualidades.

Incapacidad permanente absoluta: noventa mensualidades.

Gran invalidez: ciento treinta mensualidades.

En los casos de muerte, la ayuda máxima a percibir será de ciento veinte mensualidades del salario mínimo interprofesional vigente en la fecha en que se produzca el fallecimiento.

El concreto importe de la ayuda se establecerá mediante la aplicación de coeficientes correctores sobre las cuantías máximas antes aludidas y en atención a la situación económica de la víctima y del beneficiario, el número de personas que dependieren económicamente de una y otro, y el grado de afectación o menoscabo sufrido por la víctima.

En los casos de muerte de menores a consecuencia directa del delito, la ayuda consistirá únicamente en el resarcimiento de los gastos funerarios que hubieran satisfecho efectivamente los padres o tutores del menor fallecido.

En los supuestos de *delitos contra la libertad sexual* que causaren a las víctimas daños en su salud mental, el importe de la ayuda sufragará los gastos del tratamiento terapéutico libremente elegido por ella, con una cuantía máxima que reglamentariamente se ha establecido en cinco mensualidades del salario mínimo interprofesional; la existencia de daños en la salud mental de la víctima susceptibles de tratamiento terapéutico deberá acreditarse mediante informe del médico forense.

Tal ayuda será procedente aun cuando las lesiones o daños sufridos por la víctima no sean determinantes de incapacidad temporal y, en cualquier caso, será compatible con la que correspondiere a la víctima si las lesiones o daños sufridos produjeran incapacidad temporal o lesiones invalidantes.

La acción para solicitar las ayudas prescribe por el transcurso de *un año*, contado desde la fecha en que se produjo el hecho delictivo (art. 7); el plazo de prescripción quedará suspendido desde que se inicie el proceso penal por dichos hechos, volviendo a correr una vez recaiga resolución judicial firme que ponga fin provisional o definitivamente al proceso y le haya sido notificada personalmente a la víctima.

En los supuestos en que a consecuencia directa de las lesiones corporales o daños en la salud se produjese el fallecimiento, se abrirá un nuevo plazo de igual duración para solicitar la ayuda o, en su caso, la diferencia que procediese entre la cuantía satisfecha por tales lesiones o daños y la que corresponda por el fallecimiento; lo mismo se observará cuando, como consecuencia directa de las lesiones o daños, se produjese una situación de mayor gravedad a la que corresponda una cantidad superior.

La gestión de este sistema de ayudas se confía al Ministerio de Economía y Hacienda (art. 8), con objeto de no crear una nueva estructura administrativa. La revisión en vía administrativa de las resoluciones de dicho Departamento se encomienda a la Comisión Nacional de Ayuda y Asistencia a las Víctimas de Delitos Violentos y contra la Libertad Sexual, creada por el art. 11 de la propia Ley, en la inteligencia de que un procedimiento de impugnación ante una Comisión integrada por representantes de distintos Departamentos y, eventualmente, por representantes de organizaciones o sectores sociales especialmente vinculados a esta problemática permitirá una actuación más ajustada que la vía clásica del recurso administrativo ante el órgano superior jerárquico. Los acuerdos de la Comisión nacional, al resolver los procedimientos de impugnación, pondrán fin a la vía administrativa.

Las *solicitudes de ayuda* —presentadas por el interesado o por su representante— deberán contener los datos siguientes: acreditación documental del fallecimiento, en su caso, y de la condición del beneficiario a título de víctima indirecta; descripción de las circunstancias en que se hubiera cometido el hecho que presente caracteres de delito doloso violento, con indicación de la fecha y el lugar de su comisión; acreditación de que los hechos fueron denunciados ante la autoridad pública; declaración sobre las indemnizaciones y ayudas percibidas por el interesado o de los medios de que dispone para obtener cualquier tipo de indemnización o ayuda por dichos hechos; copia de la resolución judicial firme que ponga fin al proceso penal, ya sea sentencia, auto de rebeldía o que declare el archivo por fallecimiento del culpable, o declare el sobreseimiento provisional de la causa o el sobreseimiento libre por darse los supuestos previstos en los arts. 641.2º o 637.3º de la Ley de Enjuiciamiento criminal, respectivamente.

El Ministerio de Economía y Hacienda podrá solicitar a las autoridades policiales, al Ministerio Fiscal o a los Juzgados o tribunales la información que necesite para resolver sobre las solicitudes de ayuda; podrá proceder, u ordenar a que se proceda, a cualquier clase de investigación pertinente a sus propios fines. También podrá recabar de cualquier persona física o jurídica, entidad o Administración pública, la aportación de informes sobre la situación profesional, financiera, social o fiscal del autor del hecho delictivo y de la víctima, siempre que tal información resulte necesaria para la tramitación y resolución de los expedientes de concesión de ayudas, o el ejercicio de las acciones de subrogación o repetición. Podrá, igualmente, ordenar las investigaciones periciales precisas con vistas a la determinación de la duración y gravedad de las lesiones o daños a la salud producidas a la víctima. La información así obtenida no podrá ser utilizada para otros fines que los de la instrucción del expediente de solicitud de ayuda, quedando prohibida su divulgación. La resolución será adoptada tras oír las alegaciones del interesado en trámite de audiencia y conocer el informe del Servicio Jurídico del Estado, que intervendrá siempre en la tramitación de los expedientes (art. 9).

Con implícito reconocimiento de la proverbial lentitud de la administración de justicia española[5], también pueden concederse ayudas provisionales (art. 10), con anterioridad a que recaiga resolución judicial firme que ponga fin al proceso penal, siempre que quede acreditada la precaria situación económica en que hubiese quedado la víctima o sus beneficiarios. Ayuda provisional que podrá solicitarse una vez que la víctima haya denunciado los hechos ante las autoridades competentes o cuando se siga de oficio proceso penal por los mismos y que no podrá

---

[5] Cfr.: PUYOL MONTERO, *Noticia de la Ley 35/1995 de 11 de diciembre, de ayudas y asistencia a las víctimas de delitos violentos y contra la libertad sexual*, cit., pág. 1359.

ser superior al ochenta por ciento del importe máximo de ayuda establecido para los supuestos de muerte, lesiones corporales graves o daños
graves en la salud, según corresponda. La ayuda provisional podrá ser
satisfecha de una sola vez o mediante abonos periódicos, que se suspenderán de producirse alguno de los supuestos previstos en el art. 14 de la
propia ley.

Art. 14 que regula —precisamente— la acción de repetición estatal en
la materia. El Estado podrá exigir el reembolso total o parcial de la
ayuda concedida en los siguientes casos: cuando por resolución judicial
firme se declare la inexistencia de delito a que se refiere la Ley
examinada; cuando con posterioridad a su abono, la víctima o sus
beneficiarios obtuvieran por cualquier concepto la reparación total o
parcial del perjuicio sufrido en los tres años siguientes a la concesión de
la ayuda; cuando la ayuda se hubiere obtenido en base a la aportación
de datos falsos o deliberadamente incompletos o a través de cualquier
otra forma fraudulenta, así como la omisión deliberada de circunstancias que determinaran la denegación o reducción de la ayuda solicitada;
cuando la indemnización reconocida en la sentencia sea inferior a la
ayuda provisional.

## 3. *La asistencia a las víctimas*

Por lo que respecta a la *asistencia a las víctimas*, su contemplación en
la Ley 35 de 11 de diciembre de 1995 se configura como concepto
diferenciado de las ya aludidas ayudas económicas a las víctimas de
delitos violentos y contra la libertad sexual. Con ello, se pretende
generalizar la atención psicológica y social a las víctimas de delitos de
todo tipo, a través de la red de Oficinas de asistencia a las víctimas, que
canalizarán sus primeras necesidades atendiendo a las más perentorias
que se produzcan como consecuencia del delito, generalizando así las
experiencias surgidas ya en varios puntos de la geografía española con
resultado muy positivo.

Así, los Jueces y Magistrados, miembros de la Carrera Fiscal, autoridades y funcionarios públicos que intervengan por razón de su cargo
en la investigación de hechos que presenten caracteres de delitos dolosos
violentos y contra la libertad sexual (art. 15), informarán a las presuntas
víctimas sobre la posibilidad y procedimiento para solicitar las ayudas
antes mencionadas. También, las autoridades policiales encargadas de
la investigación de los hechos que presenten caracteres de delito recoge-

rán en los atestados que instruyan todos los datos precisos de identificación de las víctimas y de las lesiones que les aprecien. Asimismo, tienen la obligación de informar a la víctima sobre el curso de sus investigaciones, salvo que con ello se ponga en peligro su resultado y, en todas las fases del procedimiento de investigación, el interrogatorio de la víctima deberá hacerse con respeto a su situación personal, a sus derechos y a su dignidad.

En cualquier caso, la víctima de un hecho que presente caracteres de delito, en el mismo momento de realizar la denuncia o —necesariamente— en su primera comparecencia ante el órgano competente, deberá ser informada en términos claros de las posibilidades de obtener en el proceso penal la restitución y reparación del daño sufrido y de las posibilidades de lograr el beneficio de la justicia gratuita. Igualmente, deberá ser informada de la fecha y lugar de celebración del juicio correspondiente y le será notificada personalmente la resolución que recaiga, aunque no sea parte en el proceso.

Además, el Ministerio Fiscal cuidará de proteger a la víctima de toda publicidad no deseada que revele datos sobre su vida privada o su dignidad, pudiendo solicitar la celebración del proceso penal a puerta cerrada, de conformidad con lo previsto en la legislación procesal.

El Ministerio de Justicia procederá, de conformidad con las previsiones presupuestarias (art. 16), a la implantación de Oficinas de asistencia a las víctimas en aquellas sedes de Juzgados y Tribunales o en todas aquellas Fiscalías en que las necesidades así lo aconsejan. En relación con las actividades a desarrollar por estas Oficinas, podrán establecerse convenios para encomendar la gestión a las Comunidades Autónomas y a las Corporaciones locales.

## 4. *El Reglamento de 23 de mayo de 1997*

En cumplimiento de las previsiones de la Disposición final primera de la Ley aludida, el Real Decreto de 23 de mayo de 1997 aprobó el *Reglamento de ayudas a las víctimas de delitos violentos y contra la libertad sexual*. Las materias desarrolladas por el Reglamento pueden agruparse en dos ámbitos perfectamente diferenciados:

De una parte, se aborda la reglamentación de determinadas cuestiones en las cuales la Ley se remitió expresamente a esta norma. Entre ellas cabe citar, por ejemplo, el procedimiento y órgano competente para la calificación de las lesiones o daños a la salud; la fijación de los coeficientes correctores para determinar el importe de la ayuda a percibir en los supuestos de lesiones invalidantes y de fallecimiento; la cuantía máxima de las ayudas por gastos funerarios y por tratamiento terapéutico en los delitos contra la libertad sexual; el procedimiento para comprobar el nexo causal en los supuestos en que, a consecuencia directa de las lesiones o daños en la salud, se produjese el fallecimiento o la agravación de las lesiones, dando lugar a una ayuda de cuantía superior a la inicialmente reconocida; los criterios para determinar la concesión de las ayudas provisionales en situaciones de precariedad; así como la composición y régimen de funcionamiento de la Comisión Nacional de Ayuda y Asistencia a las Víctimas de Delitos Violentos y contra la Libertad Sexual, órgano administrativo colegiado de nueva creación, con competencia exclusiva en todo el territorio nacional para resolver las impugnaciones que se formulen sobre esta materia.

Por otro lado, y atendiendo a su función tradicional, el Reglamento completa la norma legal en aquellas cuestiones en las que se ha creído conveniente una mayor precisión normativa, pudiendo destacarse —entre otras— la delimitación del concepto de residencia habitual; la definición y deslinde de las diferentes situaciones económicas a que alude la Ley, tales como dependencia económica, desamparo o situación de precariedad; la determinación de la situación de incapacidad temporal y los grados de minusvalía de las víctimas que no estuvieren incluidas en ningún régimen público de Seguridad Social.

En la medida de lo posible, el Reglamento intenta acomodarse a la estructura de la Ley, si bien por las peculiares características de los distintos tipos de ayudas y la complejidad de los requisitos exigidos por aquélla para acceder a las mismas se ha considerado oportuno —por razones de sistemática y agilidad en la gestión— regular, con carácter previo, unas normas comunes a todos los procedimientos y establecer, después, de forma individualizada las especialidades procedimentales para las diferentes modalidades de ayudas.

En definitiva, el Reglamento, que consta de 88 artículos, distribuidos en cuatro títulos y una Disposición final, pretende recoger en un solo texto todos los aspectos que puedan plantearse en orden a la concesión de las ayudas económicas establecidas por la Ley 35 de 11 de diciembre de 1995.

La efectiva aplicación de tan compleja normativa no está exenta de dificultades. Sin embargo, ha llegado a augurarse para la misma un beneficioso efecto no sólo con relación a las víctimas individualmente consideradas, sino también para todo el colectivo social, interesado en aminorar las reticencias de bastantes víctimas a denunciar los delitos — con el sentimiento personal de impotencia o indefensión que esa actitud comporta—, de tal forma que con la garantía de una ayuda seria y una protección eficaz en todos los órdenes disminuya el temor a represalias y sea mayor la colaboración ciudadana con la administración de justicia[6].

## II. EL DESTINO ASISTENCIAL DE LOS BIENES DECO-MISADOS POR NARCOTRÁFICO. LA LEY 36 DE 11 DE DICIEMBRE DE 1995

La *Ley 36 de 11 de diciembre de* 1995, sobre la creación de un fondo procedente de los bienes decomisados por tráfico de drogas y otros delitos relacionados[7], integra —al menos en parte— una normativa orientada a finalidades de tipo asistencial que, obviamente, no resultarían cubiertas con la regulación prevista para los delitos terroristas, violentos o contra la libertad sexual.

Como precisa el art. 374.3 del Código penal, los bienes, efectos e instrumentos decomisados por sentencia dictada en procedimientos por delitos relacionados con el tráfico de drogas se adjudicarán definitivamente al Estado.

Consecuentemente, la ley antes invocada ha procedido a la regulación de su destino, estableciendo el procedimiento para llevar a cabo la determinación anual del mismo y su utilización en una más eficaz lucha contra la droga.

Esencialmente, con tal regulación —infrecuente en el Derecho comparado— se presta atención por nuestro legislador a dos aspectos muy concretos de la grave problemática social suscitada por el narcotráfico:

---

[6]  En este sentido, vid. B. ORDOÑEZ SÁNCHEZ, *Aspectos psicológicos y organizacionales de la Ley de ayuda y asistencia a las víctimas de delitos violentos y contra la libertad sexual*, en *Actualidad penal*, 1997, 1, pág. 88.

[7]  Modificada por *Ley de 19 de diciembre de 1997*, que adicionó una disposición adicional cuarta a la normativa de 1995, para garantizar que los remanentes de los créditos originados por el fondo se incorporen a los créditos del ejercicio presupuestario siguiente.

En primer lugar, a la necesidad de que las Fuerzas y Cuerpos de Seguridad del Estado y los servicios y organismos competentes encargados de la prevención y represión del tráfico ilícito de drogas vean incrementada la dotación que facilite las investigaciones de las organizaciones de narcotraficantes.

En segundo término, y en la inteligencia de que las personas con drogodependencias son los grandes perjudicados por este tipo de delincuencia, se abre camino a la utilización de parte del producto de los bienes decomisados en beneficio de los programas de prevención, rehabilitación e inserción social de drogodependientes y toxicómanos.

Como ha subrayado TERRADILLOS, al margen de la discutible opción legislativa que vincula la operatividad y dotación de los medios policiales antidroga a la entidad económica de los éxitos —previos— de su actuación, es lo cierto que parte del fondo así integrado se destina a un objetivo asistencial de las víctimas[8]. En concreto, al menos un cincuenta por ciento del producto de los bienes, efectos e instrumentos aludidos, excepción hecha de algunos que se adscriben a las Fuerzas y Cuerpos de Seguridad del Estado o al Servicio de Vigilancia Aduanera (art. 3.3 de la propia Ley).

También en el saldo positivo de esta normativa suele anotarse que la misma ha tratado de superar la rígida separación entre víctima y delincuente, ya que como la realidad criminológica pone de relieve en este ámbito delictivo es frecuente la coincidencia de ambas condiciones en un mismo sujeto, que no debe quedar al margen de la acción asistencial prevista aunque haya podido ser responsable de los delitos que —precisamente— se trata de combatir.

Por Real Decreto de 6 de junio de 1997 se aprobó el *Reglamento del Fondo procedente de los bienes decomisados por tráfico de drogas y otros delitos relacionados*, en ejecución de las habilitaciones contenidas al respecto en las disposiciones finales primera y segunda de la Ley de 1995 antes aludida. El texto reglamentario pretende, fundamentalmente, garantizar una ágil y equitativa distribución de los bienes decomisados, no sólo en orden al control del ilícito tráfico de drogas, sino también a la rehabilitación de los drogodependientes.

---

[8]    Cfr.: B. MAPELLI CAFFARENA y J. TERRADILLOS BASOCO, *Las consecuencias jurídicas del delito*, tercera edición, Civitas, Madrid, 1996, pág. 258.

*Capítulo VII*
# La protección de la víctima-testigo en España

## I. LA LEY ORGÁNICA DE 23 DE DICIEMBRE DE 1994

Los programas de asistencia a la víctima-testigo son los de más tardía aparición y nacen, precisamente, con la finalidad de promover la cooperación de las víctimas que deben testificar en el proceso. Obviamente, la asistencia a las víctimas no es totalmente desinteresada en estos supuestos, sino orientada a garantizar la fiabilidad de los testimonios y, por ello, a favorecer el buen funcionamiento de la Administración de justicia. Ya en 1982 se promulgó en los Estados Unidos de Norteamérica una ley federal (la *Victim and Witness Protection Act*) para la protección de víctimas y testigos de hechos delictivos que mejoró notablemente su posición en el procedimiento criminal y que, en esencia, trataba de evitar los actos intimidatorios o de venganza contra los mismos.

En nuestro país —y en la línea apuntada— la *Ley Orgánica de 23 de diciembre de* 1994, de protección a testigos y peritos en causas criminales, nació para eliminar las reticencias, retraimientos o inhibiciones de no pocos ciudadanos a colaborar en la Administración de Justicia en determinadas causas penales por el temor a sufrir represalias. Con cierta frecuencia, la víctima-testigo se encuentra en tan conflictiva situación y teme, fundamentalmente, represalias por parte de los imputados o de personas u organizaciones afines a ellos; es un aspecto muy concreto —no el único— de lo que cabe calificar de victimización secundaria.

En efecto, al genérico miedo escénico ante un procedimiento criminal que, entre otras cosas, supone para la víctima tener que responder a preguntas de personas desconocidas sobre un hecho que le resulta desagradable recordar, se une —en ocasiones— el miedo más concreto inspirado por el acusado o su entorno, con la consiguiente pérdida de tranquilidad y confianza[1].

---

[1]   Mª García Quesada, *El miedo de los testigos*, en *La prueba en el proceso penal*, Consejo General del Poder Judicial, Madrid, 1992, pág. 398.

Todo ello determina que en demasiadas ocasiones no pueda contarse con testimonios y pruebas muy valiosos en los procedimientos criminales. Obviamente, puede y debe exigirse una actitud colaboradora al respecto pero no un acto de heroísmo por parte de nadie. Como es sabido, la víctima-testigo que se siente presionada recurre, con frecuencia, a la declaración dubitativa o al socorrido expediente de no recordar lo sucedido. Para salir al paso de tan rechazable y frustrante situación, el legislador español ha elaborado una normativa orientada a la salvaguarda de quienes como testigos deben cumplir con el deber constitucional de colaboración con la justicia y, al propio tiempo, evitar la impunidad de los culpables.

En cualquier caso y como subraya la Exposición de motivos de la ley antes citada, las garantías arbitradas en favor de los testigos y peritos no pueden gozar de un carácter absoluto e ilimitado, esto es, no pueden violar los principios del proceso penal. Por ello, se pretende alcanzar el necesario equilibrio entre el derecho a un proceso con todas las garantías y la tutela de derechos fundamentales inherentes a los testigos y peritos y a sus familiares, en la línea ya seguida desde hace años por algunos ordenamientos foráneos; en efecto, el propósito protector al que responde la ley no es exclusivo de nuestro país.

La Ley de 23 de diciembre de 1994 regula —en primer término— su propio ámbito de aplicación; después, las medidas protectoras y —también— las insoslayables garantías del justiciable; en último lugar, una serie de medidas complementarias de protección que habrán de aplicar, cada uno en su esfera, los miembros de las Fuerzas y Cuerpos de Seguridad del Estado, el Ministerio Fiscal y la autoridad judicial.

Por razones obvias, me interesa especialmente de la normativa invocada la situación de los testigos, sobre todo de los que han sufrido directamente la victimización; su papel difiere sustancialmente del desempeñado por los peritos, que son siempre terceros llamados al proceso por sus específicos conocimientos[2].

Las medidas de protección allí previstas son aplicables a quienes en calidad de testigos —o peritos— intervengan en procesos penales y siempre que la autoridad judicial aprecie racionalmente un peligro grave para la persona, libertad o bienes de quien pretende ampararse en

---

[2]    Vid. al respecto: J. Solé Riera, *La tutela de la víctima en el proceso penal*, cit., pág. 110, en nota.

la ley[3] su cónyuge o persona a quien se halle ligado por análoga relación de afectividad o sus ascendientes, descendientes o hermanos (art. 1). Obviamente, la amplitud del precepto de referencia permite la aplicación de medidas protectoras no sólo en los procesos penales regulados por la Ley de Enjuiciamiento criminal, sino también al previsto por la Ley Orgánica del Tribunal del Jurado o la Ley Orgánica Procesal Militar.

Como veremos, la duración de las medidas de protección se extenderá a todo el proceso (instrucción y juicio oral), pero cabe —también— la posibilidad de que una vez finalizado éste se mantengan si subsiste el riesgo que originó su adopción.

## II. MEDIDAS PROTECTORAS EN LA FASE DE INSTRUC-CIÓN

En la fase de instrucción (art. 2), el juez acordará motivadamente, de oficio o a instancia de parte y cuando lo estime necesario en atención al grado de riesgo o peligro, las medidas necesarias para preservar la identidad de los testigos, su domicilio, profesión y lugar de trabajo, sin perjuicio de la acción de contradicción que asiste a la defensa del procesado.

Se exige, pues, un acuerdo motivado —que debe revestir la forma de auto—, versando la exigencia de motivación sobre la racional apreciación de un peligro o riesgo para los bienes jurídicos de las personas aludidas, su grado de gravedad por la intervención del testigo y la necesidad de adoptar medidas para preservar su identidad; naturalmente, la decisión del instructor puede optar por todas o alguna de las medidas protectoras que el propio legislador invoca y que —como veremos— el órgano judicial competente para el enjuiciamiento podrá mantener, modificar o suprimir para la fase del juicio oral.

A pesar del laconismo legal, que sólo alude a la motivación del auto y a su adopción de oficio o a instancia de parte, parece razonable exigir

---

[3]   Téngase en cuenta que, como delito de obstrucción a la justicia, se castigan en el art. 464 del Código penal las violencias o intimidaciones ejercidas sobre un testigo para que modifique su actuación procesal y, también, las represalias por la misma.

la previa audiencia de los testigos y su consentimiento para la adopción de las medidas, precisamente por ser necesaria su colaboración personal al respecto. La decisión puede ser concebida en los siguientes términos:

1) Que no consten en las diligencias que se practiquen su nombre, apellidos, domicilio, lugar de trabajo y profesión, ni cualquier otro dato que pudiera servir para la identificación de los mismos, pudiéndose utilizar para ésta un número o cualquier otra clave.

Por lo menos en la fase de instrucción del proceso, se preserva así por la ley la identidad del testigo en aras de su seguridad; lo que implica —por supuesto— que cuando deba prestar declaración el juez no permitirá que se le hagan preguntas conducentes al descubrimiento de la misma, por ejemplo, su domicilio o el número del documento nacional de identidad.

Mientras subsista la medida protectora, corresponde al Secretario judicial la conservación y custodia de los datos documentados de la auténtica identidad del testigo; es práctica habitual al respecto la apertura de piezas separadas.

2) Que comparezcan para la práctica de cualquier diligencia utilizando cualquier procedimiento que imposibilite su identificación visual normal.

La preservación de la identidad del testigo, mediante la ocultación de sus rasgos, puede efectuarse a través de mecanismos que permitan el disimulo o desfiguración del rostro y demás caracteres físicos; por ejemplo, el empleo de capuchas, cascos de motorista, verdugos, postizos, pelucas u otros artificios similares; también, con la colocación de mamparas con cristales tintados tras los que se presta declaración, o habilitando la misma desde habitaciones anejas o salas especiales. Se trata, en definitiva, de adoptar cautelas idóneas para preservar el rostro y demás caracteres de los testigos, garantizándose así el desarrollo de las actuaciones procesales en condiciones que neutralicen el temor y el riesgo de represalias.

Obviamente, tales medidas de protección visual están especialmente indicadas para la fase del juicio oral, ya que el testigo de cargo tendrá que declarar en presencia del acusado y ante el público, muchas veces integrado por familiares y amigos de aquél[4].

---

[4]    En este sentido, vid.: F. CARTAGENA PASTOR, *Protección de testigos en causas criminales: la Ley Orgánica 19/1994, de 23 de diciembre*, en *Boletín de Información del Ministerio de Justicia*, nº 1758, 1995, pág. 90.

3) Que se fije como domicilio, a efectos de citaciones y notificaciones, la sede del órgano judicial interviniente, el cual las hará llegar reservadamente a su destinatario.

Resulta incuestionable que el mantenimiento en secreto de su domicilio acrecienta la confianza y seguridad del testigo protegido, al hacer inviable su localización; además, se trata de una medida que no produce indefensión alguna en el inculpado. En cualquier caso, los cambios de domicilio del testigo producidos hasta la citación para el juicio oral —que preceptivamente deben ser puestos en conocimiento del juez instructor— no tendrán que comunicarse al órgano enjuiciador, que citará al testigo remitiendo la pertinente cédula al juzgado de instrucción. Cuando las partes expresen en sus escritos de calificación las pruebas de que intenten valerse para el juicio, indicarán como domicilio del testigo protegido el juzgado de instrucción.

Además, los miembros de las Fuerzas y Cuerpos de Seguridad, el Ministerio Fiscal y la autoridad judicial cuidarán de evitar que a los testigos les hagan fotografías o se tome su imagen por cualquier otro procedimiento, debiéndose proceder a retirar el material fotográfico, cinematográfico, video, gráfico o de cualquier otro tipo a quien contraviniere esta prohibición. Dicho material será devuelto a su titular una vez comprobado que no existen vestigios de tomas en las que aparezcan los testigos de forma tal que pudieran ser identificados (art. 3.1).

Lógicamente, la decisión judicial de proteger la identidad física del testigo conlleva la de evitar la difusión de su imagen; en caso contrario, el testigo sería reconocido no por haber sido visto en el proceso, sino por la reproducción de aquélla, captada previamente por los medios de comunicación social. La salvaguarda del anonimato exige la retirada del material con el que se tomaron las imágenes, como precisa la ley.

El alcance temporal y espacial de la medida prohibitiva aludida abarcará normalmente todo el proceso, pero debe tener especial incidencia en aquellos momentos en que el testigo debe comparecer a la vista del juicio oral en las dependencias judiciales ya que suele ser entonces cuando alcanza su punto álgido el interés informativo que pueda tener el proceso; si finalizado el mismo fuere necesaria tal protección, podrá —excepcionalmente— mantenerse la misma para evitar la captación y difusión de las imágenes.

A instancia del Ministerio Fiscal y para todo el proceso, o si una vez finalizado éste se mantuviera la circunstancia de peligro grave antes aludida, se brindará a los testigos protección policial (art. 3.2); incluso, en casos excepcionales podrán facilitársele documentos de una nueva identidad y medios económicos para cambiar su residencia o lugar de trabajo. También podrán solicitar los testigos ser conducidos a las dependencias judiciales, al lugar donde hubiere de practicarse alguna diligencia o a su domicilio en vehículos oficiales, y durante el tiempo que permanezcan en dichas dependencias se les facilitará un local reservado para su exclusivo uso convenientemente custodiado.

La protección policial de los testigos puede adoptarse en cualquier momento del proceso, incluso mantenerse tras su conclusión mientras subsistan las circunstancias que la determinaron. Y ello sin perjuicio de que los testigos puedan —además— contratar los servicios de protección de escoltas privados integrados en empresas de seguridad.

En casos excepcionales, podrá facilitarse al testigo una nueva identidad y los documentos acreditativos de la misma, sin perjuicio de que en los archivos policiales conste documentalmente la identidad auténtica junto a la supuesta, que se utiliza como protección. También la concesión de medios económicos para cambiar de residencia o lugar de trabajo constituye una contrapartida excepcional que debe asumir el Estado para conjurar los peligros que acechan al testigo que debe comparecer en juicio.

Idéntica finalidad persiguen la conducción de los testigos a las dependencias judiciales, al lugar donde debe practicarse alguna diligencia o a su domicilio y la permanencia de los mismos —en sede judicial— en locales custodiados y reservados para su uso exclusivo. Espacios específicos que no siempre existen en los juzgados y tribunales españoles; por ello, es frecuente que los testigos que se sienten atemorizados esperen el aviso para su comparecencia en las dependencias de la secretaría del órgano judicial o de la oficina fiscal[5].

## III. MEDIDAS ADOPTADAS DURANTE EL ENJUICIAMIENTO

El art. 4.1 impone al órgano judicial (unipersonal o colegiado) competente para el enjuiciamiento de los hechos un pronunciamiento motiva-

---

[5]    Vid.: CARTAGENA PASTOR, *Protección de testigos en causas criminales: la Ley Orgánica 19/1994, de 23 de diciembre*, cit., pág. 96.

do sobre la procedencia de mantener, modificar o suprimir todas o algunas de las medidas de protección de los testigos adoptadas por el Juez de Instrucción, así como la procedencia de adoptar otras nuevas, previa ponderación de los bienes jurídicos constitucionalmente protegidos, de los derechos fundamentales en conflicto y de las circunstancias concurrentes en los testigos en relación con el proceso penal de que se trate.

Las medidas adoptadas podrán ser objeto de recurso de reforma o súplica (art. 4.2); consecuentemente, la resolución del Juez de lo penal admite recurso de reforma y las dictadas por la Audiencia provincial, en procedimiento abreviado o sumario, serán susceptibles de recurso de súplica.

En tales términos se impone al órgano enjuiciador un pronunciamiento —que debe revestir la forma de auto— sobre las medidas adoptadas en su día por el instructor, para ratificarlas, modificarlas, suprimirlas, acordarlas por vez primera o añadir otras nuevas.

Tan abierta fórmula permite, incluso, la adopción de otras medidas de protección de testigos no contempladas expresamente en la ley de referencia pero que las circunstancias del caso pueda requerir (prohibición de acceder a la sala de vistas con aparatos de grabación de sonido que puedan reproducir posteriormente la voz del testigo permitiendo su identificación o permanencia de testigos «arrepentidos» y coencausados en centros penitenciarios diferentes a los reservados para otros internos a los que inculpe con su declaración, por ejemplo).

La resolución deberá ponderar razonablemente el riesgo o peligro que la intervención del testigo en esta fase del procedimiento puede conllevar, valorando los bienes jurídicos constitucionalmente protegidos con la medida y los derechos de igual naturaleza con que pueda entrar en conflicto, la personalidad y características de los testigos, y la constelación de circunstancias concurrentes en el caso, en especial la gravedad del delito. Nada impide, por otro lado, que el órgano judicial se pronuncie de nuevo sobre las medidas protectoras en el momento de comienzo del juicio oral o durante su celebración, si se estimare necesario.

Ello no obstante, si cualquiera de las partes solicitase motivadamente en su escrito de calificación provisional, acusación o defensa, el conocimiento de la identidad de los testigos propuestos, cuya declaración se ha estimado pertinente, el Juez o tribunal que haya de entender la causa —en el mismo auto en que declare la pertinencia de la prueba propuesta— deberá facilitar el nombre y los apellidos de los testigos, respetando las restantes garantías reconocidas a los mismos en la ley examinada (art. 4.3, párrafo primero). En los cinco días siguientes a la notificación a las partes de la identidad de los testigos (art. 4.3, párrafo tercero), cualquiera de ellos podrá proponer nueva prueba tendente a acreditar alguna circunstancia que pueda influir en el valor probatorio de su testimonio.

Con la finalidad de asegurar el equilibrio entre el derecho a un proceso con todas las garantías y la protección de los testigos, la ley permite conocer la identidad de los mismos siempre que cualquiera de las partes lo solicite de forma motivada en su escrito de calificación provisional, acusación o defensa. La fórmula imperativa, «deberá», utilizada por el legislador no deja lugar a dudas. El juez o tribunal debe levantar obligadamente el anonimato de la identidad del testigo, facilitando —exclusivamente— su nombre y apellidos, con respeto de las demás garantías reconocidas al mismo. Se facilita así la identidad del testigo tan sólo a las partes directamente afectadas, sin que pueda trascender de su estricto ámbito de conocimiento.

Empero, el mantenimiento del anonimato puede producirse si la prueba propuesta del testigo protegido no se admite como pertinente por el órgano judicial (es impertinente la prueba testifical cuando su contenido resulta inoperante), pues —como subraya CARTAGENA PASTOR[6]— al no tener que comparecer como testigo en el juicio oral, tampoco es necesario desvelar su identidad.

Si ninguna de las partes solicita la identificación del testigo con su nombre y apellidos será posible su comparecencia y declaración en el juicio oral sin identificarse en ningún momento. Consecuentemente, puede mantenerse siempre el anonimato en la fase de instrucción; en el juicio oral si el órgano enjuiciador no lo considera necesario o siempre que alguna de las partes lo solicite debe notificarse a todas ellas —tan sólo— el nombre y apellidos del testigo. Así, considera la normativa de referencia el derecho a conocer los datos de identidad del testigo protegido como un derecho renunciable. La inexistencia de solicitud expresa al respecto supone la renuncia al derecho de conocer la identidad del testigo en el juicio oral.

---

[6]     Cfr.: CARTAGENA PASTOR, *Protección de testigos en causas criminales: la Ley Orgánica 19/1994, de 23 de diciembre*, cit., pág. 102.

## IV. VALOR Y EFICACIA DE LA PRUEBA TESTIFICAL DE PERSONAS PROTEGIDAS

En términos inequívocos, el art. 4.5 se pronuncia sobre el valor y eficacia de la prueba testifical de las personas sometidas a protección: las declaraciones de los testigos que hayan sido objeto de protección con arreglo a la propia Ley durante la fase de instrucción, solamente podrán tener valor de prueba —a efectos de sentencia— si son ratificadas en el acto del juicio oral en la forma prevista en la Ley de Enjuiciamiento criminal por quien las prestó. Si se consideran de imposible reproducción, a efectos del art. 730 de la ley procesal (fallecimiento o ilocalización del testigo, por ejemplo), habrán de ser ratificadas mediante lectura literal a fin de que puedan ser sometidas a contradicción por las partes.

No existe, pues, diferencia alguna en cuanto a la eficacia y valor probatorio de la declaración del testigo protegido respecto del que no lo está; la ley confirma el criterio de que sólo puede hablarse de prueba cuando la testifical se reitera y reproduce en el momento del juicio oral, de modo que se permita la oportuna confrontación con la otra parte. En los casos —antes aludidos— de testimonio prestado en la fase sumarial que no se puede llevar a fecto en el acto del juicio oral por imposibilidad material de comparecencia del testigo se exige la lectura literal de las declaraciones sumariales, tanto si el testigo estuvo protegido o no, para que puedan ser sometidas a contradicción.

## V. CONCLUSIONES

La defensa y protección de los bienes jurídicos cuyo ataque justifica —precisamente— la actuación del Derecho penal sólo puede efectuarse desde el respeto a ese sistema de garantías que constituye el proceso. Ello no obstante, los ciudadanos que prestan su colaboración para la búsqueda de la verdad material han de contar con las suficientes garantías de que la veracidad de su testimonio, por ejemplo, no va a verse perturbada por el miedo[7]; en definitiva, debe aspirarse a una eficaz

---

[7]    Cfr.. J. GIMÉNEZ GARCÍA, *El testigo y el perito. Su protección en el juicio oral*, en *Actualidad penal*, 1994, 2, pág. 726.

neutralización del riesgo de amenazas o represalias, sobre todo en el ámbito de la delincuencia organizada, la más grave de las que afronta la sociedad democrática.

Consecuentemente, con las medidas de protección previstas en la Ley de 23 de diciembre de 1994 pretende el Estado garantizar la seguridad de los testigos que deben comparecer ante los órganos judiciales y, al propio tiempo, restringir la conducción coactiva de los mismos por la fuerza policial a las salas de vistas, tan sólo, a aquellos supuestos en que el testigo —por insolidaridad— incumpla el deber constitucional de colaboración con la Justicia.

En cualquier caso, se ha tratado de dar satisfacción a una añeja reivindicación doctrinal y social en nuestro país, en orden a mejorar la situación jurídico procesal, sobre todo, del testigo-víctima[8] y con reduplicada incidencia en el ámbito de la delincuencia organizada o terrorista. La Ley pone al alcance de las autoridades judiciales y policiales la amplia gama de mecanismos antes aludidos; al margen de todo voluntarismo, su real operatividad dependerá de los medios que se arbitren al respecto.

De todas formas, no cabe ignorar que la vetusta Ley de Enjuiciamiento criminal española ya contenía con anterioridad a la entrada en vigor de la Ley de 1994 una serie de previsiones ordenadas a la protección de los intereses y de la situación procesal de la víctima-testigo (arts. 704 y siguientes); bien es cierto que ignoradas con frecuencia en la práctica[9]. Hoy, nada impide —por supuesto— que coexistan ambas regulaciones para una mejor protección en la materia.

---

[8]   Vid.: J. F. Ceres Montés, *Lugar que desempeña la víctima en particular en la fase de instrucción: nuevas tendencias*, en P*oder judicial*, nº 38, 1995, pág. 39 y s.
[9]   Cfr.: Solé Riera, *La tutela de la víctima en el proceso penal*, cit., pág. 116.

*Capítulo VIII*

# La indemnización a las víctimas del terrorismo en España

## I. LA VICTIMIZACIÓN TERRORISTA

Durante muchos años sólo ha existido en España una normativa reguladora de las indemnizaciones a las víctimas de delitos terrorista y limitada —entonces— a los daños corporales[1]. Sólo en estos casos asumía el Estado la responsabilidad por hechos ajenos a sus propios servicios con el propósito —político, en no escasa medida— de paliar las consecuencias lesivas sufridas por las víctimas de bandas armadas y elementos terroristas, al menos en los supuestos más graves[2]. Con ello, se ha tratado de superar la consideración de hombres olvidados que suele atribuirse a las víctimas de esta naturaleza[3]; a las víctimas de una delincuencia muchas veces *teledirigida,* en expresión de STANCIU[4], habida cuenta que el lugar en que se toma la decisión criminal raramente coincide con el de su ejecución.

---

[1] Vid.: G. LANDROVE DÍAZ, *La desprotección de las víctimas en el Derecho español,* en *Victimología,* Servicio Editorial de la Universidad del País Vasco, cit., fundamentalmente págs. 17 y s.s.

[2] Sobre la naturaleza *especial* de estas indemnizaciones, vid.: J. L. MARTÍNEZ-CARDÓS RUIZ, *La obligación estatal de indemnizar los daños causados por las bandas armadas,* en *Revista española de Derecho administrativo,* 1985, págs. 563 y s. s.; I. GORDILLO ÁLVAREZ-VALDÉS, *Legislación antiterrorista y derechos humanos,* en *Actualidad penal,* 1989, 1, pág. 1125; A. GARCÍA BELDA, *Naturaleza jurídica de las prestaciones económicas del Estado a las víctimas de acciones terroristas,* en *Revista española de Derecho militar,* n° 62, 1993, págs. 119 y s.s.

[3] Vid. con carácter general: H. J. SCHNEIDER, *Opfer des Terrorismus,* en *Monatsschrift für Kriminologie und Strafrechtsreform,* 1980, págs. 407 y s. s.

[4] Cfr.: V.V. STANCIU, *Les droits de la victime,* Presses Universitaires de France, Paris, 1985, pág. 47.

Al margen de las limitaciones de signo económico que subyacen muchas veces en la imposición de criterios restrictivos en la materia, muy pronto se especuló en nuestro país sobre las razones determinantes de que el Estado negase —en un primer momento— su protección económica a las víctimas que sufrían daños corporales por delitos comunes y, sin embargo, se concediese a los perjudicados por el terrorismo.

La respuesta hay que buscarla —se argumentó— en el terreno de lo político: «No puede desconocerse que el móvil terrorista es de alguna manera político, aunque utilizar así este término es degradarlo y confundirlo precisamente con lo que nunca debe ser la política; de cualquier forma, y para entendernos, aceptaremos que es un fin político en la medida en que no busca el lucro particular y pretende cambiar las estructuras sociales, teniendo al Estado en el punto de mira de su violencia. En este extremo radica, como es obvio, la diferencia fundamental con la delincuencia común y es aquí donde, a nuestro juicio, está la clave de la cuestión que vamos a analizar. En efecto, aunque en ambos tipos de delitos se altera gravemente la convivencia y la paz, la causa de los daños que sufre el ciudadano es diferente y la víctima, a los ojos de la población, aparece más inocente si cabe cuando el móvil es político. En este caso el sujeto pasivo no es un fin en sí, sino un medio para atacar al Estado y, por tanto, es contra éste contra el que surge más explícitamente el descontento social y a quien se culpa de alguna forma de tales actos. Para constatar lo que afirmamos sólo hay que recordar las manifestaciones hostiles a las autoridades que suelen producirse en los funerales de las víctimas. Late en esta indignación social no sólo una imputación de responsabilidad al Gobierno por su negligencia, que no sería lo más grave, sino también, y sobre todo, una acusación al sistema que permite esta violencia, a veces con el recuerdo nostálgico de otros regímenes más represivos. Se asocia, pues, violencia y Estado de Derecho, terrorismo y democracia, en definitiva. Esta es una situación grave, ya que el terrorismo puede ser una amenaza real contra el sistema de libertades, pues la crispación social que provoca es fácilmente aprovechable para una involución política (piénsese que las dos crisis graves de nuestra democracia, la de enero de 1977 y la de febrero de 1981, estuvieron relacionadas directamente con el recrudecimiento del terrorismo). Creemos que la imputación al sistema es falsa y nunca será justificable la ruindad de quien pretende aprovecharse de esta tragedia social para sus propios fines, pero no podemos dejar de reconocer la realidad de la situación y es ella la que, a nuestro criterio, determina la asunción por el Estado de la responsabilidad económica que estudiamos. Éste, en última instancia, pretende paliar el descontento social del que él mismo es objeto»[5].

El criterio de conceder un tratamiento diferente a las víctimas en función de que lo sean o no de actos terroristas ha tenido acceso, también, a otros sistemas europeos; bien es cierto que no siempre de forma tan drástica como en España. Así, en el Derecho francés, la *Ley de 8 de julio de 1983* consagra —con carácter general— el principio de indemnización estatal limitada, mientras que la Ley de *9 de septiembre de 1986* afirma el de indemnización total de los daños corporales sufridos por las víctimas del terrorismo[6]. Por el contrario, en Italia la Ley de *13 de agosto de 1980* optó por un solución semejante a la tradicional española, limitando las indemnizaciones a las víctimas de atentados terroristas[7].

No es ajeno a las soluciones legislativas mencionadas el reconocimiento de que el terrorismo da lugar a una muy extensa victimización[8]: de índole directa, en primer término, por las víctimas que genera y, además de naturaleza indirecta, porque somete a amplios sectores de la ciudadanía a la presión del terror y sumisión, o resignación, por miedo a las represalias de los terroristas.

En esta línea, ha subrayado GARCÍA VALDÉS[9] la evidencia de que el fenómeno de la delincuencia terrorista afecta a un amplio sector de la población española; sobre todo a los familiares de las víctimas, en su mayoría miembros del aparato represivo del Estado o mandos del ejército, pero también al resto de los ciudadanos que se conmueven ante

---

5    Cfr.: J. ÁLVAREZ GÁLVEZ y R. DÍAZ VALCÁRCEL, *Acerca de la responsabilidad patrimonial del Estado en los daños causados por el terrorismo, en La Ley,* 1985, 3, pág. 923 y s.

6    En sentido crítico, vid. al respecto: A. D'HAUTEVILLE, *Victimes mieux aidées, mieux indemnisées: des perspectives nouvelles, en Revue de science criminelle et de Droit pénal comparé,* 1989, pág. 172.

7    Sobre *la* restrictiva normativa italiana, *vid.:* G. CASAROLI, *Réparation du dommage et indemnisation publique en Italie: occasions manquées, premiéres expériences et perspectives législatives, en Revue de science criminelle et de Droit pénal comparé,* 1988, *fundamentalmente* págs. 38 y s.s.

8    *Vid.:* M. LÓPEZ -REY Y ARROJO, *Criminalidad y abuso de poder,* Tecnos, Madrid, 1983, pág. 29 y s.; ROMERO COLOMA, *La víctima frente al sistema jurídico-penal: análisis y valoración, cit.,* págs. 97 y s.s.

9    *Vid.:* C. GARCÍA VALDÉS, *La legislación antiterrorista: Derecho vigente y Proyectos continuistas, en Anuario de Derecho penal y Ciencias penales,* 1984, pág. 293.

la impiedad de muchos de los atentados o sufren las molestias derivadas de la intervención policial operada a través de identificaciones o controles generalizados. A ello cabe añadir el retraso sufrido en la persecución de objetivos sociales —prioritarios en tiempos de normalidad— habida cuenta que el Gobierno se ha visto obligado a dar una respuesta legislativa, y a ejecutar medidas urgentes, para intentar detener la escalada terrorista.

Por todo ello, parece razonable explicar la originaria decisión de reducir el ámbito de indemnización a las víctimas del terrorismo en función de criterios fundamentalmente políticos. Bien es cierto que la justificación esgrimida estatalmente para asumir tal carga —es decir, la ineficaz tutela de determinados bienes jurídicos— amparaba también la deseable ampliación de las ayudas a las víctimas de otros ataques violentos no provenientes de la actuación de elementos o bandas terroristas. Algo que sólo se alcanzaría bastantes años después.

En otro orden de cosas, parece innecesario subrayar que el terrorismo constituye hoy uno de los más acuciantes problemas en España. Sin embargo, la condena de actividades de esta naturaleza no puede limitarse a la estigmatización del terrorismo «común», practicado por grupos minoritarios (étnicos, religiosos, políticos o filosóficos). Pueden existir otros terrorismos[10], en plural inquietante, como el institucional (determinadas prácticas policiales o penitenciarias) y el de Estado, que no cabe silenciar, sobre todo porque pudieran servir para alimentar y justificar el terrorismo subversivo. Es buena prueba de ello el siniestro ejemplo de los GAL, esa amplia correlación de complicidades entre los restos de fuerzas parapoliciales heredadas del franquismo y supuestos demócratas psicópatas de la razón de Estado que justifican la violación de los derechos humanos en nombre de razones superiores no demostrables[11].

---

[10]   Vid.: R. OTTENHOF, ¿Terrorismo o terrorismos? Diálogo sobre un singular plural, en Anuario de Derecho penal y Ciencias penales, 1989, págs. 947 y s.s.; C. CUESTA GOROSTIDI, Víctimas civiles del terrorismo residentes en Guipúzcoa: situación personal y respuesta social e institucional, en Anuario de Derecho penal y Ciencias penales, 1995, pág. 526.

[11]   Cfr.: A. RUBIO y M. CERDÁN, El origen del GAL. «Guerra sucia» y crimen de Estado, Ediciones Temas de Hoy, Madrid, 1997, pág. 15. Vid. también: J. GIMÉNEZ GARCÍA, Terrorismo y represión, presos políticos y presos comunes, en Jueces para la Democracia, n° 30, 1997, fundamentalmente pág. 20 y s.

## II. LA INDEMNIZACIÓN ESTATAL A LAS VÍCTIMAS DEL TERRORISMO

El itinerario normativo español[12] se inició con la referencia contenida en el art. 7 del *Real Decreto-ley de 26 de enero de 1979*, sobre protección de la seguridad ciudadana: serán especialmente indemnizables por el Estado los daños y perjuicios que se causaren a las personas con ocasión de los delitos cometidos por persona o personas integradas en grupos o bandas organizados y armados y sus conexos; el Gobierno —se anunciaba— determinará el alcance y condiciones de dicha indemnización. Tres años tardó el Gobierno en satisfacer el elemental principio de la seguridad jurídica.

Ya en 1982, el *Real Decreto de 5 de marzo, y* en desarrollo del art. 7 del Real Decreto-ley antes mencionado, contempló el resarcimiento estatal de los daños y perjuicios corporales causados como consecuencia o con ocasión de los delitos aludidos; con un criterio que habría de mantenerse en disposiciones posteriores, se dejaron fuera de la protección establecida por este Real Decreto los daños y perjuicios producidos en las cosas o bienes, cuyo resarcimiento se afrontaría en función de las normas administrativas que fueren de aplicación (art. 1).

En la *Ley Orgánica de 26 de diciembre de 1984,* contra la actuación de bandas armadas y elementos terroristas[13,] se dedicó el Capítulo IV —precisamente— a las indemnizaciones derivadas de hechos terroristas. Allí se establecieron los criterios a los que habrían de ajustarse las normas que en el futuro se promulgasen en la materia (arts. 24 y 25): además de la previsión de las cantidades a percibir en los casos de muerte y lesiones, invalidantes o no, se especificaba que la determinación de la indemnización se haría teniendo en cuenta las circunstancias personales, familiares y profesionales de la víctima y —en su caso— el grado de invalidez producido; también que las indemnizaciones serían

---

[12]   Sobre las características de la vía normativa independiente seguida respecto de las especiales indemnizaciones derivadas de hechos terroristas, vid.: C. LAMARCA PÉREZ, *La última recepción de la normativa antiterrorista en la legislación común,* en *Anuario de Derecho penal y Ciencias penales,* 1989, pág. 976.

[13]   *Ley Orgánica de 26 de diciembre de 1984* que fue derogada por la *Ley Orgánica de 25 de mayo de 1988,* de reforma del Código penal y que supuso el retorno de las tipicidades terroristas al ámbito de la legislación común. Vid. en la materia: J. TERRADILLOS BASOCO, *Terrorismo y Derecho,* Tecnos, Madrid, 1988.

compatibles con cualesquiera otra a que tuviera derecho la víctima o sus derechohabientes y que el Estado indemnizaría por los daños y perjuicios que se causaren a personas no responsables como consecuencia o con ocasión del esclarecimiento o represión de las acciones de terrorismo.

Principios que fueron desarrollados por el *Real Decreto de 24 de enero de 1986,* regulador de las indemnizaciones a las víctimas de bandas armadas y elementos terroristas[14], que entró en vigor al día siguiente de su publicación en el Boletín Oficial del Estado. Para algún sector de la doctrina, esta normativa de 1986 ha merecido encendidos elogios, hasta el punto de que —con algunas matizaciones— se estimó que bien pudiera servir como modelo para el caso de que el Estado decidiese hacerse cargo también de las indemnizaciones en favor de las víctimas de otros delitos[15].

Sin embargo, aquella normativa fue expresamente derogada por el *Real Decreto de 28 de octubre de 1988,* regulador de los resarcimientos por daños corporales a las víctimas de bandas armadas y elementos terroristas, que también entró en vigor al día siguiente de su publicación en el Boletín Oficial del Estado. Se mantuvieron allí las líneas maestras de la regulación de 1986, si bien —en base de la experiencia acumulada— se abordó una ampliación de los titulares del derecho de resarcimiento en función de extraordinarias circunstancias de carácter humano, determinados lazos de parentesco o una dependencia económica real

---

[14]    Vid.: J. L. DE LA CUESTA, *La reparación de la víctima en el Derecho penal español,* en *Las víctimas del delito,* Servicio Editorial de la Universidad del País Vasco, Bilbao, 1988, pág. 142.

[15]    Vid.: BENITO ALONSO, *Hacia un sistema de indemnización estatal a las víctimas del delito en España,* cit., pág. 892. Con carácter general, ya se había expresado con anterioridad a la normativa mencionada que «no sería improcedente postular la extensión de la responsabilidad del Estado a otros delitos, singularmente los que lesionan la vida e integridad de las personas, aunque no fuesen cometidos por bandas terroristas o rebeldes. En resumen, basta con asumir algo que parece haberse asumido con el terrorismo, y es que el Estado ejerce una función protectora y de garantía sobre los más preciados bienes jurídicos y todo ello naturalmente sin perjuicio de repetir luego sobre los responsables de la acción criminal. Probablemente, ello tendría la importante consecuencia de fortalecer la legitimación del sistema jurídico, y del sistema penal en particular, al aparecer ante el conjunto de ciudadanos como un instrumento verdaderamente eficaz, no sólo para restaurar el orden perturbado, sino también para proporcionar una pronta y segura satisfacción a la víctima» (Cfr.: C. LAMARCA PÉREZ, *Tratamiento jurídico del terrorismo,* Centro de Publicaciones del Ministerio de Justicia, Madrid, 1985, pág. 350).

y demostrada, como se subrayaba en el preámbulo del propio Real Decreto de octubre de 1988. Real Decreto en el que se especificaban las personas con derecho a ser resarcidas, el sistema de fijación de las cantidades a resarcir según los distintos supuestos, las condiciones para el ejercicio de la acción derivada de aquel derecho, etc.

En cualquier caso, al establecerse en su art. 1º.2 que los resarcimientos serían compatibles con cualesquiera otros a que tuvieran derecho la víctima o sus derechohabientes se afirmaba el carácter no subsidiario de la responsabilidad patrimonial del Estado por acciones terroristas con resultado de lesiones o muerte; por ello, en la obtención de las indemnizaciones estatales debía seguirse un camino independiente del proceso penal en que se fijase la responsabilidad civil derivada de los hechos criminales. Tal criterio es más generoso que la mayoría de los utilizados en el ámbito del Derecho comparado, donde suelen contemplarse estas indemnizaciones —como ya se indicó— como un último recurso a utilizar cuando no existen posibilidades de obtenerlas por otros cauces más convencionales. En este sentido, la solución del Real Decreto de 1988 no puede calificarse de restrictiva.

Sin embargo, limitado el resarcimiento específico a los daños corporales (art. 1º.1), los morales, psicológicos y a la personalidad quedaron excluidos. Solución que muy pronto se cuestionó, habida cuenta que una de las más frecuentes actuaciones terroristas es el secuestro de personas, donde son inevitables —aparte de otras posibles lesiones corporales— los daños citados; por ello, se reivindicó que los mismos fuesen también cubiertos por el resarcimiento previsto en el Real Decreto, pues con frecuencia no sólo son igual de graves que las lesiones físicas, sino incluso más graves y de más difícil —o imposible— recuperación[16]. De todas formas, la restrictiva solución que aludía, tan sólo, a los daños corporales ha tenido acceso a muchas de las leyes vigentes en otros países.

Excluidos también del ámbito de resarcimiento los daños y perjuicios en las cosas o bienes (art. 1º.3), no faltaron voces que se preguntaban si las razones de solidaridad que propician la existencia de normas especiales para los daños corporales no son las mismas que justifican que, al

---

[16]    Vid. al respecto: ÁLVAREZ GÁLVEZ y DÍAZ VALCÁRCEL, *Acerca de la responsabilidad patrimonial del Estado en los daños causados por el terrorismo,* cit., pág. 922.

menos, se otorgue a la indemnización por daños materiales un trato más favorable que el entonces dispensado[17].

La normativa de octubre de 1988 fue expresamente derogada por el *Real Decreto de 19 de junio de 1992,* con el que se acometió una nueva regulación de los resarcimientos por daños a víctimas de bandas armadas y elementos terroristas[18]. Sobre todo, cabe subrayar que el mismo se mostró notablemente receptivo con las críticas sufridas por el limitado sistema de cobertura hasta entonces vigente en nuestro país[19].

En efecto, ya en su art. 1.1 se consideraban resarcibles por el Estado los daños corporales «tanto físicos como psíquicos», los gastos por razón de tratamiento médico de los mismos y los «daños materiales» ocasionados en la vivienda habitual de las personas físicas que, como consecuencia o con ocasión de las actividades delictivas cometidas por bandas armadas o elementos terroristas, se causaren a personas no responsables de dichas actividades.

Como daños materiales resarcibles (art. 13) se consideraban —exclusivamente— los sufridos en la estructura o elementos esenciales de la vivienda habitual de las personas físicas; entendiéndose por elementos esenciales aquéllos cuyos desperfectos hicieran imposible la habitabilidad de la vivienda o disminuyeren gravemente las condiciones normales de habitabilidad (incluyéndose las instalaciones y el mobiliario absolutamente indispensable a tal fin).

Paralelamente a las indemnizaciones estatales a las víctimas del terrorismo, cabe destacar la existencia de programas propios del País vasco, especialmente impactado por esta delincuencia. Aprobado el primero por *Decreto de 4 de agosto de 1988* con la finalidad de complementar o cubrir aquellas áreas no abarcadas por el Estado en aquel

---

[17]   Vid.: M. V. DE DIOS VIEITEZ, *Resarcimiento por el Estado de los daños que originan los delitos de terrorismo,* en *Actualidad penal,* 1987, 1, pág. 150; L. MARTÍN-RETORTILLO BAQUER, *De la eficiencia y economía en el sistema de responsabilidad patrimonial de la Administración. De las indemnizaciones derivadas de hechos terroristas,* en *Revista vasca de Administración pública,* 19, 1987, pág. 137.

[18]   Como precisaba su Disposición final única, el Real Decreto entró en vigor al día siguiente de su publicación en el Boletín Oficial del Estado, siendo de aplicación a los hechos ocurridos a partir del 1 de enero de 1992, sin perjuicio de los derechos reconocidos en virtud del derogado Real Decreto de 28 de octubre de 1988.

[19]   Cfr.: HERRERA MORENO, *La hora de la víctima. Compendio de Victimología,* cit., pág. 294.

momento; fundamentalmente, los daños materiales. Tras sucesivas reformas, por *Decreto de 14 de diciembre de 1993,* se aprobó el Programa de Ayudas a las Víctimas del Terrorismo.

## III. EL REGLAMENTO DE AYUDAS Y RESARCIMIENTOS A LAS VÍCTIMAS DE DELITOS DE TERRORISMO DE 18 DE JULIO DE 1997

Por *Real Decreto de 18 de julio de 1997* [20] se aprobó el vigente Reglamento de ayudas y resarcimientos a las víctimas de delitos de terrorismo. Las ayudas y resarcimientos contenidos en el mismo son de aplicación a los hechos acaecidos a partir del 1 de enero de 1997 (Disposición transitoria única).

### 1. *Objetivos*

Es confesada finalidad de la normativa reglamentaria aludida un doble objetivo: en primer término, mejorar cuantitativa y cualitativamente este tipo de ayudas; en segundo lugar, acercar la Administración a la sociedad, impulsando la asistencia integral personalizada a las víctimas de tan impiadosa delincuencia.

Consecuentemente, el Reglamento revaloriza en diez mensualidades del salario mínimo interprofesional las prestaciones a percibir por todas y cada una de las situaciones que se contemplaban en la normativa anterior y que el Ministerio del Interior abonaba por daños personales, bien fueren por fallecimiento o por las distintas clases de incapacidad derivadas de lesiones invalidantes; además, se trata de ofrecer una interpretación amplia —en cuanto al carácter y exigencias— acerca de los elementos esenciales de la vivienda habitual, para atender en mayor medida al contenido de los daños materiales producidos con motivo de

---

[20]    Real Decreto que entró en vigor al día siguiente de su publicación en el Boletín Oficial del Estado y que expresamente deroga la normativa de 19 de junio de 1992 y cualesquiera otra disposición de igual o inferior rango que se oponga a lo establecido en el mismo.

un atentado terrorista (acción que se extiende, con ciertos límites, a los establecimientos mercantiles); incluso, se preven ayudas a los titulares de vehículos que se dediquen al transporte de personas o mercancías o se utilicen con fines laborales o profesionales, situaciones éstas que con anterioridad a 1997 se encontraban fuera del marco legal de resarcimiento.

También se regula la posibilidad de obtener préstamos dirigidos a facilitar la reanudación de las actividades empresariales, cuando éstas hayan sido interrumpidas como consecuencia del atentado, y las ayudas al estudio para paliar las necesidades en este ámbito de los estudiantes víctimas de delitos terroristas o de sus familiares.

Asimismo, se contempla la asistencia psicológica o psicopedagógica de carácter inmediato, a través de un equipo de especialistas cuya intervención —después de un atentado— resulta necesaria o conveniente, con la finalidad de que las personas afectadas o sus familiares puedan volver al entorno social en que desarrollaban sus actividades.

Como cierre del ámbito de cobertura, se prevé una amplia política de subvenciones canalizada a través de las asociaciones que prioritariamente dirigen sus actividades a las personas afectadas en este sector, en defensa de sus intereses y para alcanzar la máxima rentabilidad moral, social, económica y asistencial.

Literalmente, se configura el Reglamento como «expresión de una voluntad política que se traduce en auténtico incremento en la cuantificación de los resarcimientos y ayudas, ampliando y mejorando las anteriores, atendiendo nuevas contingencias no previstas en la anterior, flexibilizando criterios en orden a conseguir mayores beneficios y, en definitiva, tratando de dar la más amplia respuesta a las situaciones de las personas en su doble condición de administrados y afectados, reduciendo en lo posible las actuaciones administrativas, de tal manera que se consiga una relación permanente, directa y personal entre la Administración y la persona o familiar afectado por la violencia terrorista, en su más amplio sentido».

## 2. *Daños y gastos resarcibles*

Serán resarcibles por el Estado, con el alcance y condiciones previstas en el propio Reglamento, los daños corporales (físicos y psíquicos), los gastos en razón de tratamiento médico, y los daños materiales causados como consecuencia o con ocasión de delitos de terrorismo cometidos por bandas armadas, elementos terroristas, o por persona o personas que alteren gravemente la paz y seguridad ciudadana, a quienes no fueren responsables de dichas actividades delictivas (art. 1).

Los resarcimientos por daños (art. 3), a excepción de los corporales, tendrán carácter subsidiario respecto a los establecidos para los mismos supuestos por cualquier otro organismo público o a los derivados de contratos de seguro y las restantes ayudas serán incompatibles con las percibidas por el mismo concepto de otras Administraciones públicas.

Como precisa el art. 4 del Reglamento, las solicitudes presentadas al amparo de esta normativa serán tramitadas y resueltas por el Ministerio del Interior; la incoación e instrucción de actuaciones judiciales por razón de los hechos terroristas no impedirá la iniciación y tramitación del procedimiento aludido.

La acción para reclamar prescribe por el transcurso del plazo de un año, computado a partir del hecho que la motivó; ello no obstante, para el resarcimiento de las lesiones dicho plazo comenzará a correr a partir de la fecha en que la víctima esté totalmente curada de sus lesiones o de la fecha en que se estabilicen los efectos lesivos, según los casos. Cuando como consecuencia de las lesiones se produjere el fallecimiento se abrirá un nuevo plazo de idéntica duración para solicitar el resarcimiento o, en su caso, la diferencia que procediese entre la cuantía satisfecha por tales lesiones y la que corresponda por el fallecimiento; de igual modo se procederá cuando, como consecuencia directa de las lesiones, se produjese una situación de mayor gravedad a la que corresponda una cantidad superior. El plazo de prescripción quedará interrumpido desde que se inicien actuaciones judiciales por razón de los hechos delictivos a que se refiere el Reglamento, volviendo a correr desde que aquéllas finalicen (art. 5).

Los resarcimientos que procedan por *daños corporales* (art. 6) serán compatibles con cualesquiera otros a que tuvieran derecho las víctimas o sus causahabientes; sin embargo, los gastos por razón de tratamiento médico sólo serán resarcidos en la cuantía no cubierta por cualquier sistema de previsión al que la víctima estuviere acogida.

Los titulares del derecho de resarcimiento por daños corporales se precisan en el art. 7: en caso de lesiones, la persona o personas que las hubieren padecido. En caso de muerte, y siempre con referencia a la fecha de ésta, las personas que reúnan las siguientes condiciones: el cónyuge de la persona fallecida —si no estuviera separado legalmente—

o la persona que hubiera venido conviviendo con ella de forma permanente con análoga relación de afectividad a la del cónyuge, cualquiera que sea su orientación sexual, durante al menos los dos años anteriores al momento del fallecimiento, salvo que hubieran tenido descendencia en común, en cuyo caso bastará la mera convivencia; y los hijos de la persona fallecida, o de la persona conviviente, siempre que dependieran económicamente de ella, con independencia de su filiación y edad, o de su condición de póstumos. En el caso de inexistencia de los anteriores, los padres de la persona fallecida si dependieran económicamente de ella. En defecto de los padres, y siempre que dependieran económicamente de la persona fallecida y por orden sucesivo y excluyente, los nietos de ésta, cualquiera que sea su filiación, los hermanos y los abuelos de la misma. De no existir ninguna de las personas aludidas, los hijos, cualquiera que fuera su filiación y edad, y los padres, siempre que tanto unos como otros no dependieran económicamente del fallecido.

A los efectos antes indicados, se entiende que una persona depende económicamente del fallecido cuando en el momento del fallecimiento de aquélla viviera total o parcialmente a expensas de éste y no percibiera, en cómputo anual, rentas o ingresos de cualquier naturaleza superiores al ciento cincuenta por ciento del salario mínimo interprofesional vigente en dicho momento, también en cómputo anual.

En esencia, se establecen (art. 8) los siguientes criterios para determinar el importe del resarcimiento en los casos de daños corporales:

A) De producirse una situación de incapacidad temporal, la cantidad a percibir será la equivalente al duplo del salario mínimo interprofesional diario vigente, durante el tiempo en que el afectado se encuentre en tal situación, con un límite máximo de dieciocho mensualidades.

B) En los casos de lesiones, mutilaciones o deformaciones de carácter definitivo y no invalidante, las cantidades a percibir serán fijadas con arreglo al baremo resultante de la aplicación de la legislación de la Seguridad Social sobre cuantías de las indemnizaciones de las lesiones, mutilaciones o deformaciones definitivas y no invalidantes, derivadas de accidente de trabajo o enfermedad profesional.

C) De producirse lesiones invalidantes, la cantidad a percibir dependerá del grado de incapacitación: en los supuestos de incapacidad permanente parcial, cincuenta mensualidades; si se trata de incapacidad permanente total, setenta mensualidades; en los casos de incapacidad permanente absoluta, cien mensualidades; si se produjere gran invalidez, ciento cuarenta mensualidades.

D) Si el resultado es de muerte, el resarcimiento será de ciento treinta mensualidades del salario mínimo interprofesional vigente en la fecha en que se produzca aquélla[21].

En cualquier caso, todas las cantidades aludidas podrán incrementarse hasta en un treinta por ciento teniendo en cuenta las circunstancias o situaciones de especial dificultad o necesidad, personales, familiares, económicas y profesionales de la víctima.

Los resarcimientos por *daños* materiales comprenderán los causados en la vivienda habitual de las personas físicas, los producidos en establecimientos mercantiles e industriales, o en elementos productivos de las empresas, y los producidos en vehículos, con los requisitos y limitaciones establecidos en los arts. 24 y siguientes del propio Reglamento.

En las viviendas habituales de las personas físicas, los daños objeto de resarcimiento serán los sufridos en la estructura o elementos esenciales de dichas viviendas. Se consideran elementos esenciales reparables aquéllos cuya reposición resulte necesaria para que la vivienda recupere las condiciones de habitabilidad anteriores al siniestro, incluyéndose —por tanto— las instalaciones y mobiliario necesario a tales efectos. Se entiende por vivienda habitual al respecto la edificación que constituya la residencia de la persona durante un plazo de al menos seis meses al año; igualmente se estimará habitual la vivienda en los casos de ocupación de la misma desde tiempo inferior a un año siempre que se haya residido en ella un tiempo equivalente, al menos, a la mitad del transcurrido desde la fecha en que hubiere comenzado la ocupación. El resarcimiento —que se abonará a los propietarios de las viviendas o a quienes legítimamente hubieran efectuado o dispuesto la reparación— tendrá carácter subsidiario respecto de cualesquiera otros reconocidos por las Administraciones públicas o derivados de contratos de seguro, y alcanzará el valor total de la reparación, reduciéndose en cuantía igual al valor de otras indemnizaciones cuando concurran éstas.

En el supuesto de daños producidos en establecimientos mercantiles o industriales, el resarcimiento comprenderá el cincuenta por ciento del

---

[21] A las cantidades previstas para los casos de lesiones invalidantes o muerte se añadirá una cantidad fija de veinte mensualidades del salario mínimo interprofesional que corresponda por cada uno de los hijos que dependan económicamente de la víctima.

valor de las reparaciones necesarias para ponerlos nuevamente en funcionamiento, con un máximo de quince millones de pesetas por establecimiento; no serán resarcibles los daños causados a establecimientos de titularidad pública. Tales resarcimientos tendrán —también— carácter subsidiario respecto de cualesquiera otros reconocidos por las Administraciones públicas o derivados de contratos de seguro, reduciéndose proporcionalmente en las cuantías de otras indemnizaciones cuando concurran éstas.

Serán resarcibles los daños causados en vehículos cuando éstos se dediquen al transporte de personas o mercancías o, en general, constituyan un elemento indispensable para el ejercicio de una profesión o actividad mercantil o laboral. El resarcimiento comprenderá el importe de los gastos necesarios para su reparación, o el importe de su valor venal en caso de destrucción total del vehículo, así como en el supuesto en que el coste de reparación exceda del valor venal; y tendrá carácter subsidiario respecto de cualesquiera otros reconocidos por las Administraciones públicas o derivados de contratos de seguros, reduciéndose en cuantía igual al valor de dichos resarcimientos o indemnizaciones de concurrir éstos.

Con independencia de los resarcimientos por los daños materiales aludidos, la Administración General del Estado podrá, en supuestos excepcionales y, en particular, cuando como consecuencia del acto terrorista quedare interrumpida la actividad de una empresa, con riesgo de pérdida de sus puestos de trabajo, acordar la subsidiación de préstamos destinados a la reanudación de dicha actividad, que consistirá en el abono a la entidad de crédito prestamista de la diferencia existente entre los pagos de amortización de capital e intereses al tipo de interés fijado por la entidad y los que corresponderían al tipo de interés subsidiado; el tipo de interés subsidiado será el del interés legal del dinero en el acto de formalización del préstamo menos tres puntos. También podrá celebrar la Administración General del Estado convenios con entidades de crédito al objeto de que éstas establezcan modalidades de créditos a bajo interés, con la finalidad antes indicada.

### 3. *Ayudas de estudio y asistencia psicosocial*

Se concederán *ayudas de estudio* cuando, como consecuencia de un acto terrorista, se deriven para el propio estudiante, o para sus padres, tutores o guardadores, daños personales que sean de especial trascendencia o los inhabiliten para el ejercicio de su profesión habitual. Las ayudas de estudio podrán comprender tanto las destinadas a sufragar los precios de los servicios académicos y material escolar, como los de transporte, residencia fuera del domicilio familiar y atención compensatoria a la familia por la dedicación al estudio de alguno de sus miembros. Tales ayudas pueden ser de dos clases: ordinarias[22] y extraordinarias (arts. 11 y siguientes). Las extraordinarias están concebidas para paliar situaciones de necesidad personal o familiar no cubiertas, o cubiertas de forma insuficiente, por las ayudas ordinarias.

Además, las víctimas, sus familiares o personas con quienes convivan, recibirán la *asistencia psicosocial* que fuere precisa (arts. 18 y siguientes). Contemplándose en el Reglamento tanto la intervención inmediata, el tratamiento psicológico de las secuelas posteriores al atentado y la asistencia psicopedagógica prioritaria y gratuita para alumnos de educación infantil, primaria y secundaria obligatoria que —como consecuencia de un acto terrorista— padezcan problemas de aprendizaje o de adaptación social, de acuerdo con la normativa que regula la atención al alumnado con necesidades educativas especiales en los centros dependientes de la Administración General del Estado[23].

## 4. *Subvenciones*

El Ministerio del Interior podrá conceder subvenciones (art. 30) a las asociaciones cuyo objeto sea la representación y defensa de los intereses de las víctimas del terrorismo y a las instituciones que realicen actividades asistenciales en favor de las mismas, siempre que se dirijan al cumplimiento de alguna de las finalidades invocadas en el art. 31:

A) Apoyo al movimiento asociativo, con financiación de los gastos generales de funcionamiento, coordinación y gestión de las entidades dedicadas a la protección y representación de los derechos e intereses de

---

[22]  La concesión y renovación de las ayudas ordinarias se ajusta —con ciertas peculiaridades— al sistema establecido en las convocatorias anuales de becas por el Ministerio de Educación y Cultura.

[23]  Tal asistencia psicológica y psicopedagógica será incompatible con la de la misma naturaleza que pudieran prestar, por las mismas causas, otras Administraciones públicas.

las víctimas del terrorismo y de sus familiares, así como el apoyo técnico para el desarrollo de sus cometidos.

B) Programas de asistencia social, subvencionando preferentemente las actividades dirigidas a complementar la acción del Estado en el campo de la asistencia material, social o psicológica a las víctimas, individual o colectivamente consideradas, y con especial atención hacia aquellas situaciones que no pudieran cubrirse con los tipos ordinarios de ayudas.

C) Programas de información y mentalización de la opinión pública sobre los efectos de la violencia terrorista en el cuerpo social y su especial incidencia en el colectivo de víctimas del terrorismo.

D) Programas de formación y de promoción destinados a facilitar la integración social y profesional de las víctimas, y a promocionar y perfeccionar la función del voluntariado en las tareas de ayuda a las mismas.

Las subvenciones podrán ser solicitadas (art. 32) por las asociaciones representativas de las víctimas del terrorismo y por aquellas fundaciones, instituciones o entidades sin fines de lucro que desarrollen programas en el campo de la asistencia a las víctimas o que promocionen actividades sociales y culturales específicamente dirigidas a hacer posible la erradicación de la violencia terrorista. Los solicitantes deberán acreditar su representatividad dentro del colectivo de víctimas del terrorismo, así como su capacidad para desarrollar la actividad para la que se demande la ayuda; no podrán concurrir a la concesión de nuevas subvenciones los beneficiarios de anteriores ayudas que no las hubieren justificado en los plazos y forma establecidos.

Las pautas valorativas para la concesión de subvenciones se precisan en el art. 34: el grado de adecuación de las propuestas presentadas al cumplimiento de las finalidades antes aludidas; la capacitación organizativa y técnica, y la experiencia de la entidad solicitante para la realización de los proyectos presentados; la coherencia entre los objetivos, los instrumentos y el presupuesto previsto, así como la posible inclusión de un sistema de evaluación de los resultados a obtener; el grado de implantación social de la entidad solicitante y la exactitud del cumplimiento y justificación de actividades anteriormente financiadas.

Finalmente (art. 37), la realización de las actividades o funciones para las que se haya concedido la subvención debe justificarse mediante la presentación de una memoria del cumplimiento de la finalidad perseguida y —en su caso— de las condiciones impuestas con motivo de la concesión, acompañada de los originales de las facturas o recibos de los gastos efectuados.

## IV. UNA INICIATIVA SINGULAR. EL REAL DECRETO DE 23 DE ENERO DE 1998

El *Real Decreto de 23 de enero de 1998,* por el que se regulan el procedimiento y los criterios de asignación de las ayudas a víctimas del terrorismo derivadas de los beneficios obtenidos en el sorteo de la Lotería Nacional de 18 de octubre de 1997, se dictó en ejercicio de la habilitación concedida al Gobierno por Real Decreto-ley de 1 de agosto de 1997.

Como ya se indicó, la legislación española sobre ayudas a víctimas del terrorismo o de hechos cometidos por bandas armadas tiene su origen en un Real Decreto-ley de 26 de enero de 1979. A partir de ese momento se ha sucedido una copiosa normativa en la materia, culminada con la promulgación del Real Decreto de 18 de julio de 1997. Así se fue perfeccionando el sistema de protección de tales víctimas, ampliándose el círculo de los posibles beneficiarios y aumentando tanto la cuantía de las ayudas como las modalidades de las mismas.

Ello no obstante, algunas reflexiones impuso en su momento un análisis retrospectivo de la situación de las personas que han sido víctimas de actos terroristas o perpetrados por bandas armadas a lo largo de los años:

1) En primer lugar, la originaria legislación de ayudas dejó fuera de su ámbito de cobertura a las víctimas de hechos de aquella naturaleza acaecidos con anterioridad al 1 de enero de 1976.

2) En segundo término, la sucesión de normas en el tiempo —con la introducción de compensaciones más cuantiosas y de nuevos supuestos de resarcimiento— trajo consigo, en ocasiones, inevitables diferencias en el tratamiento de casos semejantes, pero ocurridos en momentos distintos.

3) Finalmente, el largo tiempo transcurrido desde la comisión de muchos atentados aconsejó abrir la posibilidad de examinar la situación económica y personal de sus víctimas para, en su caso, mejorarla de

acuerdo con el principio de solidaridad que inspira toda esta normativa.

La participación ciudadana en el sorteo antes mencionado allegó los fondos necesarios para conceder con carácter excepcional —y por una sola vez— ayudas humanitarias favorecedoras de las víctimas o de sus familiares directos que no hubieran percibido compensación alguna en virtud del acto terrorista (la cobertura se extendió a los delitos causantes del daño cometidos después del 1 de junio de 1968), a quienes habiendo obtenido en su día alguna compensación se encontraban en situación económica precaria y a las víctimas que por las circunstancias especiales concurrentes no habían podido ser atendidas con las ayudas ordinarias (art. 1).

El propio Real Decreto de enero de 1998 estableció un esquemático procedimiento para que los solicitantes —en el plazo máximo de tres meses desde la fecha de entrada en vigor del mismo— aportasen los documentos imprescindibles para verificar la realidad de los hechos y situaciones en que se fundaba la petición (art. 7). Al mismo tiempo, se creó una Comisión de Evaluación adscrita al Ministerio del Interior (art. 8) que debía elevar su propuesta de resolución al titular de dicho Departamento, quien definitivamente procedió a aprobar o denegar las solicitudes.

En congruencia con la excepcionalidad de la normativa de referencia y del órgano colegiado creado por la misma, la Comisión de Evaluación se extinguió automáticamente una vez distribuidos los fondos allegados por el sorteo de la Lotería Nacional (art. 9). Sin embargo, tan realista y solidaria iniciativa deja abierta la posibilidad de que en el futuro pueda insistirse en fórmulas de signo semejante.

## V. LA ASOCIACIÓN ESPAÑOLA DE VÍCTIMAS DEL TE-RRORISMO

Al margen de las respuestas institucionales integradas por programas de asistencia, compensación y auxilio a las víctimas, existen en no pocos países amplios movimientos asociativos propiciados por las propias víctimas para una mejor defensa de sus intereses. Así ocurre también en España, en la específica materia ahora examinada. La *Asociación Víctimas del Terrorismo,* fundada en 1981, precisa meticulosamente sus fines en el art. 2º del los Estatutos que la regulan:

a) Aunar, dentro de la asociación, a los familiares de los miembros de los Ejércitos de tierra, mar, aire, Guardia civil, Policía nacional y Cuerpo superior de policía, funcionarios, trabajadores y civiles que hayan sido víctimas del terrorismo en cualquiera de sus formas o manifestaciones.

b) Prestar la ayuda necesaria, sea de tipo moral como material, a todo aquel que lo necesite y haya sido víctima, o alguno de sus familiares, de la acción terrorista en cualquiera de sus formas.

c) Dar a conocer principalmente a los asociados la situación tanto moral como material de los familiares de las víctimas del terrorismo.

d) Prestar toda clase de colaboración y cooperación a todas las entidades que redunden en beneficio moral o material de las víctimas del terrorismo.

e) Realizar cuantos actos públicos, seminarios, conferencias y demás permitidos por las leyes, que contribuyan a fomentar el espíritu de hermandad de los familiares de las víctimas del terrorismo, la repulsa en dichas actividades y demás fines concomitantes. Publicar y distribuir boletines u órganos de información relativos a los mismos fines.

f) Promover y asistir en las acciones judiciales necesarias a favor de las víctimas del terrorismo y de la sociedad en general, en los procedimientos judiciales, civiles o administrativos que se siguen con motivo de acciones terroristas o contra organizaciones de igual carácter. Colaborar con cualquier otra entidad que ejercite los hechos anteriormente referidos.

g) Constituir fundaciones o cualquier entidad jurídica en apoyo de las víctimas del terrorismo, y colaborar con las de igual carácter ya constituidas o que se constituyan.

h) La Asociación Víctimas del Terrorismo es suprapartidista. Expresamente manifiesta su voluntad de imparcialidad ante las organizaciones de partido político.

*Capítulo IX*
# Las víctimas y el sistema penal español

## I. CONSIDERACIONES GENERALES

Con muy concretas excepciones —en materia de terrorismo— hay que reconocer que la situación de las víctimas del delito en España ha sido durante demasiados años francamente insatisfactoria. Nuestro sistema jurídico se ha desentendido de la suerte de las víctimas, careciendo hasta fechas bien recientes de la sensibilidad suficiente para construir programas asistenciales e indemnizatorios semejantes a los ya existentes en otros países de nuestro pretendido entorno cultural. Y, en efecto, de nada sirve, por ejemplo, conceder a la víctima un derecho a indemnización y declarar y fijar judicialmente el contenido del mismo si su titular se enfrenta a la frustrante realidad —no infrecuente— de que el condenado a indemnizar es insolvente. Otro tanto ocurre cuando el victimario es desconocido.

Nada supone la concesión *formal* de derechos o acciones para satisfacer las necesidades sentidas por una persona victimizada si al mismo tiempo no se establecen las condiciones *materiales* imprescindibles para que esta satisfacción tenga efectivamente lugar[1]. Parece superfluo insistir en las tradicionales limitaciones de nuestro ordenamiento jurídico, incluso en momentos históricos en que no faltaban en el Derecho comparado soluciones más razonables y solidarias que la española.

Tal desprotección de las víctimas a nivel reparatorio no significa, sin embargo, que nuestro legislador haya ignorado la relevancia del papel jugado por este indiscutible protagonista del drama criminal[2]. Conviene

---

[1]    Cfr.: F. Bueno Arús, *Divagaciones sobre la víctima del delito,* en *Estudios penales y penitenciarios,* Publicaciones del Instituto de Criminología de la Universidad Complutense de Madrid, 1981, pág. 88.

[2]    Cfr.: Landrove Díaz, *Victimología,* cit., pág. 87.

tener presente que, en no escasa medida, el Derecho penal se construye en función de la víctima y de la protección de sus bienes jurídicos, para impedir o sancionar su lesión y puesta en peligro.

El Código penal español —como todos— ha prestado siempre una cierta atención al comportamiento y situación de las personas que al ser lesionadas en sus derechos quedan promovidas a la condición de víctimas: en la fase previa a la comisión del hecho delictivo, durante su ejecución o, incluso, con posterioridad a la consumación[3]; además, la regulación de la responsabilidad civil derivada de la infracción penal, y de los medios arbitrados para hacerla efectiva, se ha orientado al beneficio de la víctima y a la protección de sus intereses.

Tal evidencia ha sido esgrimida en ocasiones para negar la originalidad del movimiento victimológico, en su conjunto, y de la Victimología como ciencia moderna e independiente. Como es sabido, se insiste en que el papel de la víctima ha sido tradicionalmente tenido en cuenta por los Códigos penales, sobre todo en la formulación de ciertas agravantes o atenuantes, y que no pocos tipos penales muestran que las víctimas pueden ser poco escrupulosas, cooperadoras o, incluso, provocadoras del hecho criminal.

Ello sentado, cabe subrayar que en el seno de la ciencia penal —que tiene por objeto de estudio el Derecho positivo— no suele operarse con el término *víctima*. Lo normal, y en orden a los sujetos afectados por el delito, es distinguir entre *sujeto pasivo* —titular del bien jurídico lesionado o puesto en peligro por la infracción— y *perjudicado* por el hecho criminal, que puede o no coincidir con el sujeto pasivo. En cualquier caso, ambos suelen considerarse abarcados por la expresión víctima[4].

El Código penal español de 1995, y al lado de las vertientes preventiva y represiva, muestra una cierta preocupación por las víctimas, su papel en el fenómeno criminoso y —también— por la protección de sus intereses, incorporando algunas innovaciones de claro signo

---

[3]    Vid. con carácter general: E.A. Fattah, *La victime est-elle coupable?*, Les presses de l'Université de Montréal, 1971, fundamentalmente págs. 207 y s.s.

[4]    Cfr.: J. Mª Silva Sánchez, *Innovaciones teórico-prácticas de la Victimología en el Derecho penal,* en *Victimología,* Servicio Editorial de la Universidad del País Vasco, cit., pág. 77.

victimológico[5]. Por lo menos, utiliza la expresión «víctima» con mayor frecuencia que el Texto derogado, que lo hacía en contadas ocasiones, al optar las más de las veces por otros vocablos: «ofendido», «perjudicado», «otra persona» o —simplemente— «otro». Al margen, por supuesto de las más expresivas referencias a sujetos pasivos diferenciados.

## II. LAS VÍCTIMAS Y EL CÓDIGO PENAL

Como ya se indicó, el Código penal español tiene presente en algunas ocasiones el papel desempeñado por la víctima en la génesis del hecho criminal, en la preparación y ejecución del delito y, también, en los momentos posteriores a la consumación. Justo es reconocer, sin embargo, que —con carácter general— el delito se persigue, enjuicia y sanciona con independencia de la intervención de la víctima en su aparición[6] y prescindiendo de la actitud de la misma respecto de la pena y demás consecuencias jurídicas de la infracción. Este principio general ofrece, en cualquier caso, significativas excepciones; también en nuestro sistema.

Sin vocación de exhaustividad, puede abordarse una referencia a aquellos preceptos, de la Parte general o especial, en que el legislador pondera los intereses, la reduplicada vulnerabilidad o la intervención de los sujetos victimizados[7]. No se trata, a pesar de la evidente conexión que existe entre ambos, de incidir en la problemática del tradicionalmente denominado *iter criminis,* sino de examinar la relevancia del *iter victimae,* es decir, del camino seguido por la víctima hasta su victimización e incluso después de producida la misma.

Antes, sin embargo, cabe destacar que el legislador español se muestra a veces comprensivo, otras en exceso egoísta y que el algún caso

---

[5]    Cfr.. A. BERISTAIN, *El nuevo Código penal de 1995 desde la Victimología*, en EGUZKILORE, *Cuaderno del Instituto Vasco de Criminología,* nº 10 extraordinario, octubre de 1997, pág. 72.

[6]    Vid.: M. FROMMEL, *Opfersuchutz durch hohe Strafdrohungen? Der vergiftete Apfel vom Baume des Punitivismus,* en *Monatsschrift für Kriminologie und Strafrechtsreform,* 1985, pág. 350 y s.

[7]    Con relación a la situación anterior a la entrada en vigor del Código de 1995, vid.: A. TÉLLEZ AGUILERA, *Las víctimas en el Derecho español,* en *Cuadernos de Política criminal,* 1993, págs. 137 y s.s.

parece estar «tomando el pelo» —valga la expresión coloquial— a la víctima de una infracción criminal.

Es comprensivo cuando entre las falsificaciones y uso de moneda falsa atenúa la responsabilidad criminal de la víctima-victimario (arts. 386, párrafo 3º, y 629); es decir, del que habiendo recibido de buena fe moneda falsa la expendiere, después de constarle su falsedad, para desplazar el perjuicio previamente sufrido hacia otras personas. La suavidad de las sanciones previstas para aquellos supuestos —comparada con el tradicional rigor que la ley penal reserva para estas conductas— subraya la relevancia que el legislador otorga a la situación victimal preexistente.

Es egoísta nuestro legislador cuando mantiene en el art. 53.1 el viejo y discutible arresto sustitutorio (hoy, responsabilidad personal subsidiaria) por impago de la pena de multa y no por impago —por ejemplo— de las responsabilidades civiles en beneficio de las víctimas. Y ello al margen, por supuesto, de que tal responsabilidad personal subsidiaria constituye una verdadera *pena a la pobreza* y, paradójicamente, permita la conversión de una sanción pecuniaria en una pena corta de privación de libertad.

Sólo de la dudosa capacidad de nuestros legisladores puede surgir una falta como la descrita y sancionada en el art. 621, apartados 2 y 6: la imprudencia leve con resultado —precisamente— de muerte sólo será perseguible mediante denuncia de la persona *agraviada*, es decir, del muerto. No parece, pues, que se trate de una norma de inspiración victimológica y —además— la errada referencia al agraviado resulta algo más que «poco funcional», como eufemísticamente se ha pretendido en alguna ocasión[8].

En cualquier caso, el Código penal sigue recordando a las víctimas determinadas *reglas del juego,* que rebasadas acarrean responsabilidad criminal. Por ejemplo, la prohibición del exceso en la legítima defensa para la que se mantienen en el art. 20.4º los tres requisitos tradicionales (agresión ilegítima, necesidad racional del medio empleado para impedirla o repelerla y falta de provocación por parte del defensor) o la proscripción de que se tomen la justicia por su mano —mediante violencia, intimidación o fuerza—, bajo la amenaza de cometer el delito de realización arbitraria del propio derecho (art. 455).

---

[8]   Vid.: I. VALLDECABRES ORTIZ, en la obra colectiva *Comentarios al Código penal de 1995*, II, Tirant lo Blanch, Valencia, 1996, pág. 2.174.

## 1. *Incentivos para el delincuente orientados a la protección de sus víctimas*

Se contienen hoy en el Código penal una serie de estímulos o incentivos para el victimario orientados inequívocamente a la protección de sus víctimas, reales o potenciales. Por ejemplo, cuando se premia con la impunidad el desistimiento voluntario de consumar el delito (art. 16.2), sin perjuicio de la responsabilidad en que pudiera haber incurrido por los actos ya ejecutados, si éstos fueren constitutivos de otro delito o falta.

También cuando se valora como circunstancia atenuante la de haber procedido el culpable a reparar el daño ocasionado a la víctima, o disminuir sus efectos, en cualquier momento del procedimiento y con anterioridad a la celebración del acto del juicio oral (art. 21, circunstancia 5ª), en términos más generosos que los utilizados por la vieja formulación del arrepentimiento espontáneo; lo que ya ha sido valorado como una «reconducción victimológica» de la atenuante[9].

A idéntica filosofía responde la posibilidad de sustituir las penas de prisión que no excedan de un año por arresto de fin de semana o multa —aunque la ley no prevea estas penas para el delito de que se trate—, cuando las circunstancias personales del reo, la naturaleza del hecho, su conducta y, en particular, «el esfuerzo para reparar el daño así lo aconsejen», siempre que no se trate de reos habituales (art. 88.1).

Por su parte, el art. 136.2 condiciona la cancelación de los antecedentes delictivos —entre otras exigencias— a que el condenado haya satisfecho «las responsabilidades civiles provenientes de la infracción».

Ya en el ámbito de la Parte especial, el tipo privilegiado del art. 163.2 (si el culpable diere libertad al encerrado o detenido dentro de los tres primeros días de su detención, sin haber logrado el objeto que se había propuesto) supone la imposición de la pena inferior en grado a la prevista para la modalidad básica del art. 163.1; consecuentemente, la liberación dentro de los tres «primeros» días —como se añade en un dudoso esfuerzo esclarecedor— supone una notable suavización del rigor penal, a computarse desde el momento mismo de la consumación y atendiendo al transcurso completo de tres períodos de veinticuatro horas. Nos encon-

---

9    Cfr.: TAMARIT SUMALLA, *La reparación a la víctima en el Derecho penal. Estudio y crítica de las nuevas tendencias político-criminales*, cit., pág. 65.

tramos, pues, ante una regla especial de desistimiento de la continuación de un delito cuya consumación ya se ha producido, mediante la que
el legislador aplica la denominada «teoría del puente de plata», propia
del desistimiento en el delito intentado[10], a un delito ya consumado en
el que el mantenimiento temporal de la situación antijurídica creada
incrementa la lesión del bien jurídico libertad ambulatoria.

Inteligencia ya expresada —en su momento— por un cualificado
comentarista del Código español de 1870, al subrayar la «gran conveniencia» de redactar las leyes presentando alicientes y estímulos a los
culpables para no seguir adelante con el delito, menguando así sus
perjudiciales consecuencias y evitando sufrimientos a las personas
contra las cuales la fuerza del delito se ejecuta o el daño se realiza[11]. En
la estimulación de las liberaciones en beneficio de los ilegalmente
privados de libertad radica la *ratio essendi* del precepto antes aludido.

Por imperativo legal, se aplica también el privilegio al secuestro (art.
164) y a las modalidades previstas en los arts. 165 y 167; interpretación
ya mantenida por nuestro Tribunal Supremo ante la fórmula ofrecida
por el anterior Código penal al extender tal atenuación a todas las
modalidades de detención ilegal, ya fueren básicas o cualificadas.

También constituyen otros tantos incentivos para el delincuente las
discutidas[12] precisiones atenuatorias específicas que priman a los arrepentidos —o delatores— en materia de narcotráfico (art. 376) o terrorismo (art. 579). Al margen de otro tipo de consideraciones, en ambos casos
se valora la colaboración para impedir la producción del delito; es decir,
la efectiva victimización.

## 2. *La especial vulnerabilidad de la víctima*

La situación de la víctima —en concreto, su especial vulnerabilidad—
tiene con frecuencia en nuestro sistema un notable efecto agravatorio
para el delincuente, por merecer aquélla una reduplicada protección.

---

[10]   Vid., por ejemplo, las *Sentencias de 15 de octubre de 1991 y 23 de enero de 1993*.
[11]   Cfr.: A. GROIZARD y GÓMEZ DE LA SERNA, *El Código penal de 1870 concordado y
comentado*, V, Salamanca, 1893, pág. 560.
[12]   Vid.: G. LANDROVE DÍAZ, *La Operación nécora*, en *Temas penales*, PPU, Barcelona,
1994, pág. 190 y s.

Obviamente, no se trata de un planteamiento político-criminal inédito antes de la entrada en vigor del Código de 1995, que se ha limitado a una cierta generalización de tal inteligencia.

En cualquier caso, y como ha puesto de relieve HERRERA MORENO[13], una legislación penal victimológicamente orientada ha de contemplar con especial cuidado aquellas situaciones —previas al hecho— que supongan inferioridad o vulnerabilidad victimal de carácter *subjetivo* (condiciones personales de riesgo), *relacional* (interacción con el victimario) o *situacional* (interacción con el entorno). Todo ello encuentra reflejo en nuestro Derecho positivo.

Como paradigma de víctimas especialmente vulnerables cabe aludir a los menores de edad[14] y a los incapaces. Menores, en principio, de dieciocho años (arts. 12 de la Constitución y 315 del Código civil) e incapaces, en los términos que precisa el novedoso art. 25 del propio Código penal: toda persona —haya sido o no declarada su incapacitación— que padezca una enfermedad de carácter persistente que le impida gobernar su persona o bienes por sí misma[15].

Así, por ejemplo, las penas previstas en los arts. 163 y 164 se impondrán en su mitad superior si la detención ilegal o secuestro —entre otros supuestos— tienen como víctima a un menor de edad o a un incapaz (art. 165), previsión agravatoria que recorta notablemente el marco penal respectivo al prescindirse de la mitad inferior de las penas.

Respecto de la específica protección de los menores de edad, el art. 165 viene a colmar una vieja aspiración de la doctrina española: la desapa-

---

[13]    Cfr.: HERRERA MORENO, *La hora de la víctima. Compendio de Victimología*, cit., pág. 337.

[14]    Con carácter general, vid.: M. J. DOLZ LAGO, *El menor como víctima*, en *La Ley*, 1996, 5, págs. 1.350 y s.s.

[15]    Con una plausible preocupación garantista, se ha cuestionado la conveniencia, teórica o probatoria, de que la caracterización como incapaz de una persona se aborde en sede penal y sin las debidas garantías civiles, rozándose así peligrosamente los límites correctos de la prejudicialidad. Que las normas penales —ha llegado a decirse— protejan especialmente a personas desvalidas, enfermas, o como se las quiera denominar, es una cosa; que los términos «incapaz» o «incapacidad» tengan un valor diferente del que procede de la previa declaración del juez civil, es otra cosa y además bastante peligrosa (Vid. al respecto la propuesta de reforma legislativa elaborada por el Fiscal Jefe de la Audiencia Provincial de Salamanca F. BELLO LANDROVE, en la *Memoria elevada al Gobierno de S. M.* por el Fiscal General del Estado, Madrid, 1997, pág. 128 y s.).

rición de un planteamiento político-criminal que —paradójicamente— convertía a la sustracción de un menor de siete años en una modalidad atenuada respecto de las detenciones ilegales. En cualquier caso, la fórmula hoy vigente consagra, a nivel legislativo, criterios valorativos reflejados ya en la *Sentencia de 28 de octubre de 1976*: cuando la privación de libertad recae sobre sujetos pasivos menores o niños, contiene una mayor gravedad, por su incapacidad o dificultad de resistir, profundos efectos para su psiquismo y alarma y conmoción para su familia y para la sociedad.

Cierto es, sin embargo, que el nuevo tope de edad que habilita la agravación en los casos de detención ilegal o secuestro de menores de dieciocho años no es demasiado frecuente en otro Códigos penales que, a veces, contemplan edades muy inferiores a la prevista para alcanzar la mayoría civil. Por ejemplo, y al margen de los específicos criterios nacionales en orden a la tipificación de los aludidos atentados contra la libertad, el Código de Paraguay invoca los doce años (art. 275.1º), quince el de Francia (art. 224.5) y dieciséis el de Portugal (art. 163.1).

La reduplicada protección de los incapaces en este ámbito debe ser contemplada —como ya se indicó— en función del concepto jurídico-penal que de los mismos se contiene en el art. 25. La enfermedad (psíquica o somática) de carácter persistente coloca a la persona que la sufre en una especial situación de inferioridad y, por ello, merecedora del refuerzo de su tutela penal. Nos encontramos, además, ante un concepto material de incapaz que no exige formalmente la declaración de incapacitación, sino tan sólo que concurran en el sujeto las circunstancias que harían posible la misma.

No faltan, sin embargo, críticas de muy largo alcance a la formulación legislativa que se ha dado a la reduplicada protección de víctimas menores de edad o incapaces en el art. 165 del Código penal. Ha llegado, incluso, a defenderse su desaparición para abrir camino en estos casos a la agravante genérica de abuso de superioridad (art. 22.2ª), en cuanto existe una mayor facilidad en la ejecución del delito por la situación —precisamente— de superioridad en que se encuentra el victimario y los efectos psicológicos que puede provocar el encierro o la detención en un menor de edad o incapaz son parangonables a los ocasionados en una víctima de mayor edad. En esta línea, se subraya la incoherencia que supone que cuando la víctima de la privación de libertad sea un menor o un incapaz nos encontremos ante un tipo específico agravado, mientras que si la víctima es —por ejemplo— un anciano deba apreciarse una agravante genérica[16]. Bien es cierto que la vigente opción político-criminal al respecto no modifica la entidad de la pena (en su mitad superior) que resultaría de aplicar la agravante genérica antes aludida a la detención ilegal o secuestro, caso de no existir la tipicidad agravada.

De todas formas, idéntico criterio agravatorio se mantiene en el art. 197.5, cuando las víctimas de ciertos atentados contra la intimidad o el derecho a la propia imagen fueren —también— menores de edad o incapaces.

A veces la valoración de la específica vulnerabilidad se acoge ya en el tipo. Supuesto del abuso sexual, mediante engaño, que victimiza a persona —en este caso— «mayor de doce años y menor de dieciséis» (art. 183), de la ejecución de actos de exhibición obscena ante «menores de edad o incapaces» (art. 185) o de la difusión, venta o distribución de material pornográfico, también, «entre menores de edad o incapaces» (art. 186).

Mayor amplitud reviste la circunstancia 3ª del art. 180, notablemente agravatoria de las agresiones sexuales cuando la víctima sea «una persona especialmente vulnerable, por razón de su edad, enfermedad o situación». Fórmula reproducida por el art. 182.2º en el ámbito de los abusos sexuales.

Vulnerabilidad victimal que también es tenida en cuanta en el ámbito de la delincuencia patrimonial. Caso de las agravaciones previstas en materia de hurto y robo con fuerza en las cosas (arts. 235.4 y 241.1): cuando el delito ponga a la víctima o a su familia en grave situación económica «o se haya realizado abusando de las circunstancias personales de la víctima». Al margen de que este endurecimiento represivo parezca más indicado en los supuestos de robo con violencia o intimidación personales, la agravación se construye sobre el aprovechamiento por el victimario de significativas ventajas en la comisión del hecho delictivo, derivadas de la especial vulnerabilidad de sus víctimas; caso, por ejemplo, de ciegos, paralíticos o incapaces[17].

---

[16]   Vid.: J. MUÑOZ SÁNCHEZ, *Reflexiones sobre la regulación del delito de detención en el Código penal de 1995*, en *Delitos contra la libertad y la seguridad*, Cuadernos de Derecho Judicial, Madrid, 1996, III, pág. 352.

[17]   Cfr.: Mª D. FERNÁNDEZ RODRÍGUEZ, *El robo con fractura exterior*, PPU, Barcelona, 1997, pág. 133 y s.

En el marco del narcotráfico, acarrea un notable endurecimiento represivo (la pena privativa de libertad superior en grado a la que correspondiere, según los casos) cuando —entre otros supuestos— las drogas tóxicas, estupefacientes o sustancias psicotrópicas se faciliten a menores de dieciocho años, disminuidos psíquicos o personas sometidas a tratamiento de deshabituación o rehabilitación (art. 369.1º y 4º).

Al margen de la vulnerabilidad familiar contemplada con relación a las agresiones sexuales (art. 180.4ª) y a los abusos del mismo tenor (art. 182.1º), también la convivencial o doméstica encuentra reflejo en el art. 153 que sanciona la violencia física ejercida sobre el cónyuge o persona a la que el sujeto se halle ligado por análoga relación de afectividad o sobre los hijos propios o del cónyuge o conviviente, pupilos, ascendientes o incapaces que con él convivan o que se hallen sujetos a la potestad, tutela, curatela o guarda de hecho de uno o de otro.

En otro orden de cosas, la vulnerabilidad situacional de ciertas víctimas también ha sido valorada por nuestro legislador en algunos supuestos muy concretos. Con especial nitidez en el ámbito de esa deleznable actividad criminal que constituye el chantaje. Como ha destacado Mª DOLORES FERNÁNDEZ —feliz monografista del tema— la víctima del chantaje teme más al proceso que el propio chantajista, por lo menos en determinados casos límite[18]. En efecto, la divulgación de lo que, precisamente, se trata de mantener oculto a toda costa es algo difícil de evitar una vez que se ha presentado la denuncia; paso que no siempre se atreve a dar el chantajeado.

Al respecto, no parece seriamente discutible que cabe renunciar a la intervención punitiva cuando la misma sea político-criminalmente inoperante, ineficaz o contraproducente. Contraindicaciones que se producían con la tradicional incriminación del chantaje a través de los tipos de amenazas condicionales lucrativas; sobre todo por no estar prevista en nuestro Derecho la aplicación del denominado principio de oportunidad, para permitir la impunidad de la víctima del chantaje amenazada con la revelación o denuncia de algún delito por ella cometido si denunciaba al chantajista.

Paso que sí se ha dado por el vigente Código penal al precisarse, en su art. 171.3, que si el chantaje consistiere en la amenaza de revelar o

---

[18]     Vid.: Mª D. FERNÁNDEZ RODRÍGUEZ, *El chantaje*, cit., fundamentalmente págs. 249 y s.s.

denunciar la comisión de algún delito por el chantajeado, el Ministerio Fiscal podrá —para facilitar el castigo de la amenaza— «abstenerse de acusar por el delito con cuya revelación se hubiere amenazado», salvo que éste estuviere sancionado con pena de prisión superior a dos años; en este último caso el juzgador podrá rebajar, simplemente, la sanción en uno o dos grados[19].

A pesar de las reticencias expresadas al respecto por algún sector de la doctrina[20], parece razonable la incorporación del principio de oportunidad en la lucha contra esa modalidad criminal especialmente abyecta que constituye el chantaje; ese delito que produce una reduplicada —y prolongada— victimización en quienes lo sufren y que trata de mitigar, al menos, la fórmula legislativa antes invocada.

## 3. *El comportamiento de la víctima en la fase previa al hecho criminal*

Fundamentalmente, la víctima puede desencadenar el hecho delictivo de dos maneras: por provocación o por petición[21]. En los casos de petición existe consentimiento de la víctima, que solicita la comisión de la conducta criminal; en consecuencia, existe coincidencia entre los sujetos de la pareja criminal. Por el contrario, en los supuestos de provocación existe desarmonía entre ambos y la victimización se produce por la reacción del victimario que cristaliza —las más de las veces— en una represalia victimizante.

A pesar de la innegable trascendencia que tiene para el desarrollo del acontecimiento delictivo la conducta previa al mismo del sujeto que resulta victimizado, no son demasiadas las referencias que el Código penal español hace a estas relaciones entre los protagonistas del delito, entre la pareja penal.

---

[19]  Más generoso se mostraba el Proyecto de Ley Orgánica de Código penal de 1992 (art. 178.3) al permitir la abstención acusatoria del Ministerio Fiscal respecto de delitos cometidos previamente por el chantajeado, salvo que los mismos tuvieren prevista una pena de prisión superior a *cuatro años*.

[20]  Por ejemplo: J. Díaz-Maroto y Villarejo, en la obra colectiva *Compendio de Derecho penal (Parte especial)*, II, Ceura, Madrid, 1998, pág. 69.

[21]  Cfr.: J. Sosa Chacin, *La Victimología y el Derecho penal,* en *Anuario del Instituto de Ciencias penales y criminológicas,* nº 2, 1968, pág. 207.

Uno de los más significativos ejemplos viene constituido por la actuación de la víctima *provocadora*. Hasta la reforma de 25 de junio de 1983 en el repertorio de atenuantes del anterior Código penal se contenía la de «haber precedido inmediatamente provocación o amenaza adecuada de parte del ofendido» y la de «haber ejecutado el hecho en vindicación próxima de una ofensa grave causada al autor del delito» o determinados parientes. Ambas normas, que invocaban el quehacer precedente de la víctima, quedaron entonces sin contenido y —como contrapartida[22]— se creó una atenuante concebida en los mismos términos que ofrece hoy el art. 21.3ª: «obrar por causas o estímulos tan poderosos que hayan producido arrebato, obcecación u otro estado pasional de entidad semejante».

En la materia, resulta obligada la referencia a la conducta de la mujer en determinados atentados contra su libertad sexual, que la misma desencadena con su actuación precedente para negarse, después, al coito. Me refiero —por supuesto— al modelo tradicional de violación, con sujeto pasivo diferenciado; es decir, a la normativa vigente en España hasta la promulgación de la *Ley Orgánica de 21 de junio de 1989*. Como es sabido, esta modalidad criminal es paradigmática, por razones de muy diversa naturaleza, de victimizaciones secundarias, a las que no siempre son ajenos los propios tribunales de justicia[23].

Innecesario resulta subrayar que, en muchas ocasiones, la estrategia de la defensa de los presuntos victimarios se construye en función de la afirmación de un consentimiento relevante o, al menos, de una conducta previa de provocación con efectos atenuantes. Enfrentada con estos supuestos, la jurisprudencia española no ha sido siempre coincidente sobre la eficacia atenuatoria. Pero, al margen del mayor o menor acierto de decisiones judiciales concretas, ha llegado a sugerirse que la circunstancia atenuante —antes aludida— de concurrencia de previa provocación de la víctima fue suprimida en 1983, precisamente, para evitar el

---

[22]   En sentido crítico, vid.: J. Mª SILVA SÁNCHEZ, *La «Victimo-dogmática» en el Derecho español.*, en *Victimología*, Servicio Editorial de la Universidad del País Vasco, cit., pág. 197.

[23]   Vid.: G. LANDROVE DÍAZ, *La víctima y el juez*, en *Victimología*, Servicio Editorial de la Universidad del País Vasco, cit. fundamentalmente págs. 188 y s.s. Sobre la victimización femenina en su conjunto, vid.: Mª D.L.L. LIMA MALVIDO, *Criminalidad femenina. Teorías y reacción social*, Editorial Porrúa, S.A., México, 1988, págs. 265 y s.s.

abuso que de ella se hacía en orden a reducir la dureza de las penas en el otrora denominado delito de violación[24].

De todas formas el debate no parece cerrado, habida cuenta que la permanencia de la circunstancia de arrebato u obcecación puede suscitar análogos conflictos. Bien es cierto que el Tribunal Supremo español, por regla general, se pronuncia enérgicamente contra la apreciación de la mencionada atenuante en estos supuestos argumentando que la ofuscación o aturdimiento, el acaloramiento y la fuerte excitación que preludian y acompañan al coito no son más que circunstancias anímicas inherentes al mismo y producto de la exacerbación de la líbido, pero que no sirven, precisamente por su connaturalidad, para justificar, ni siquiera parcialmente, las violencias sexuales perpetradas bajo su imperio. No faltan, sin embargo, señaladas excepciones a este criterio jurisprudencial[25], que evidencian que la justicia penal durante demasiado tiempo ha sido arbitrada por hombres y para hombres.

Conviene tener presente, por otro lado, que en el Derecho comparado existen ordenamientos que ante esta problemática otorgan una cualificada eficacia atenuante al comportamiento previo de la víctima en los casos de forzamiento sexual. Caso, por ejemplo, del Código penal de Portugal de 23 de septiembre de 1982 que prevé, en su art. 201.3, una pena especialmente atenuada —y con la lógica excepción de la cópula habida con menor de doce años— si «a vítima, através do seu comportamento ou da sua especial ligação com o agente, tiver contribuído de forma sensível para o facto».

En otro orden de cosas, cabe destacar que en todas las tipologías victimales tienen cabida —entre las participantes— las víctimas *volun-*

---

[24]   Cfr.: HASSEMER y MUÑOZ CONDE, *Introducción a la Criminología y al Derecho penal*, cit., pág. 82.

[25]   Caso, por ejemplo, de la frecuentemente citada *Sentencia de 2 de febrero de 1978* que apreció como muy cualificada la atenuante de arrebato u obcecación «porque los numerosos tocamientos lúbricos que durante largo tiempo hizo el procesado con su consentimiento a la mujer —que se había desnudado de cintura para abajo— en el interior del automóvil que habían aparcado en pleno campo a las tres de la madrugada después de salir del baile donde se habían conocido, son estímulos poderosos para producir ofuscación en la inteligencia y sobreexcitación en la voluntad determinantes de un obrar instintivo e irreflexivo al pretender, como lo pretendió, por la fuerza, después de aquellos actos preparatorios, la consumación de acto carnal al que se opuso terminantemente la mujer después de estar incitando a ello con su desnudez y los prolongados actos libidinosos».

*tarias*, como más característico ejemplo de participación en la génesis del delito. En estos casos se produce, a veces, una instigación por la pretendida víctima y, siempre, su consentimiento.

Sin embargo, parece evidente que quedan fuera de cualquier planteamiento victimológico los supuestos en que el consentimiento actúa como causa de justificación; no puede hablarse de la víctima de un delito inexistente. Incluso, la específica referencia en no pocos tipos penales al consentimiento provoca su estimación como causa de exclusión de la tipicidad. Caso, por ejemplo, de bienes jurídicos como el patrimonio o la libertad domiciliaria que el propio legislador reconoce como renunciables por su titular: el delito de hurto se construye sobre la base de que el dueño de la cosa mueble no consienta que otro se apodere de la misma (art. 234) y el de allanamiento de morada en la inteligencia de que el morador se opone a la entrada o permanencia de alguien en la morada (art. 202).

Otras veces, cuando la estructura de algunas tipicidades exige —incluso de forma implícita— que la conducta se lleve a cabo, precisamente, contra la voluntad de la víctima, la anuencia de ésta también convierte a la acción no ya en justificada, sino en atípica. Por ejemplo, para integrar el delito de detención ilegal (art. 163.1), la privación de libertad exige que se realice contra la voluntad del afectado; si existe consentimiento no aparecerá el delito por ausencia de uno de los elementos del tipo objetivo. En el concepto mismo de detención está implícita la exigencia de una voluntad contraria; por ello, no es que el consentimiento permita la lesión del bien jurídico, sino que impide su lesión. La libertad de abandonar un lugar determinado sólo puede ser vulnerada cuando el titular de ese bien jurídico quiera ejercitarlo abandonando el mismo, si —por el contrario— está de acuerdo con la detención difícilmente podrá decirse que se lesiona su libertad ambulatoria[26].

Ello no obstante, el ordenamiento jurídico español entiende que no siempre una persona está facultada para disponer de los bienes jurídicos de que es titular y, en consecuencia, puede producirse su victimización

---

[26]   Como subraya la *Sentencia de 10 de septiembre de 1992*, la voluntad de la víctima es un factor determinante al respecto, por cuanto la detención o el encierro de la persona sólo devendrá infracción criminal si el hecho se produce y ocasiona contra la voluntad o sin la voluntad de la misma.

en base de la irrelevancia —absoluta o relativa— del consentimiento prestado. Como es sabido, esta problemática reviste muy especial trascendencia con relación a determinadas formas de participación en el suicidio ajeno y en materia de lesiones.

Respecto de las lesiones, hace ya muchos años que nuestro legislador trató de zanjar la cuestión introduciendo en el viejo Código un artículo por el que se declaraba la irrelevancia del consentimiento. La reforma de 25 de junio de 1983 incorporó —simplemente— la referencia a determinadas situaciones en que se atribuía eficacia eximente al consentimiento del lesionado: esterilizaciones, cirugía transexual, etc.[27]. Eficacia que, sin embargo, se negaba en los supuestos de lesiones para eximirse del servicio militar o de un servicio público de inexcusable cumplimiento (tipicidad hoy erradicada del Código penal común).

Actualmente, los arts. 155 y 156 abordan el siempre mal resuelto problema del consentimiento en las lesiones[28]. No se parte, es cierto, de la indisponibilidad de la integridad física y la salud que imponía la normativa anterior al negar —en principio— toda eficacia al consentimiento; tampoco del principio opuesto por el que se reconozca la disponibilidad plena sobre el bien jurídico. Se habilita, simplemente, un cierto grado de disponibilidad por la cicatera vía de la atenuación.

En efecto, en los delitos de lesiones, si ha mediado el consentimiento válida, libre, espontánea y expresamente emitido del ofendido, se impondrá la pena «inferior en uno o dos grados»; ello no obstante, se niega validez al consentimiento otorgado por un menor de edad o un incapaz (art. 155).

---

[27] En la materia, resultaban más ambiciosas las fórmulas utilizadas en alguno de los textos prelegislativos españoles en su momento arrinconados. Efectivamente, en el art. 177 del *Proyecto de Ley Orgánica de Código penal* de 1980 se precisaba que —salvo en los supuestos en que expresamente se estableciere otra cosa— las lesiones que fueren producidas con consentimiento del ofendido «sólo se sancionarán cuando se estimen socialmente reprobables, en cuyo caso se impondrá la pena inferior en grado a la señalada para las lesiones de que se trate». La *Propuesta de Anteproyecto del nuevo Código penal* de 1983 optaba por la afirmación de que, en los delitos de lesiones, «el consentimiento del ofendido, libre, espontáneo y expresamente emitido eximirá de responsabilidad criminal, salvo que se haya obtenido viciadamente, o mediante precio, promesa o recompensa o el otorgante fuere menor o incapaz, en cuyo caso no será válido el prestado por éstos ni por sus representantes legales».

[28] Cfr.: D. LÓPEZ GARRIDO y M. GARCÍA ARÁN, *El Código penal de 1995 y la voluntad del legislador,* Madrid, 1996, pág. 95 y s.

Por su parte, el art. 156 mantiene una solución claramente continuista respecto de la normativa anterior y, asimismo, referida a casos muy concretos: el consentimiento válida, libre, consciente y expresamente emitido exime de responsabilidad penal en los supuestos de trasplante de órganos efectuado con arreglo a lo dispuesto en la Ley, esterilizaciones y cirugía transexual realizadas por facultativo, salvo que el consentimiento se haya obtenido viciadamente, o mediante precio o recompensa, o el otorgante sea menor de edad o incapaz; en cuyo caso no será válido el prestado por éstos ni por sus representantes legales. Tampoco será punible la esterilización de persona incapacitada que adolezca de grave deficiencia psíquica cuando aquélla, tomándose como criterio rector el del mayor interés del incapaz, haya sido autorizada por el Juez, bien en el mismo procedimiento de incapacitación, bien en un expediente de jurisdicción voluntaria tramitado con posterioridad al mismo, a petición del representante legal del incapaz, oído el dictamen de dos especialistas, el Ministerio Fiscal y previa exploración del incapaz.

Con relación a la eutanasia, y al margen de ciertos acontecimientos que en su momento convulsionaron a la ciudadanía española[29], justo es reconocer la trascendencia de una problemática que gira en torno a la disponibilidad de la propia vida y, en definitiva, de la relevancia del consentimiento o petición para que intervenga un tercero, sin resultar alcanzado por responsabilidad criminal alguna.

Bien entendido que, prescindiendo de estereotipos anacrónicos, mal puede hablarse de «víctima» para referirse a alguien que ha decidido ejercitar su indeclinable derecho a una muerte digna[30]. En este marco, sólo victimizan los legisladores que son incapaces de alcanzar una respuesta respetuosa con las convicciones de todos; sin sectarismos. Los criterios político-criminales manejados respecto de la eutanasia pueden esquematizarse en torno a tres ideas: la primera, negadora de la relevancia del consentimiento y de los móviles humanitarios, cristaliza en la sanción del auxilio ejecutivo al suicidio de otro con la misma pena que la establecida para el homicidio; la segunda, tiene en cuenta aquellas circunstancias para matizar la pena, atenuándola; la tercera,

---

[29]   A principios de 1998, el suicidio asistido de RAMÓN SAMPEDRO, un tetrapléjico que —debido a un accidente— se vio reducido a tan triste condición durante casi treinta años. Su lucha por el reconocimiento del derecho a una muerte digna se reflejó en su obra *Cartas desde el infierno*, Planeta, Barcelona, 1996.

[30]   Vid.: G. LANDROVE DÍAZ, *El derecho a una muerte digna*, en *La Ley* de 20 de abril de 1998, págs. 1 y s.s.

opta por la irrelevancia jurídico-penal de las conductas aludidas y supone el más generoso reconocimiento del derecho a la disponibilidad de la propia existencia.

En España, el autodenominado Código penal de la democracia prevé —simplemente— una atenuación punitiva respecto de las cooperaciones al suicidio ajeno para el que causare o cooperare activamente a la muerte de otro, «por la petición expresa, seria e inequívoca de éste, en el caso de que la víctima sufriera una enfermedad grave que conduciría necesariamente a su muerte, o que produjera graves padecimientos permanentes y difíciles de soportar» (art. 143.4).

Es cierto que el vigente Código ha mejorado la solución de la normativa anterior —insensible ante los supuestos eutanásicos— y que al exigirse en el art. 143.4 que concurra la petición expresa, seria e inequívoca se desplaza la hipótesis de la eutanasia sin consentimiento y se subraya la atipicidad de la eutanasia pasiva y de la activa indirecta, el exigirse que los actos eutanásicos sean activos y encaminados directamente a producir la muerte; también que la situación eutanásica ha sido razonablemente perfilada con la referencia a las características de la enfermedad y de los padecimientos producidos por ésta y que queda abierta la posibilidad de suspender la ejecución de la pena privativa de libertad; incluso, cabe computar como acierto legislativo que no se haya limitado la esfera de aplicación de la norma al ámbito médico-sanitario. Pero tan timorato criterio tiene el amargo regusto de la frustración.

Es necesario alcanzar una solución que no reduzca la vida a un mero hecho biológico carente de proyecto personal y ajeno a la dignidad y libertad del ser humano; que respete la disponibilidad de la vida por su titular y, congruentemente, no proscriba la posible implicación de terceros en estos casos límite, sino que la justifique. Tal planteamiento —amparado por nuestra Constitución— responde a una concepción democrática y garantista del Derecho penal, en la que no cabe un intervencionismo represivo que incida en el arcano de los sentimientos más profundos imponiendo concepciones que no toda la ciudadanía comparte.

En definitiva, si todos tenemos derecho a la vida y la obligación de dejar vivir a los demás, somos también titulares del derecho a morir dignamente y a ser ayudados en empresa tan definitiva, sin generarse por ello responsabilidad criminal para nadie. De los paternalismos trasnochados sólo se sigue la más inicua de las victimizaciones.

## 4. *El comportamiento de la víctima en la fase ejecutiva*

Al margen de la eficacia del consentimiento, que sólo en ocasiones justifica o destipifica, el Código penal español otorga una cierta relevancia al comportamiento de la víctima en el momento ejecutivo. A veces, su intervención es decisiva para la aparición del hecho delictivo; en otras oportunidades, repercute directamente en la entidad de la respuesta punitiva al mismo.

Cabe dejar al margen de esta problemática la suscitada por la legítima defensa; institución justificante que invoca momentos históricos de relevancia decisiva del papel del ofendido, a través de un sistema de autotutela. En estos casos, la reacción legítima —reglada en los Códigos penales— ante el riesgo de victimización propia o ajena exime, naturalmente, de responsabilidad criminal. Los excesos en la defensa pueden convertir al victimario en víctima —en cualquier caso, provocadora— y engendrar, paralelamente, responsabilidad para el que se excede en la defensa.

En el art. 171.2 se contiene una tipificación que, indudablemente, otorga relevancia en el momento de castigar la conducta criminal a la actitud de la víctima frente al chantaje; es decir, ante la exigencia de una cantidad o recompensa bajo la amenaza de revelar o difundir hechos referentes a su vida privada o relaciones familiares que no sean públicamente conocidas y puedan afectar a su fama, crédito o interés. La pena se endurece (prisión de dos a cuatro años) cuando el chantajista hubiere conseguido la entrega de todo o parte de lo exigido; si no lo hubiere logrado, será castigado con prisión de seis meses a dos años. El protagonismo de la víctima resulta incuestionable en orden al *agotamiento* —en este caso relevante por imperativo legal— de un delito que, en ambos supuestos, se ofrece ya consumado; la víctima altera, con su intervención, la respuesta penal.

En otras oportunidades el comportamiento de la víctima en la fase ejecutiva del delito ofrece, todavía, una mayor relevancia. Aún reconociendo que tal afirmación es —en cierta medida— válida para muchos de los delitos que tienen como base un contrato[31], algunas modalidades

---

[31] Colaboración victimal que se percibía con especial nitidez en las tipicidades de usura contenidas en el derogado Código penal español. Sobre todo en el caso de la usura encubierta, que suponía la colaboración de la víctima con el usurero en la disimulación de la existencia de un préstamo leonino, propiciando —con ello— la impuni-

delictivas suponen otros tantos casos de favorecimiento del hecho criminal por sus víctimas, que colaboran —no siempre de forma inocente— con la avidez del delincuente en la consecución de un lucro ilícito.

No puede extrañar que en la literatura especializada se mencione como uno de los más característicos ejemplos de víctima participante en la propia victimización el ofrecido por el delito de estafa; por esa modalidad criminal que requiere un arte especial en el delincuente para utilizar en propio beneficio algunos aspectos de la personalidad de sus víctimas[32], fundamentalmente su codicia.

En el ya aludido origen de muy relevantes planteamientos victimológicos — de VON HENTIG, por ejemplo— se invoca la mecánica ejecutiva de algunas modalidades de estafa y el papel jugado por la víctima *cooperadora,* por contraposición a la resistente, propia de otras figuras delictivas. Si algo individualiza al delito de estafa frente al resto de los delitos de enriquecimiento injusto es la cooperación de la víctima, cristalizada en el acto dispositivo, en el *iter* comisivo.

Descrita la estafa en el Código español (art. 248.1) como la utilización, con ánimo de lucro, de engaño bastante para producir error en otro, induciéndole a realizar un acto dispositivo en perjuicio de sí mismo o de tercero, hay que reconocer que —en no pocos supuestos— la víctima contribuye a la producción del hecho delictivo al pretender, a su vez, defraudar al otro (caso, por ejemplo, del muy frecuente «timo de la estampita»). Nos encontramos, en suma, ante conductas típicas resultado de una a*ctitud victimal dolosa,* derivada del ánimo de lucro del sujeto que —finalmente— resulta estafado[33].

En ocasiones, el sentimiento de ridículo derivado de la victimización operada sobre un engaño tantas veces repetido; otras, la duda —razonable— acerca de la moralidad y juridicidad de la propia conducta, determinan que en específicas modalidades de estafa alcance la «cifra

---

dad de quien explotaba sus urgentes necesidades de tipo económico. Deleznable y victimizante conducta que —sin explicación alguna de nuestro legislador— ha desaparecido del repertorio de infracciones contenidas en el Código de 1995. Quizá porque usura «es lo que hacen los bancos» (Cfr.: G. LANDROVE DÍAZ, *La represión de la delincuencia económica*, en *Jueces para la Democracia*, nº 31, 1998, pág.31).

[32]   Cfr.: G. DE FARRO, *Il soggetto passivo del reato nell'aspetto criminologico. La cosi detta «vittimologia»,* en *La Scuola positiva,* 1970, pág. 249.

[33]   Vid.: W. R. SEMPERTEGUI, *La víctima en la estafa,* en *Estudios de Derecho penal y Criminología,* cit., I, págs. 63 y s.s.

negra» muy relevantes magnitudes. Se produce así una especie de *autopunición* de estos sujetos cooperadores en la dinámica del delito, al negarse a reconocer —o formalizar— su condición victimal; en función, precisamente, de su falta de diligencia o concurrente mala voluntad.

## 5. *La víctima en la fase postdelictiva*

Una vez producido el hecho criminal la actitud de la víctima no va a influir, obviamente, en el desarrollo del mismo. Sin embargo, en la fase postdelictiva la víctima adquiere un cierto protagonismo en nuestro sistema penal. En algunos casos, se le reserva la iniciativa sobre la puesta en marcha del procedimiento; en otros, puede perdonar al victimario. Finalmente, sus intereses se tienen en cuenta en función de la posible responsabilidad civil nacida del delito o falta.

En los delitos perseguibles a instancia de parte se atribuye a la víctima, si bien de modo excepcional, un papel relevante en orden a la sustanciación de la responsabilidad criminal de su agresor. La exigencia legal de este requisito de procedibilidad, en sus modalidades de denuncia o querella, subraya la trascendencia de las iniciativas de la víctima. Bien es cierto que, en no pocas ocasiones, su inactividad acusatoria responde, no a un implícito perdón otorgado al delincuente, sino a un escéptico realismo ante el funcionamiento de la justicia penal. Sólo así se explica la muy elevada «cifra negra» que ofrecen muchas modalidades criminales perseguibles en aquellos términos.

Sobre todo en virtud de las últimas reformas sufridas por el Derecho penal español, se observa en nuestro sistema punitivo un fenómeno que —al menos en cierta medida— parece entrañar una paradoja, desde el punto de vista victimológico: de un lado, la ampliación del repertorio de infracciones que exigen la perseguibilidad a instancia de parte, con lo que se *privatiza* el sistema; de otro, la llamativa reducción de la eficacia de esa modalidad de gracia privada representada por el perdón del ofendido para determinadas infracciones[34], fenómeno de signo diametralmente opuesto al antes apuntado.

---

[34]  Proceso de minimización de la eficacia del perdón en el ámbito de la delincuencia sexual del que son claro exponente las Leyes Orgánicas, reformadoras del Código penal, de 25 de junio de 1983 y 21 de junio de 1989.

En no pocos de los delitos perseguibles solamente por denuncia de la persona agraviada o de su representante legal, se subraya en nuestro Código la existencia de un desvalimiento específicamente protegible[35], al habilitarse la intervención del Ministerio Fiscal: bastará su denuncia cuando la víctima sea un menor de edad, un incapaz o una persona desvalida; tal es la fórmula utilizada en los arts. 191.1, 201.1, 228, 287 y 296.

El perdón del ofendido, de evidente trasfondo privatista —ya que coloca por encima del interés público en la represión de ciertos delitos el interés de las víctimas— ha perdido protagonismo en nuestro sistema con la entrada en vigor del Código de 1995. En efecto, como precisa el art. 130.4º, la responsabilidad criminal se extingue por perdón del ofendido «cuando la Ley así lo prevea» (la normativa anterior le otorgaba idéntica eficacia cuando la pena se hubiere impuesto por delitos sólo perseguibles mediante denuncia o querella del agraviado).

Ello ocurre, por ejemplo, con relación a los delitos de descubrimiento y revelación de secretos (art. 201.3), calumnia e injuria (art. 215.3) o en los supuestos de faltas sólo perseguibles a instancia de la persona agraviada (art. 639, párrafo 3º).

Hoy existen delitos perseguibles exclusivamente a instancia de parte en los que el perdón no es contemplado como una modalidad extintiva de la responsabilidad criminal, precisamente, por silencio al respecto de nuestro legislador; tal es el caso del abandono de familia (arts. 226 y siguientes).

Otras veces, se excluye expresa e innecesariamente tal eficacia. Caso del art. 191.2: en los delitos de agresiones, acoso o abusos sexuales el perdón del ofendido o del representante legal no extingue la acción penal ni la responsabilidad de esa clase.

El perdón ha de ser *expreso* y *absoluto*, es decir, sin condiciones, ya que éstas —según la doctrina de nuestro Tribunal Supremo— no son más que «promesas de perdón». Ha desaparecido, pues, el perdón *presunto* (o tácito) que en la normativa anterior tenía cabida en los casos de abandono de familia.

La forma en que debe concederse el perdón se precisa en el ya mencionado art. 130.4º: habrá de ser otorgado de forma expresa antes de

---

[35]    Cfr.: HERRERA MORENO, *La hora de la víctima. Compendio de Victimología*, cit., pág. 339.

que se haya iniciado la ejecución de la pena impuesta; a tal efecto, declarada la firmeza de la sentencia el juzgador oirá al ofendido por el delito antes de ordenar la ejecución de la pena. Además, en los delitos o faltas contra menores o incapacitados —es decir, personas necesitadas de una protección especial—, los Jueces o tribunales, oído el Ministerio Fiscal, podrán rechazar la eficacia del perdón otorgado por los representantes de aquéllos, ordenando la continuación del procedimiento, con intervención del Ministerio Fiscal, o el cumplimiento de la condena; para proceder al rechazo del perdón en estos casos el juzgador deberá oír nuevamente al representante del menor o incapaz.

En otro orden de cosas, también se concede una cierta relevancia a la intervención postdelictiva de la víctima cuando precisa el art. 86 que, en los delitos que sólo pueden ser perseguidos previa denuncia o querella del ofendido, los Jueces y Tribunales oirán a éste —y, en su caso, a quien le represente— antes de conceder los beneficios de la suspensión de la ejecución de la pena.

Otras veces, y con la fisonomía de agravaciones específicas, se valora el impacto victimizante del resultado producido. Un ilustrativo ejemplo viene determinado por la referencia a la «grave situación» económica en que el hurto, el robo con fuerza en las cosas o la estafa hayan dejado a la víctima o a su familia (arts. 235.4, 241.1 y 250.6º).

Finalmente, no cabe ignorar que la ya mencionada circunstancia atenuante 5ª del art. 21 contempla la situación postdelictiva de la víctima, al invocar la problemática de la reparación del daño producido por la victimización. En efecto, cuando se atenúa la responsabilidad criminal del que —en cualquier momento del procedimiento y con anterioridad a la celebración del juicio oral— repara o disminuye los efectos del delito se está produciendo una sustitución de parte de la pena por la mitigación del daño[36]. Tal suavización de la respuesta sancionadora premia, pues, los esfuerzos del delincuente en función de los intereses —ya afectados— de su víctima.

---

[36]    Sobre la trascendencia de este principio victimológico en diversos ámbitos del Derecho comparado, vid. F. DÜNKEL y D. RÖSSNER, *Täter-Opfer-Ausgleich in der Bundesrepublik Deutschland, Österreich und der Schweiz,* en *Zeitschrift für die gesamte Strafrechtswissenschaft,* 1987, págs. 845 y s.s.

# III. PROBLEMÁTICA DE LA RESPONSABILIDAD CIVIL

Al menos desde un punto de vista teórico, se tienen también en cuenta en nuestro sistema jurídico-penal los intereses de la víctima a fin de procurarle un resarcimiento por los daños sufridos como consecuencia de la victimización.

La ejecución de un hecho descrito por la ley como delito o falta obliga a reparar —en los términos previstos en las leyes— los daños y perjuicios por él ocasionados (art. 109.1 del Código penal). A pesar de lo tajante de tal declaración, no deriva necesariamente de toda infracción criminal una responsabilidad civil; existen delitos y faltas que por ausencia de daño o perjuicio estimables no acarrean responsabilidades de esta naturaleza. Por ello, parece más correcta la previsión contenida en el art. 116.1 del propio Código: toda persona criminalmente responsable de un delito o falta lo es también civilmente «si del hecho se derivaren daños o perjuicios». De todas formas no parece que el Código penal de 1995 haya mejorado al respecto la fórmula ofrecida por la vieja Ley de Enjuiciamiento criminal, en su art. 100: de todo delito o falta nace acción penal para el castigo del culpable y *puede nacer*, también, acción civil para la restitución de la cosa, la reparación del daño y la indemnización de perjuicios causados por el hecho punible.

Bien pudiera pensarse que el tradicional sistema español, de exigencia de responsabilidades civiles por la vía criminal, vulnera la autonomía de las esferas pública y privada[37]. Sin embargo, poderosas razones de oportunidad y, sobre todo, utilidad avalan la solución nacional; la exigencia de responsabilidades civiles en el ámbito criminal evita que la víctima tenga que iniciar un nuevo procedimiento —que es, por lo menos, una molestia— con la consiguiente multiplicación del daño producido por la infracción[38]. Además, nada impide (art. 109.2) que el perjudicado opte por exigir la responsabilidad civil —precisamente— ante la jurisdicción civil; norma de nuestro Código evidentemente superflua ya que no hace más que reproducir el contenido del art. 112 de la Ley de Enjuiciamiento criminal.

---

[37] Vid.: C. LÓPEZ BELTRÁN DE HEREDIA, *Efectos civiles del delito y responsabilidad extracontractual*, Tirant lo Blanch, Valencia, 1997, fundamentalmente págs. 23 y s.s.

[38] Vid.: LANDROVE DÍAZ, *Las consecuencias jurídicas del delito,* cit., pág. 146.

En cualquier caso, la responsabilidad civil nacida de delito o falta conserva no pocas características de su originaria naturaleza privada: en primer lugar, su carácter *renunciable,* ya que la acción perece por renuncia expresa y válida del titular; en segundo término, su carácter *ultrapersonal* permite exigencias subsidiarias ajenas a la culpabilidad, inconcebibles en materia estrictamente penal.

El sistema español posibilita, en consecuencia, que la víctima ejercite sus derechos a la indemnización civil en el marco del proceso penal. Con ello se evita la carga psicológica y económica que supone la iniciación de un nuevo procedimiento, a través de una demanda civil, para alcanzar aquellos fines. En otros ordenamientos jurídicos la necesidad de recurrir a esta segunda vía va desapareciendo, precisamente en función de la preocupación creciente por la problemática victimológica; caso, por ejemplo, de la República Federal Alemana después de la promulgación de la Ley de 18 de diciembre de 1986, nacida para mejorar la situación de las víctimas en el proceso penal[39]. Además, la solución española cumple con las recomendaciones —ya mencionadas— del Consejo de Europa y de las Naciones Unidas, por lo menos en esta materia.

Además de la minuciosa regulación (arts. 110 y siguientes) que nuestro Código penal aborda del contenido de la responsabilidad civil o la determinación de las personas responsables[40], la creciente preocupación por la suerte de las víctimas o su contribución a la producción del daño cristaliza en diversos preceptos; alguno heredero de la normativa anterior, otros de nueva creación.

En efecto, como reflejo de la preocupación estatal por el efectivo cumplimiento de estas obligaciones y en orden a la reparación del daño producido con la victimización, establece el art. 112 que la misma podrá consistir en obligaciones de dar, de hacer o de no hacer que el Juez o Tribunal establecerá atendiendo a la naturaleza de aquél y a las

---

[39]   Vid. al respecto: MADLENER, *La reparación del daño sufrido por la víctima y el Derecho penal,* cit., págs. 12 y s.; C. ROXIN, *La posizione della vittima nel sistema penale,* en *L'indice penale,* 1989, pág. 7; A. ESER, *Acerca del renacimiento de la víctima en el procedimiento penal. Tendencias nacionales e internacionales,* en *De los delitos y de las víctimas,* cit., pág. 17 y s.

[40]   Vid. Con carácter general: Mª B. SÁINZ-CANTERO CAPARRÓS, *La reparación del daño ex delicto. Entre la pena   privada y la mera compensación,* Editorial Comares, Granada, 1997.

condiciones personales y patrimoniales del culpable, determinando si han de ser cumplidas por él mismo o pueden ser ejecutadas a su costa.

Al margen de que con ello se respete literalmente el contenido del art. 1.088 del Código civil (toda obligación consiste en dar, hacer o no hacer alguna cosa), sólo a la incuria legislativa cabe atribuir que se aluda en el precepto al «culpable». Olvida nuestro legislador que no siempre coinciden en la misma persona el culpable —es decir, el responsable penal del delito— y el responsable civil; por ello, debiera hacerse referencia a las condiciones personales y patrimoniales de éste y no de aquél.

Además, y como precisa el art. 114, si la víctima «hubiere contribuido con su conducta a la producción del daño o perjuicio sufrido», los Jueces o Tribunales podrán moderar el importe de su reparación o indemnización. Así se regula expresamente —y por vez primera— en el marco de la responsabilidad civil la incidencia de la conducta concurrente de la víctima. En último término, se da cabida al añejo principio de la compensación de culpas que —sobre todo en materia de tráfico automovilístico— ha utilizado la jurisprudencia española no sólo para establecer la cuantía de las indemnizaciones, sino también para degradar la entidad de la imprudencia (de temeraria a simple, en la ya superada terminología).

El nuevo art. 125 acoge, al menos en parte, una vieja práctica judicial en nuestro país cuando los bienes del responsable civil no son bastantes para satisfacer de una vez todas las responsabilidades pecuniarias; en estos casos, el juzgador —previa audiencia del perjudicado— podrá fraccionar su pago, señalando, según su prudente arbitrio y «en atención a las necesidades del perjudicado» y a las posibilidades económicas del responsable, el período e importe de los plazos.

Finalmente, el hoy art. 126 establece un orden de prelación para el pago de las responsabilidades pecuniarias en términos más explícitos que el Texto anterior, que se refería —exclusivamente— al penado y a la circunstancia de que sus bienes no fueren bastantes para satisfacer tales responsabilidades. El orden de prelación se mantiene inalterado, con el lugar preferente para «la reparación del daño causado e indemnización de los perjuicios» respecto, por ejemplo, de las costas procesales o la multa, pero expresamente se alude a los pagos efectuados por el penado o el responsable civil subsidiario.

A pesar de tales esfuerzos normativos, con demasiada frecuencia carencias procesales o la insolvencia —simulada o real— de los civilmente responsables vacían de contenido la responsabilidad civil *ex delicto* y burlan las legítimas pretensiones de las víctimas. En no pocas ocasiones se ven éstas obligadas a recorrer un largo y poco gratificante camino que las conduce a un callejón sin salida.

Por ello, no puede extrañar que ya el legislador español de 1848 pretendiese resolver esta problemática incluyendo en el Código penal, y precisamente en sede de responsabilidad civil, un precepto que hiciese viable la indemnización por el Estado a las víctimas de los hechos criminales cuando los responsables carecieren de medios suficientes para afrontarla. Habría de pasar casi siglo y medio —como hemos visto— para que, al menos parcialmente, se diese satisfacción a tan legítimas exigencias.


## IV. LAS VÍCTIMAS Y EL PROCESO PENAL

Examinada ya la relevancia que cabe atribuir a las actitudes y comportamientos de la víctima en el ámbito del Derecho penal sustantivo, cabe preguntarse cómo se proyecta ese relativo protagonismo en la esfera del procedimiento criminal.

En último término, que la posición de las víctimas en el proceso penal incremente el trauma derivado de la victimización primaria y suscite sentimientos de frustración y desamparo, se debe a que los sistemas penales se han preocupado —fundamentalmente y durante muchos años— de descubrir, capturar, juzgar, sentenciar, encarcelar y rehabilitar a los delincuentes, sin prestar demasiada atención a las víctimas de los hechos criminales. Por ello, se produce en demasiadas ocasiones una sobrevictimización derivada del proceso[41], calificable —como ya se ha hecho— de *victimización secundaria*.

Paradójicamente, el protagonismo victimal se ha visto reducido a la puesta en marcha del procedimiento penal; por ser la víctima, en la mayoría de los supuestos, la llave del mismo, trátese o no de delitos perseguibles a instancia de parte. Efectivamente, en el Derecho español los delitos son —en principio— perseguibles de oficio; no obstante, en aquellos perseguibles a instancia de parte se exige querella o denuncia

---

[41]    Cfr.: RODRÍGUEZ MANZANERA, *Victimología. Estudio de la víctima*, cit., pág. 321.

del agraviado u otras instancias en representación del mismo (con frecuencia, el Ministerio Fiscal o los representantes legales de la persona agraviada); con ello, se atribuye a la víctima una cierta decisión sobre la iniciación del proceso y —en los supuestos de querella— sobre su prosecución. Sin embargo, en el desarrollo del procedimiento su intervención ha sido mucho menos trascendente, en función de la tradicional primacía de los intereses públicos sobre los privados en el proceso criminal.

Resulta profundamente sintomático al respecto que ya en la Exposición de motivos de nuestra Ley de Enjuiciamiento criminal, de 1882, se afirmase —lapidariamente— que en materia penal «hay siempre dos intereses rivales y contrapuestos: el de la sociedad, que tiene el derecho de castigar, y el del acusado, que tiene el derecho de defenderse». La víctima se convertía así en la gran ignorada por el proceso penal.

Ello no obstante, en los últimos tiempos se va abriendo camino la idea de que también es necesario reforzar la posición de la persona victimizada en el proceso y proceder a una adecuada armonización de los derechos de delincuentes y víctimas. Incluso se trata, en los supuestos de colisión, de dar preferencia a los derechos de la víctima frente a los de su presunto agresor, en base de su diferente acceso al proceso penal[42]. Sin que ello suponga, por supuesto, el olvido de los derechos del victimario, especialmente de los derivados de la presunción de inocencia que —en principio— le protege[43].

Así, abandonada la monocorde inteligencia del proceso penal como cauce institucional para la persecución y castigo de la criminalidad, se admite hoy que en el mismo entran en juego no sólo el *ius puniendi* estatal, sino también otros derechos que a la luz de los modernos textos constitucionales merecen la calificación de fundamentales: el derecho del condenado a una pena privativa de libertad a la reinserción social y, sobre todo, el derecho de la víctima a una pronta reparación de los perjuicios causados por el delito[44].

---

[42]   Cfr.: A. Martínez-Arrieta, *La víctima en el proceso penal*, en *Actualidad penal,* 1990, 4, pág. 44.

[43]   Con carácter general, vid.: A. Kondziela, *Täter-Opfer-Ausgleich und Unschuldsvermutung*, en *Monastsschrift für Kriminologie und Strafrechtsreform,* 1989, págs. 177 y s.s.

[44]   Cfr.: P. A. Lanzarote Martínez, *La víctima del delito y el sistema jurídico penal: ¿hacia un sistema de alternativas?*, en *Poder judicial,* nº 34, 1994, pág. 132.

En cualquier caso, y al margen de que son todavía muchas las cosas que tienen que cambiar en la administración de justicia española, la *Ley Orgánica de 28 de diciembre de 1988* (de los Juzgados de lo Penal y por la que se modifican diversos preceptos de las Leyes Orgánicas del Poder Judicial y de Enjuiciamiento criminal) ha supuesto un nuevo cauce de actuación procesal con limitadas repercusiones en los intereses de la víctima en el propio proceso y derivadas, sobre todo, de la mayor rapidez procedimental que trata de alcanzarse. Expresamente se alude en el *preámbulo* de la mencionada Ley Orgánica a la necesidad de evitar dilaciones inútiles en el proceso penal «que pueden redundar en perjuicio de las víctimas».

Sin embargo, y al margen de muy limitadas conquistas en este terreno[45], se afirma con cierto optimismo en el mismo *preámbulo* que —con ello— se pretende seguir la tendencia que se observa en el Derecho comparado y en diversas resoluciones y recomendaciones del Comité de Ministros del Consejo de Europa[46]. Es evidente que el procedimiento abreviado introducido por la Ley Orgánica de 1988 agilizará la resolución de los conflictos y, consecuentemente, beneficiará a las víctimas de determinados hechos delictivos. No obstante, quedan todavía muy lejos las más ambiciosas soluciones abordadas en el ámbito del Derecho comparado y recomendadas por el Consejo de Europa. La celeridad en la declaración de los derechos de la víctima no garantiza que los mismos sean efectivamente satisfechos.

En cualquier caso, la Ley Orgánica de 1988 ha significado un cualificado intento encaminado a rectificar el abandono procesal de los intereses de las víctimas, otorgando —además— nuevos perfiles al instituto de la *conformidad* (art. 793.3 de la Ley de Enjuiciamiento

---

[45]   La nueva redacción otorgada al art. 781-1º de la Ley de Enjuiciamiento criminal determina que el Ministerio Fiscal velará, no sólo por el respeto de las garantías procesales del imputado, sino también «por la protección de los derechos de la víctima y de los perjudicados por el delito». Sin embargo, la nueva función atribuida al Ministerio Fiscal no se acompaña de un cuadro de medidas que permitan una eficaz protección de los derechos de víctimas y perjudicados; las tradicionales no siempre resultan suficientes. En este sentido, vid.: V. GIMENO SENDRA, en la obra colectiva *El nuevo Proceso Penal. Estudios sobre la Ley Orgánica 7 / 1988,* Tirant lo Blanch, 1989, pág. 89.

[46]   Resolución (75) 11, sobre *Criterios a seguir en el procedimiento en ausencia del inculpado,* adoptada por el Comité de Ministros del Consejo de Europa, el 21 de mayo de 1975, y Recomendación R (87) 18 sobre la *Simplificación de la justicia penal,* de 17 de septiembre de 1987.

criminal), en cuanto posibilidad de que conjuntamente la acusación, la defensa y el acusado presente, pidan al Juez o Tribunal que dicte sentencia de conformidad con el escrito de acusación que contenga pena de mayor gravedad (siempre que no exceda de los seis años de privación de libertad); con ello, se ocasiona la finalización del procedimiento a través de una sentencia con todos los efectos de la cosa juzgada.

Tal especie de «transacción penal» constituye una evidente manifestación del principio de oportunidad y ha contribuido a descongestionar el funcionamiento de nuestra Administración de justicia, con la consiguiente economía procesal. Además, en un sistema como el español —de acumulación de acción civil y penal— la conformidad se convierte en un estímulo a la pronta reparación de la víctima ya que si el acusado desea evitar el juicio estará interesado en reparar rápidamente al perjudicado para que éste no comparezca en el proceso y solicite una pena superior a seis años, en cuyo caso la conformidad no sería procedente, debiéndose abrir el juicio oral.

A la vista de todo lo mencionado, ha llegado ha decirse[47] que este mecanismo de composición rápida y pacífica del conflicto, y de eficaz protección de la víctima, constituye una de las soluciones procesales que más puede contribuir a la sustitución de una justicia lenta y autoritaria por otra rápida y consensuada por las partes y por la sociedad entera.

No faltan, sin embargo, reticencias ante la fisonomía legal de la conformidad y su pretendida utilidad para las víctimas. La ley —se afirma— no condiciona que el juzgador admita la conformidad a que el imputado repare a la víctima las consecuencias que a ésta le haya ocasionado el delito, ya que ni siquiera está previsto que la víctima se pronuncie expresamente con carácter general sobre la conformidad y sus efectos; parece, pues, que al legislador le interesa —sobre todo— asegurar el efectivo cumplimiento de la pena privativa de libertad que resulte del acuerdo; es posible, incluso, que el acuerdo lo sea únicamente respecto de la pretensión penal, pero no sobre la responsabilidad civil, en cuyo caso se procedería a abrir el juicio oral a los meros efectos de debatir sobre la misma (de especial interés para la víctima). Consecuentemente —se concluye— el tratamiento que recibe en esta fase del

---

[47]    Cfr.: V. GIMENO SENDRA, *La nueva regulación de la conformidad (Ley Orgánica 7/ 1988)*, en *La Ley,* 1990, 3, pág. 982.

proceso la acción civil es desigual respecto del ejercicio del *ius puniendi* por el Estado[48].

## V.  LA SINGULAR POSICIÓN DE LA VÍCTIMA EN LA JUS-TICIA DE MENORES

La *Sentencia del Tribunal Constitucional de 14 de febrero de 1991*, al declarar inconstitucional el art. 15 de la añeja Ley de Tribunales Tutelares de Menores de 1948, hizo necesaria la regulación de un proceso ante los hoy denominados Juzgados de Menores que —no obstante sus especialidades por razón de los sujetos del mismo— dispusiese de todas las garantías derivadas de nuestro ordenamiento constitucional.

Consecuentemente, la *Ley Orgánica de 5 de junio de 1992,* sobre reforma de la ley reguladora de la competencia y el procedimiento de los Juzgados de Menores, trató —desde aquella óptica— de establecer un marco flexible en orden a la determinación de las medidas aplicables a los menores que hayan realizado hechos tipificados como infracciones penales y, siempre, sobre la base de valorar especialmente el interés del menor.

En esta línea, ha llegado a afirmarse que la mejor ley de menores es aquella que estimula, facilita u obliga —si fuere necesario— a la búsqueda de acuerdos no judiciales; de aproximación, en suma, de las partes afectadas. Hablar de psicología, de pedagogía, de educación y de justicia de menores es hablar de psicología, pedagogía y mediación; en ningún caso, de psicopatología, de tratamiento o de castigo[49].

En la Exposición de motivos de la ley antes invocada se precisa —además— que la misma tiene simplemente el carácter de una reforma urgente[50], que adelanta parte de una renovada legislación sobre reforma

---

[48]    Cfr.: J. Solé Riera, *La tutela de la víctima en el proceso penal*, cit., pág. 108.

[49]    Cfr.: J. Funes, *La nueva Ley: confirmación de una línea de trabajo y posibilidades para un marasmo interpretativo*, en *Mediación y justicia juvenil*, cit., pág. 227.

[50]    Tal reforma parcial ha generado un cuerpo legal «deforme y caótico», en el que conviven buena parte de los preceptos derivados de la anacrónica Ley franquista con instituciones y medidas procesales y sancionadoras que pueden considerarse

de menores y «que será objeto de medidas legislativas posteriores». A pesar de la promesa de nuestro legislador, la promulgación de una moderna y razonable legislación penal de menores sigue siendo una de las asignaturas pendientes del sistema y ello tiñe de provisionalidad todo el contenido de la ley de 1992.

De todas formas la normativa reformadora ha intentado —al menos en parte— vertebrar un nuevo sistema de intervención en la justicia de menores, dando cabida a planteamientos ampliamente asumidos desde hace años en otros países. Se incorpora así a nuestro procedimiento de menores la —ya aludida en su momento— estrategia de la *diversión*, en cuanto favorecimiento de soluciones informales inéditas en el proceso tradicional y se aborda también un itinerario semejante al seguido en no pocos ordenamientos jurídicos foráneos[51], que antes de pretender una generalización de tales soluciones les abrieron paso en el marco específico de la criminalidad juvenil.

No parece discutible que en una ley como la aludida todo gire, fundamentalmente, en torno al interés del menor; por ello, el procedimiento allí previsto queda supeditado a la oportunidad del mismo, hasta el punto de que —como veremos— cabe la posibilidad de darlo por concluido en algunas fases de su desarrollo; el principio de intervención mínima ostenta así un papel protagonista. Ello no obstante, también se produce con la conducta del menor una cierta lesión de bienes jurídicos ajenos y —en definitiva— la concurrencia de una víctima, cuya reparación por el ofensor es tenida en cuenta por nuestro legislador en su dimensión sociopedagógica. A la vista de tales condicionantes, no puede extrañar que haya llegado a hablarse de la «singular posición de la víctima» en este ámbito[52].

Así, la Ley Orgánica de 1992 da cabida a dos modalidades de reparación a cargo del juvenil ofensor: como reparación previa a la comparecencia y como reparación procesal conciliada, con efectos suspensivos del fallo.

---

tributarias de la influencia ejercida por políticas criminales actualmente de moda en otros países (Cfr.: TAMARIT SUMALLA, *La reparación a la víctima en el Derecho penal. Estudio y crítica de las nuevas tendencias político-criminales*, cit., pág. 85).

[51]  Vid.: Mª I. SÁNCHEZ GARCÍA DE PAZ, *Minoría de edad penal y Derecho penal juvenil*, Editorial Comares, Granada, 1998, págs. 109 y s.s.

[52]  Vid.: Mª J. CORONADO BUITRAGO, *La singular posición de la víctima en la justicia de menores*, en *La Victimología*, Cuadernos de Derecho Judicial, cit., págs. 399 y s.s.

1) El art. 15.1 precisa, en su regla 6ª, que atendiendo a la poca gravedad de los hechos, a las condiciones o circunstancias del menor, a que no se hubiere empleado violencia o intimidación, o que el menor «haya reparado o se comprometa a reparar el daño causado a la víctima», el Juez —a propuesta del Fiscal— podrá dar por concluida la tramitación de todas las actuaciones[53]. Se trata, en definitiva, de una verdadera reparación extrajudicial, ya que tiene la virtualidad de evitar el procedimiento.

En ella es crucial la intervención del Ministerio Fiscal (principio de oportunidad), al que —como subraya la Exposición de motivos de la Ley reformadora de 1992— se le otorgan amplias facultades en orden a la terminación del proceso con el objetivo de evitar, en la medida de lo posible, los efectos aflictivos que el mismo puede producir.

2) Establece el art. 16.3 que, en atención a la naturaleza de los hechos, el Juez de Menores —de oficio o a instancia del Ministerio Fiscal o del abogado— podrá decidir la suspensión del fallo por tiempo determinado y máximo de dos años, siempre que de común acuerdo el menor, debidamente asistido, y los perjudicados «acepten una propuesta de reparación extrajudicial»; ello no obstante, podrá acordarse la suspensión del fallo si los perjudicados, debidamente citados, no expresaren su oposición o ésta fuere manifiestamente infundada.

Para ello, oído el equipo técnico, el Ministerio Fiscal y el abogado, el juzgador deberá valorar razonadamente, desde la perspectiva exclusiva del interés del menor, el sentido pedagógico y educativo de la reparación propuesta; al respecto, se deberá dejar constancia en acta de los términos de la reparación y del mecanismo de control de su cumplimiento. En el caso de que el menor los incumpla, se revocará la suspensión del fallo y se dará cumplimiento a la medida acordada.

A pesar de que la propia ley califica —con dudoso rigor— esta modalidad reparadora de «extrajudicial», lo cierto es que se produce la misma ya en el ámbito del proceso, una vez celebrada la audiencia y en el momento previo a la emisión del fallo. De ahí lo discutible de la terminología utilizada por nuestro legislador.

---

[53]    En otro caso, el Juez de Menores señala fecha y hora para una comparecencia, que se celebrará dentro de los siete días siguientes. A ella serán convocados el Fiscal, el equipo técnico, el menor, que podrá asistir acompañado de abogado de su elección o del que —si lo hubiere solicitado— se le hubiere designado de oficio, su representante legal y aquellas otras personas que, a la vista del informe del equipo técnico, el Juez considere oportuno convocar.

*Capítulo X*
# La victimización del delincuente

## I. LA OTRA VICTIMIZACIÓN

Ya en su momento he tenido oportunidad de diferenciar la victimización *primaria* (que refleja la experiencia personal de la víctima en función de las iniciales consecuencias del delito) de la *secundaria* (que se deriva de las relaciones de la víctima con el sistema penal). Ello sentado, no puede ignorarse la existencia de *otra victimización* (en ocasiones denominada *terciaria*) que sufre el delincuente[1] y que instala en el ámbito victimológico la preocupación por el sujeto activo del delito, si bien en unos términos que poco o nada tienen que ver con las especulaciones, por ejemplo, de la Escuela positiva. Nos encontramos, en definitiva, ante la victimización del victimario.

Efectivamente, en no pocas ocasiones, el delincuente —el victimario— se convierte en una víctima institucional. Resulta, así, víctima de unas estructuras sociales injustas que le abocan indefectiblemente a la comisión de hechos delictivo, a través de los que intenta evadirse de la marginación y de los que, a veces, depende su propia supervivencia. Marginación social que, además, le impide recurrir a medios legítimos de emancipación[2] y que es el resultado de un sistema cuya finalidad esencial es asegurar la posición privilegiada de determinados grupos dominantes que mantienen a un sector o sectores de la población de un país en condiciones de salud, alimentación, educación, trabajo y empleo, vivienda, transporte, consumo, asistencia social, seguridad, justicia,

---

[1]   Vid. al respecto: G. LANDROVE DÍAZ, *La victimización del delincuente,* en *Victimología,* Servicio Editorial de la Universidad del País Vasco, cit., págs. 151 y ss.

[2]   Vid.: G. LANDROVE DÍAZ, *Marginación y delincuencia patrimonial,* en *Estudios penales y criminológicos,* VIII, Universidad de Santiago de Compostela, 1985, págs. 259 y ss.

recreo y entretenimiento, en pugna con los más fundamentales derechos humanos. Son las consecuencias de un orden social patológico.

Paradójicamente, para estos sujetos que participan tan sólo de forma precaria en los procesos de producción, y que se hallan ausentes de los centros de decisión, reserva el aparato represivo del Estado toda su dureza.

A ello cabe añadir la evidencia de que la privación de libertad sigue siendo en muchos sistemas —entre ellos el español— la más frecuente respuesta punitiva, sobre todo para la delincuencia patrimonial violenta propia de los sectores marginados de la ciudadanía. Nuestras prisiones se encuentran pobladas, casi en exclusiva, por miembros de estos grupos sociales y, al contrario de lo que ocurre con los individuos pertenecientes a otros colectivos, los marginados difícilmente logran evadirse de la acción de la justicia. Y cumplen sus penas en unos establecimientos penitenciarios en los que —y al margen de la grandilocuente retórica oficial— se genera una victimización que tiene mucho de inhumana y degradante, a la que se añade la más irritante de las impunidades.

Como se subraya más adelante, resulta incuestionable que el medio carcelario victimiza. Esta evidencia se añade a las muchas y muy fundadas críticas que hoy se hacen a las penas privativas de libertad. Bien entendido que, desde esta óptica, no se trata solamente de mejorar la ejecución de estas penas, de convertirlas en menos victimizantes — iniciativa plausible, por supuesto—, sino de abordar decididamente su sustitución. Las críticas no se detienen ya en la denuncia de la inhumanidad de sanciones excesivamente largas o tan cortas que no permiten la rehabilitación, pero sí la corrupción de quienes las padecen.

Desde sectores científicos cada vez más amplios se reivindica una revisión de los viejos arsenales punitivos. En algunos países es éste un proceso en marcha y con logros razonables. La tarea, por ambiciosa, exige notables dosis de imaginación y de prudencia. La sustitución progresiva de la pena privativa de libertad es la fórmula generalmente considerada más idónea; en este proceso de sustitución suele atribuirse, además, un papel protagonista al régimen abierto.

Tal planteamiento —de limitado eco en el sistema penal español— no debe sorprender demasiado. Conviene no olvidar que la privación de libertad cumplió, en su momento, el papel histórico de sustituir a la pena de muerte y a las corporales, hasta entonces monopolizadoras de la justicia punitiva. En la actualidad, el fracaso de la pena privativa de libertad no se debe tan sólo a la victimizante ejecución que de la misma se hace con demasiada frecuencia. La nocividad reside en su propia naturaleza.

En último término, los delincuentes enviados a un establecimiento penitenciario sufren, con desoladoras consecuencias, algo más que una privación de libertad. La victimización carcelaria constituye una realidad no por extendida menos rechazable.

Paralelamente, existe otra posible victimización, incluso más grave que la mencionada y producida a través de los errores judiciales. En este sentido, ha llegado a hablarse de una «victimización jurisdiccional»[3].

Naturalmente, de entre los procesos de victimización nacidos del funcionamiento de la justicia penal resultan especialmente reprobables los que sufren personas inocentes. Es decir, aquellos derivados de un error judicial. En estos casos, nos enfrentamos con la victimización *real* de un *presunto* victimario.

Con frecuencia son las *falsas víctimas*, y por razones de muy diversa naturaleza, las que propician la puesta en marcha de un procedimiento criminal que concluye con la victimización aludida. Sobre todo las víctimas *simuladoras*, que actúan conscientemente al realizar la imputación falsa y deliberadamente tratan de provocar el error judicial.

Por supuesto, otros factores pueden jugar al respecto un papel decisivo: la falsa confesión arrancada por la policía con medios no siempre ortodoxos, los testigos falsos o —simplemente— confundidos, una defectuosa intervención pericial, etc. Al margen de que, efectivamente, en torno al error judicial se haya divagado mucho, más con ánimo sentimentaloide que con precisión técnica[4], es evidente que —cuando se produce— surge la realidad dramática de un inocente, juzgado, condenado y encarcelado. En definitiva, doblemente victimizado.

En cualquier caso, la victimización de los delincuentes por la maquinaria de la justicia penal[5], en su conjunto, se manifiesta en muy diferentes niveles:

---

[3]   Vid.: M. POLAINO NAVARRETE, *Victimología y criminalidad violenta en España,* en *Estudios penales en memoria del Profesor Augustín Fernández Albor,* cit., págs. 581 y ss.

[4]   Cfr.: J. MONTERO AROCA, *Responsabilidad civil del juez y del Estado por la actuación del Poder judicial,* Tecnos, Madrid, 1988, pág. 144.

[5]   Vid. por ejemplo: RODRÍGUEZ MANZANERA, *Victimología. Estudio de la víctima,* cit., págs. 328 y ss.

1) En el ámbito *legislativo*, hay que reconocer que las leyes penales son cada vez más abundantes y complejas, más represivas —en suma— y victimizan a un mayor número de personas. Uno de los ejemplos más significativos al respecto viene representado por la escalada represiva en materia de tráfico de drogas. En algunos países, la criminalización de la voluntaria interrupción del embarazo plantea idénticos problemas.

Por otro lado, justo es reconocer que, en ocasiones, la vigencia en la hora actual de Códigos penales redactados en el siglo pasado colabora a esta defectuosa regulación de una realidad social que poco, o nada, tiene que ver con la existente en el momento de promulgación de las normas punitivas.

Esta inflación penal resulta dramáticamente evidente en el Derecho español, desde siempre parco en despenalizaciones y excesivamente prolijo en la criminalización. Recientes reformas sufridas por nuestro Derecho positivo son buena prueba de ello[6], a pesar de las frecuentes invocaciones que el legislador español suele hacer al principio de intervención mínima[7]. Piénsese, por ejemplo en la solución ofrecida a la problemática de la voluntaria interrupción del embarazo, la criminalización de los pacíficos «okupas», la represión de los insumisos con una trasnochada muerte civil o la cicatera fórmula legislativa reguladora de la eutanasia activa.

2) En el ámbito *policíaco*, constituye hoy una preocupación de dimensión universal la ineficacia, corrupción y brutalidad de la policía, de la que —en no pocas ocasiones— se derivan inadmisibles violaciones de los derechos humanos. Problemática ésta a la que se ha concedido muy especial atención en los Congresos Internacionales V y VI de las Naciones Unidas. En concreto, la tortura como práctica sistemática es aplicada, sobre todo, a los detenidos políticos; para la delincuencia común quedan reservadas las formas menos sofisticadas de la misma y suelen reflejar —al margen de su intrínseca brutalidad— la ineptitud,

---

[6]   Vid.: G. LANDROVE DÍAZ, *La represión de la delincuencia económica*, en *Jueces para la Democracia*, nº 31, 1998, pág. 31.

[7]   Por ejemplo, ya en el pórtico del *Preámbulo* de la *Ley Orgánica de actualización del Código penal,* de 21 de junio de 1989, se reconocía que «entre los principios en que descansa el Derecho penal moderno destaca el de intervención mínima». Luminosa declaración de dudosa acogida tanto en el código entonces vigente como en el Texto de 1995, a pesar de que su mediocre *Exposición de motivos* invoca reiteradamente tan fundamental principio.

inercia y rutina de los funcionarios policiales. Es la perversa inteligencia de que el fin justifica, siempre, los medios utilizados.

3) En la esfera *judicial* —y al margen de los ya mencionados errores judiciales, más frecuentes de lo que suele admitirse— los problemas se derivan, en ocasiones, de la lentitud y burocratización —ineficacia, en suma— de la justicia penal; otras de la actitud genuflexa de no pocos jueces ante el poder político o económico. Es la justicia del privilegio, la que «complace al príncipe»[8] generando inicuas victimizaciones o —lo que es lo mismo— la impunidad de los poderosos. Victimización judicial que en algunos países alcanza niveles realmente intolerables.

4) Finalmente, en el plano *ejecutivo*, y al margen de ese asesinato jurídico representado por la pena de muerte —vigente todavía en muchos países— hay que denunciar la victimización carcelaria, derivada de la incongruencia que supone pretender habilitar para la libertad a través —precisamente— de la privación de la misma. Y, sobre todo, del indiscriminado recurso a sanciones de esta naturaleza, con notorio menosprecio de mecanismos sustitutivos infinitamente menos nocivos para la sociedad en su conjunto. Nocividad que reduplica la desoladora realidad penitenciaria de no pocos países, entre ellos el nuestro, convirtiendo a la prisión en un siniestro pudridero de seres humanos.

## II. LA INTERVENCIÓN POLICIAL

El primer paso en este camino de victimización del delincuente puede venir determinado por las torturas y vejaciones de toda índole que sufren los detenidos en los regímenes autoritarios o —incluso— en los democráticos, bajo determinadas circunstancias. Si la policía no suele resultar demasiado considerada con las víctimas de hechos criminales[9], el trato que en ocasiones dispensa a los presuntos delincuentes reviste una violencia desmesurada, sobre todo si éstos pertenecen a determina-

---

8    Vid.: J. NAVARRO, *Palacio de injusticia. Sin esperanza y sin miedo*, Temas de Hoy, Madrid, 1998, págs. 27 y s.s.
9    Al respecto, vid.: J. Mª MATO REBOREDO, *Victimología y victimización*, en *Policía española*, Informe monográfico nº 43, 1984, fundamentalmente págs. 16 y ss.; T. PETERS, *La policía y las víctimas del delito*, en *Victimología*, Servicio Editorial de la Universidad del País Vasco, cit., págs. 29 y ss.

dos sectores sociales. Nos encontramos ante uno de los aspectos menos confesable —y menos confesado— de la intervención policial.

En todos los países del mundo, el mero hecho —por ejemplo— de tener antecedentes penales incrementa el riesgo de posteriores detenciones por parte de la policía. Estas detenciones, aunque se utilice el eufemismo de que se trata de simples retenciones para interrogar[10], pueden dar lugar a detenciones ilegales, malos tratos, amenazas, etc., que no siempre se denuncian, por temor a posibles represalias.

En no pocas oportunidades el recurso indiscriminado a las armas de fuego provoca muertes de las que nadie responde. Las víctimas no son más que delincuentes. En algunos países, las policías —más o menos paralelas— llevan a cabo en la más absoluta impunidad un terrorismo de Estado de intimidante rentabilidad política. Las razones de Estado, la existencia de incontrolables fondos reservados y la complicidad colectiva en la justificación de determinados «trabajos sucios» abonan estas victimizaciones. Sin necesidad de llegar a tales extremos, es lo cierto que con desoladora frecuencia los derechos de los detenidos no resultan escrupulosamente respetados y que la violencia policial suele tener —casi siempre— los mismos destinatarios.

En efecto, la lacra de la tortura está presente de uno u otro modo en todos los países y —fundamentalmente— es utilizada con una finalidad indagatoria, a pesar de que con la misma no se obtiene siempre la verdad, sino tan sólo una confesión. Y la víctima puede confesar todo lo que se le exija con tal de evadirse del sufrimiento. Incluso, en no pocas oportunidades el torturado se esfuerza en adivinar lo que el torturador quiere que diga y no en expresar lo que sabe realmente[11]. Tan grave atentado a la dignidad humana constituye una permanente tentación para el aparato represivo estatal y, en cualquier caso, la derogación de todo el dispositivo de garantías pensado para la protección de los ciudadanos.

A las torturas —explica NEUMAN— pueden suceder nuevas humillaciones: «El procesado en sede judicial explicará —sobre todo si es primario— como fue torturado y dirá también que podría reconocer a los

---

10  Vid.: A. SERRANO GÓMEZ, *El costo del delito y sus víctimas en España,* Universidad Nacional de Educación a Distancia, Madrid, 1987, pág. 80.

11  Vid.: V. GRIMA LIZANDRA, *Los delitos de tortura y de tratos degradantes por funcionarios públicos*, Tirant lo Blanch, Valencia, 1998, fundamentalmente págs. 40 y s.s.

malos funcionarios y mostrará sus heridas que serán constatadas por médicos forenses. Resulta de una estremecedora inutilidad. En gran parte de los casos, transcurridos algunos días, volverá a su pedido ante el juez y explicará ahora que no puede reconocer a los funcionarios policiales o dirá que no recuerda o que se cayó en la celda o en el calabozo estando solo y se lastimó. ¿Qué ha pasado? La víctima de ese delito que había denunciado teme por las represalias que puedan recaer sobre él posteriormente o sobre su familia ya mismo. Este tipo de victimizaciones, aunque jamás queridas por la ley, han pasado en la realidad práctica a formar parte del folklore judicial en el proceso»[12].

## III. VICTIMIZACIÓN Y PRISIÓN PREVENTIVA

El siguiente paso en este proceso de victimización social suele darse a través de la muy discutible —y discutida— institución de la prisión preventiva[13]. Efectivamente, la prisión provisional —en teoría simple medida cautelar y transitoria de aseguramiento del proceso penal— se convierte, en realidad, en una condena por adelantado, que viola la presunción constitucional de inocencia (por ejemplo, art. 24.2 de la Constitución española de 1978) y prejuzga, en cierta medida, el veredicto final de un proceso ya viciado en origen por la limitación de las posibilidades de defensa del acusado que se encuentra en prisión provisional; no pocas tipologías victimales denuncian los frecuentes excesos en materia de detenciones preventivas como repudiable factor de victimización colectiva. Además, justo es reconocer que en la realidad no resulta demasiado fácil que logre la absolución el sujeto que lleva, a veces mucho tiempo, en situación de preso preventivo; tal veredicto supondría el reconocimiento de que el sistema penal no ha funcionado correctamente, es decir, que alguien se ha equivocado.

No puede extrañar, en suma, que haya llegado a afirmarse que uno de los problemas más difíciles que debe resolver un sistema penal que se

---

[12]   Cfr.: E. NEUMAN, *El preso víctima del sistema penal,* en EGUZKILORE, *Cuaderno del Instituto Vasco de Criminología,* nº extraordinario, enero de 1988, págs. 108 y ss.

[13]   Vid. en la materia: G. LANDROVE DÍAZ, *Prisión preventiva y penas privativas de libertad,* en *Estudios penales y criminológicos,* VII, Universidad de Santiago de Compostela, 1984, págs. 283 y ss.

pretenda democrático es el de conciliar tal medida cautelar con la presunción de inocencia y —en último término— con el respeto a la dignidad de la persona[14].

En España, y sobre todo después de la contrarreforma derivada de la promulgación de la *Ley Orgánica de 26 de diciembre de 1984* [15], esta medida —que debe ser excepcional— se convirtió en nuestro sistema en la regla general; paradójicamente, la libertad con o sin fianza, y las demás medidas cautelares, se convirtieron en excepcionales. El incremento espectacular de la población reclusa producido entonces es buena prueba de ello; los preventivos llegaron a constituir en torno al cincuenta por ciento de la misma.

A ello cabe añadir que si la prisión preventiva no se cumpliera en los establecimientos penitenciarios también destinados a los ya condenados el problema tendría menor gravedad, pero al cumplirse en los mismos establecimientos y sin especiales segregaciones entre los internos preventivos y los condenados por sentencia firme la gravedad de la prisión provisional y su práctica equiparación a una pena privativa de libertad alcanza ya los niveles más patéticos. Esta es, precisamente, una de las razones de la conflictiva conducta de los preventivos dentro de los centros. En cualquier caso, la prisión preventiva se convierte en una verdadera pena de privación de libertad, con todos sus inconvenientes y ninguna de sus pretendidas ventajas, a pesar de las solemnes declaraciones de nuestro ordenamiento jurídico orientadas a la negación de tal evidencia.

Consecuentemente, no puede extrañar que en el ámbito del Derecho comparado exista un amplio movimiento tendente a la sustitución de la prisión preventiva por otras medidas no privativas de libertad y, por ello, de menor nocividad para el sujeto que las sufre. Se trata, en definitiva, de alcanzar *medidas alternativas* [16] que ofrezcan suficientemente garantías en orden al procedimiento criminal y que no limiten las posibilidades de

---

[14]   Cfr.: H. HORMAZÁBAL MALARÉE, *Sistema penal democrático y prisión preventiva,* en *Prisión provisional, detención preventiva y derechos fundamentales*, Ediciones de la Universidad de Castilla-La Mancha, Cuenca, 1997, pág. 169.

[15]   En efecto, la ley de 1984 amplió notablemente la posibilidad de decretar la prisión provisional, rectificando criterios restrictivos que se habían introducido en los arts. 503 y 504 de la Ley de Enjuiciamiento criminal por Ley orgánica de 23 de abril de 1983. Vid.: G. LANDROVE DÍAZ, *La Justicia penal en España,* Universidad de Murcia, 1988, pág. 24 y ss.

[16]   En este sentido, vid.: R. SCREVENS, *Détention préventive, règles légales, application, alternatives,* en *Revue de Droit pénal et de Criminologie,* 1990, fundamentalmente págs. 111 y ss.

defensa: retirada del pasaporte, obligación de presentarse a la policía o autoridad judicial en fechas determinadas, residencia forzosa en determinados lugares, prohibición de conducir un vehículo de motor, etc.

Entre las más generalizadas críticas que suscita la prisión preventiva, cabe resaltar las siguientes: la misma no permite llevar a cabo una labor resocializadora, ya que desde el punto de vista jurídico está vedada cualquier intervención sobre el sujeto aun no condenado; además, supone un grave riesgo de contagio criminal, habida cuenta que determina la convivencia del preventivo con los ya condenados; finalmente, la prisión preventiva incrementa innecesariamente la población reclusa, favorece el hacinamiento en las cárceles, multiplica el costo de las instalaciones, exige la dedicación de un mayor número de funcionarios y, en definitiva, expone a un sujeto presuntamente inocente a todos los riesgos inherentes al medio carcelario, al tiempo que lo desconecta de su entorno familiar, social y laboral.

Además, el miedo al futuro, la aludida desconexión familiar y laboral, la angustia, la ansiedad, la incertidumbre y preocupación por la marcha del proceso y —sobre todo— la inconcreción del tiempo que se debe permanecer en el centro, determinan que el cumplimiento de la prisión provisional presente unos perfiles incluso más perniciosos que los derivados del cumplimiento efectivo de una pena privativa de libertad; por lo menos el condenado tiene ya una visión de su futuro, según los términos de la sentencia.

En consecuencia, no produce sorpresa alguna la constatación de que la prisión provisional constituye un factor criminógeno de primera magnitud; los preventivos van asimilando, con desesperación, la idea de que la delincuencia es la única oposición posible a un sistema social que condena a los seres humanos con dificultades a la despersonalización. Presión psicológica que resulta abrumadora, sobre todo cuando el sujeto es consciente de la propia inocencia.

Lamentablemente, tal situación sólo ha interesado —y conmovido— a la sociedad española cuando han sido prepotentes financieros, elevados cargos políticos o personas de cierta relevancia social quienes han pasado por el amargo trance de una prisión provisional que, con más o menos fundamento, se ha acordado en los procesos penales contra ellos dirigidos[17].

---

[17]   Cfr.: F. MUÑOZ CONDE, *Cuestiones teóricas y problemas prácticos de la prisión provisional*, en *Prisión provisional, detención preventiva y derechos fundamentales*, cit., pág. 228 y s.

Sólo entonces se han descubierto los aspectos negativos de una medida cautelar privativa de libertad que tradicionalmente sólo se ha utilizado contra los más desfavorecidos por la fortuna y, además, con cierta ligereza.

Sin embargo, las críticas al respecto no suponen novedad alguna en el ámbito de la justicia punitiva. Ya a principios del siglo XIX subrayó MARCOS GUTIÉRREZ la necesidad de que los jueces, antes de arrestar provisionalmente a persona alguna «reflexionen sobre la mayor o menor gravedad del delito que se le imputa, sobre el grado de prueba que hay contra ella, que al menos debe ser semiplena, y sobre el perjuicio que puede seguírsele por razón de su crédito, de su estado, de su edad y de su familia»[18].

En cualquier caso, la entrada en vigor de la *Ley Orgánica del Tribunal del Jurado de 22 de mayo de 1995* supuso una notable modificación (para todo tipo de proceso y no sólo para los que requieren el juicio por jurado) en la forma de decretar la prisión preventiva en nuestro país, ya que con anterioridad el juez instructor podía acordar —en relación con un detenido— la medida cautelar sin necesidad de petición previa de alguna de las partes en el proceso. Ahora (art. 504 bis, 2, de la Ley de enjuiciamiento criminal), la actuación judicial queda condicionada a la de las partes. La prisión provisional sólo puede decretarse si alguna de las partes personadas así lo solicita en una audiencia que se creó al efecto; si nadie lo pidiera, necesariamente acordará la cesación de la detención y la inmediata puesta en libertad del imputado.

Resulta evidente, pues, que se han recortado las facultades al respecto de los jueces instructores en beneficio —normalmente— del Ministerio Fiscal, que suele ser el que en la mayor parte de los procesos sostiene en solitario la acusación. Si los fiscales no lo solicitan el juez queda obligado a decretar la inmediata libertad del imputado.

El aspecto menos confesable de la reforma[19] viene determinado por la evidencia de que, con ello, se ha desactivado la labor de los jueces en la fase de instrucción y, de forma paralela, incrementado los poderes del Ministerio Fiscal; lo que resulta especialmente preocupante en un sistema, como el nuestro, de dudosa independencia judicial y en el que

---

[18] Cfr.: J. MARCOS GUTIÉRREZ, *Práctica criminal de España*, I, Madrid, 1804, pág. 210.
[19] Cfr.: G. LANDROVE DÍAZ, *Prisión provisional y régimen penitenciario*, en *Prisión provisional, detención preventiva y derechos fundamentales*, cit., pág. 191.

—además— la Fiscalía depende jerárquicamente del Ejecutivo, como precisa el art. 124.2 de la Constitución. Consecuentemente, puede el Ministerio Público no solicitar la prisión provisional de un imputado —a instancias del Gobierno— a pesar de que el juez la estime pertinente.

Al margen de las fundadas sospechas aludidas, cabe subrayar que tal modificación del régimen jurídico de la prisión preventiva ha producido un extendido sentimiento de frustración y resulta ampliamente compartida la idea de que se ha perdido una oportunidad histórica de enfrentarse con decisión a su problemática, acentuando el respeto a los derechos fundamentales[20].

En cualquier caso, cuando el preventivo logra —al fin y casi siempre después de demasiado tiempo— ser juzgado, caben dos posibilidades: que sea absuelto y entonces retorna a su hogar gravementa marcado, al menos, por la presión psicológica sufrida y por el estigma de «haber estado en la cárcel» (así, sin más matizaciones, se entenderá en su medio social); si por el contrario, es condenado sufrirá —con frecuencia— una pena de privación de libertad. Con ello, se habrá dado un paso más en su victimización.

## IV. LA VICTIMIZACIÓN CARCELARIA

A pesar de que en el art. 3 de la *Ley Orgánica General Penitenciaria*, de 26 de septiembre de 1979, se establece que la actividad penitenciaria se ejercerá con respeto a los derechos e intereses jurídicos de los internos «no afectados por la condena», cuando en este país —y en otros— se envía a alguien a la cárcel se le está condenando a algo más que a una pena privativa de libertad. Indefectiblemente, se está propiciando su victimización. No le falta razón a NEUMAN[21] cuando habla del preso como «víctima del sistema penal».

---

[20] Cfr.: I. SERRANO BUTRAGUEÑO, *La reforma de la prisión preventiva*, en *Comentarios sistemáticos a la Ley del Jurado y a la reforma de la prisión preventiva*, Editorial Comares, Granada, 1996, pág. 483.

[21] Cfr.: NEUMAN, *El preso víctima del sistema penal,* cit., pág. 93 y s. Vid. También: A. Mª ROMERO COLOMA, *El recluso y su victimización: nuevas perspectivas ante el recién aprobado Reglamento penitenciario*, en *Actualidad penal*, 1996, 2, págs. 729 y s.s.

A la vista de la realidad penitenciaria española, suena a sarcasmo la declaración contenida en el mismo artículo de la ley antes mencionada: «La Administración penitenciaria velará por la vida, integridad y salud de los internos». Una constelación de circunstancias provoca la victimización de los internos y la misma sólo puede paliarse, al menos, con un conocimiento acabado de la degradada realidad de nuestras prisiones[22].

El punto de partida no puede ser otro que el reconocimiento de que la normativa penitenciaria española, inspirada en modelos como el sueco o el alemán, nunca se ha aplicado; simplemente porque, en la hora actual, es de imposible cumplimiento: la población reclusa rebasa ampliamente la capacidad de los establecimientos, con lo que las limitaciones legales en cuanto al número de internos en cada centro no pueden ser respetadas; no existe la posibilidad de incorporación de los internos a la actividad laboral, en las celdas pretendidamente indivi-duales se hacinan los reclusos; la falta de personal impide el tratamiento adecuado; la relación entre el número de reclusos y el de funcionarios supera todas las previsiones, etc. Como consecuencia de todo ello se produce una privación de libertad que se parece mucho a la detención ilegal precisamente porque se ejecuta al margen de la normativa que la regula. La victimización del interno se ofrece evidente[23]. Todo ello al margen, por supuesto, de que la pena privativa de libertad cumplida en otras condiciones —en buenas condiciones— sirva realmente para reeducar y reinsertar socialmente a los internos y no, simplemente, para su domesticación.

Incluso, los propios funcionarios de instituciones penitenciarias reco-nocen la imposibilidad actual de aplicar la Ley Orgánica General Penitenciaria de 1979 y su Reglamento, de 9 de febrero de 1996. Una realidad implacable los reduce a la simple condición de carceleros. Por otro lado —y la margen de la posibilidad de una actuación irregular[24]— sus reivindicaciones suelen circunscribirse a cuestiones salariales o de

---

[22]   En este sentido, vid.: G. LANDROVE DÍAZ, *El régimen abierto* en *Estudios penales y criminológicos*, XI, Universidad de Santiago de Compostela, 1988, fundamental-mente págs. 106 y ss.

[23]   Vid. con carácter general: I. DRAPKIN, *Il detenuto: una vittima della nostra società violenta*, en *Raseggna penitenziaria e criminologica*, 1981, págs. 329 y ss.

[24]   Vid.: E. PÉREZ FERRER, *Los delitos cometidos por los funcionarios de Instituciones penitenciarias*, en *Revista de Estudios Penitenciarios, 1981*, pág. 85 y ss.

flexibilización de horarios que poco o nada tienen que ver con la situación de los internos, salvo para utilizarlos en su pugna con la Administración.

Con dolorosa frecuencia se producen en unos establecimientos superpoblados situaciones irregulares que propician la victimización. Por ejemplo, que un interno clasificado en tercer grado no pueda ser trasladado a un establecimiento —o sección— abierto y deba permanecer en uno ordinario; estos sujetos suelen ser requeridos por los no beneficiados con el régimen abierto para que introduzcan drogas, fundamentalmente, en el centro; la negativa los convierte en víctimas de coacciones, amenazas o represalias, a veces de enorme dureza.

El hacinamiento en las prisiones españolas constituye una degradante realidad que no cabe desconocer. Las prisiones al estar saturadas fomentan y amparan la victimización[25]. Y todo ello viene determinado por razones de muy variada índole; en primer lugar, por la tradicional falta de imaginación de nuestros legisladores que no logran liberarse de un pasado en el que la privación de libertad parecía el único recurso punitivo; en segundo término, porque la ligereza en tema de prisiones preventivas reduce notablemente la capacidad de los centros.

En este contexto se multiplican los tratos vejatorios, la dudosa alimentación, los efectos destructores del ocio al que se ven forzados los reclusos, las agresiones sexuales, las violencias e intimidaciones de todo tipo, la vigencia de una ley del terror y del silencio impuesta por las mafias carcelarias[26], la inatajable circulación de drogas en los establecimientos, la inconfesada incidencia del Sida, etc. En definitiva, no constituye una fórmula retórica el reconocimiento de que, en la hora actual, la condena a una pena privativa de libertad priva al que la sufre de muchos otros bienes jurídicos inherentes a la condición humana, incluso de la propia vida. Sin embargo, y con carácter general, puede afirmarse que la inmensa mayoría de las infracciones penales que se cometen en las prisiones no resultan adecuadamente perseguidas; no se da cuenta de las mismas a la autoridad judicial. En el mejor de los casos, se reprimen mediante sanciones de tipo reglamentario y de orden interno.

---

[25]    En este sentido, vid. con carácter general: D. P. FARRINGTON y C. P. NUTTALL, *La taille des prisions, la superpopulation, la violence carcérale et la récidive*, en *Revue internationale de Criminologie et de Police technique*, 1982, págs. 361 y ss.

[26]    Sobre la actuación de estas estructuras mafiosas, vid. con carácter general: A. PARIZEAU, *Sous-culture carcérale et victimisation*, en *Revue internationale de Criminologie et de Police technique*, 1984, fundamentalmente págs. 325 y ss.

El preso, en función de la degradación que le produce el medio carcelario, puede llegar al suicidio, a la anorexia, a la pérdida progresiva de todo espíritu de iniciativa y de cualquier valor o pudor; pero —además— ese mismo hombre está dispuesto a morir o a matar por motivos que en otras circunstancias son considerados como banalidades[27.] No son infrecuentes las muertes violentas en las prisiones españolas.

Sin embargo, no abundan en nuestro país decisiones judiciales como la contenida en la *Sentencia de 15 de julio de 1988* (Sala Cuarta del Tribunal Supremo) en la que, por vez primera, se condena a la Administración del Estado —y por el mal funcionamiento del Centro penitenciario de Carabanchel— al pago de una indemnización de cuatro millones de pesetas a los herederos de la víctima, un preso preventivo de veintiún años apuñalado por otros internos[28].

La situación es preocupante para todos, pero principalmente para los propios internos, que son sus víctimas, y para los jueces, que no deben ignorar el destino que aguarda a los condenados[29]. Sin embargo, en el exterior no importa demasiado la suerte de los internos[30]; salvo para utilizarlos políticamente o para que algunos jueguen a la caridad, el más despreciable sustitutivo de la justicia. Incluso, y desde determinadas opciones políticas se insiste una y otra vez en que las prisiones españolas son —en realidad— hoteles de lujo, en los que los delincuentes «entran por una puerta y salen por otra» lo que —afirman— repercute negativamente en la seguridad ciudadana. La trastienda política de tales planteamientos parece evidente.

Al respecto, no cabe ignorar que los poderes fácticos, los sectores sociales más favorecidos por la injusticia, disponen de los resortes suficientes —incluida la corrupción— para no convertirse en huéspedes

---

[27] Vid.: G. BARLETTA, *La violencia en las prisiones*, en *La violencia en la sociedad actual*, Universidad Internacional Menéndez Pelayo-Instituto de Criminología de la Universidad Complutense de Madrid. 1982, pág. 36.

[28] Vid.: M. P. BERNÁLDEZ, *El Estado, condenado por el Tribunal Supremo por el mal funcionamiento de la prisión de Carabanchel*, en *Revista General de Derecho*, 1988, págs. 6697 y ss.

[29] Vid.: M. IRACHETA IRIBARREN, *Judicatura y privación de libertad*, en EGUZKILORE, *Cuaderno del Instituto Vasco de Criminología*, nº extraordinario, enero de 1988, pág. 85.

[30] «Es que los presos no votan» explicó con implacable acierto L. JIMÉNEZ DE ASÚA a NEUMAN cuando éste, hace ya muchos años, expresó sus inquietudes en la materia al maestro español (Cfr.: NEUMAN, *El preso víctima del sistema penal*, cit. pág. 98).

de los establecimientos penitenciarios. Por ello, reaccionan con sincero asombro cuando se produce alguna excepción a esta regla. Cuando ocasionalmente un delincuente de cuello blanco, por ejemplo, ingresa en una prisión suele expresar angustiado su temor a ser agredido sexualmente. Quizá fuera conveniente recordar que son muchas las víctimas de agresiones sexuales en las prisiones españolas. Que muchos las han sufrido y las van a seguir sufriendo; lo que ocurre es que su victimización no parece conmover a nadie.

Hay que reconocer, por otro lado, que la mayoría de los profesores de Derecho penal, Criminología, Penología o Ciencia penitenciaria, adoptan un exasperante distanciamiento académico al abordar la problemática del drama personal de los internos. En este ámbito no son frecuentes las actitudes comprometidas. El silencio no siempre es inocente.

Todo ello sentado, y habida cuenta la firme tendencia al aumento constante de la población penitenciaria[31] el futuro de esta dramática parcela de la vida nacional no parece abonar optimismo alguno. La reconciliación de la prisión preventiva con su originaria naturaleza de medida excepcional y la sustitución, más ambiciosa que la operada por el Código penal de 1995[32], de las penas privativas de libertad por otras de menor nocividad social —y ya experimentadas con éxito en otros países— son otras tantas asignaturas todavía pendientes en la reforma penal y penitenciaria española.

Mientras tanto, hay que reconocer que nuestras prisiones mejorarían sensiblemente su papel en la sociedad si lograsen —simplemente— que el liberado no salga peor que entró, ni en peores condiciones para llevar una vida digna en libertad; es decir, que el sistema penal no produzca su conversión en un ciudadano de segunda categoría[33].

---

[31] Sobre el tradicionalmente excesivo número de internos, la falta de instalaciones adecuadas, la carencia de personal, la ausencia de trabajo y el funcionamiento irregular de los juzgados de vigilancia, vid.: J. L. DE LA CUESTA ARZAMENDI, *Presente y futuro de las instituciones penitenciarias españolas*, en EGUZKILORE, *Cuaderno del Instituto Vasco de Criminología,* Nº extraordinario, enero de 1988, págs. 115 y ss.

[32] Vid. al respecto: J. CID MOLINÉ y E. LARRAURI PIJOÁN, en su *Introducción* a la obra colectiva *Penas alternativas a la prisión*, Bosch, Barcelona, 1997, págs. 29 y s.s.

[33] Vid.: I. RIVERA BEIRAS, *La devaluación de los derechos fundamentales de los reclusos. La construcción jurídica de un ciudadano de segunda categoría*, Bosch, Barcelona, 1997.

# V. LA VICTIMIZACIÓN POSTPENITENCIARIA

La victimización del victimario —la otra victimización— no se agota con la recuperación de la libertad. Con frecuencia, la realidad se encarga de cuestionar la pretendida eficacia disuasoria de la ley penal en abstracto y de la ejecución de las penas privativas de libertad en concreto.

Efectivamente, no faltan en el ámbito del Derecho comparado preceptos semejantes al art. 73 de la Ley Orgánica General Penitenciaria española, de 1979: «El condenado que haya cumplido su pena y el que de algún otro modo haya extinguido su responsabilidad penal deben ser plenamente reintegrados en el ejercicio de sus derechos como ciudadanos». Luminosa declaración de principios que se completa con la afirmación de que «los antecedentes no podrán ser en ningún caso motivo de discriminación social o jurídica».

Ello no obstante, quien estuvo efectivamente privado de su libertad y alcanza la liberación —condicional o definitiva— recomienza, en un elevado número de casos, un ciclo tan conocido como mal tutelado por el sistema penal[34]. El camino de la victimización social y penal del delincuente culmina con su liberación en el seno de una sociedad frecuentemente hostil. A la nocividad intrínseca de las penas privativas de libertad que —naturalmente— no habilitan para el mejor disfrute de la misma, y al posible contagio criminal sufrido en el ámbito carcelario, hay que añadir las dificultades, a veces insalvables, que el sujeto encuentra fuera de los muros de la prisión. Al margen de transnochadas e ineficaces iniciativas de corte benéfico, es lo cierto que las respuestas institucionales a esta problemática son insuficientes en la inmensa mayoría de los países. En cualquier caso, las previsiones contenidas en el art. 74 de la ley penitenciaria española, que encomienda a una Comisión la prestación de asistencia social no sólo a los internos, sino también a los liberados (condicionales o definitivos) y a los familiares de unos y otros, suponen a nivel legislativo un cierto reconocimiento del efecto negativo y desocializador propio de la privación de libertad que —al menos teóricamente— se trata de contrarrestar con medidas de signo positivo[35].

---

[34]    Vid.: NEUMAN, *El preso víctima del sistema penal*, cit., págs. 112 y ss.
[35]    Cfr.. J. Mª TAMARIT SUMALLA, en la obra colectiva *Curso de Derecho penitenciario (adaptado al nuevo Reglamento penitenciario de 1996)*, Cedecs Editorial, Barcelona, 1996, pág. 273.

En esta línea, cabe añadir que todos los esfuerzos que se arbitren para lograr un sistema penitenciario modélico habrán sido estériles si los penados, al ser puestos en libertad, se encuentran con una sociedad cerrada, egoísta y con prejuicios. Efectivamente, en demasiadas ocasiones la anhelada liberación los enfrenta con una sociedad despiadada e insolidaria que no duda en utilizar contra ellos sus antecedentes penales. La posibilidad de que un ex-delincuente acceda a un puesto de trabajo ha llegado a ser calificada de «aventura de dudoso éxito»[36]. A veces se logra, pero a través de la imposición de leoninas condiciones laborales que el liberado no tiene posibilidad de rechazar. Se convierte así en una víctima sumisa y cooperante.

No puede extrañar, en suma, que las penas de privación de libertad propicien la reincidencia. Mientras privéis al hombre de libertad —ha escrito KROPOTKIN, en una obra clásica sobre esta problemática— no lograréis hacerle mejor; cosecharéis, simplemente, la reincidencia[37]. Así, el delincuente-víctima se ve forzado, una vez más, a desempeñar el papel de victimario; el papel que el sistema parece haberle reservado. La respuesta punitiva más frecuente —otra vez la cárcel— cierra un círculo siniestro en el que los perdedores son siempre los mismos[38].

---

[36]   Cfr.: M. GROSSO GALVÁN, *Los antecedentes penales: rehabilitación y control social*, Casa Editorial Bosch, Barcelona, 1983. pág. 359.
[37]   Vid.: P. KROPOTKIN, *Las prisiones*, Barcelona-Palma de Mallorca, 1977, pág. 27; versión española de la célebre conferencia pronunciada por KROPOTKIN en París, en 1890.
[38]   Cfr.: E. NEUMAN, *Victimología y control social. Las víctimas del sistema penal*, Editorial Universidad, Buenos Aires, 1994, pág. 245.

# Apéndice normativo

## I. LEY ORGÁNICA 19/1994, DE 23 DE DICIEMBRE, DE PROTECCIÓN A TESTIGOS Y PERITOS EN CAUSAS CRIMINALES

### EXPOSICIÓN DE MOTIVOS

La experiencia diaria pone de manifiesto en algunos casos las reticencias de los ciudadanos a colaborar con la policía judicial y con la Administración de Justicia en determinadas causas penales ante el temor a sufrir represalias.

Ello conlleva, con frecuencia, que no se pueda contar con testimonios y pruebas muy valiosos en estos procesos.

Ante esta situación, el legislador debe proceder a dictar normas que resulten eficaces en la salvaguarda de quienes, como testigos o peritos, deben cumplir con el deber constitucional de colaboración con la justicia.

De no hacerlo así, podrían encontrarse motivos que comportasen retraimientos e inhibiciones por parte de posibles testigos y peritos no deseables en un Estado de Derecho, con el añadido de verse perjudicada la recta aplicación del ordenamiento jurídico-penal y facilitada, en su caso, la impunidad de los presuntos culpables.

Es obvio, sin embargo, que las garantías arbitradas en favor de los testigos y peritos no pueden gozar de un carácter absoluto e ilimitado, es decir no pueden violar los principios del proceso penal.

De ahí que la presente Ley tenga como norte hacer posible el necesario equilibrio entre el derecho a un proceso con todas las garantías y la tutela de derechos fundamentales inherentes a los testigos y peritos y a sus familiares.

El sistema implantado confiere al Juez o Tribunal la apreciación racional del grado de riesgo o peligro y la aplicación de todas o alguna de las medidas legales de protección que considere necesarias, previa ponderación, a la luz del proceso, de los distintos bienes jurídicos constitucionalmente protegidos; medidas que, en el marco del derecho de defensa, serán susceptibles de recurso en ambos efectos.

El propósito protector al que responde la Ley no es, por lo demás, exclusivo de nuestro país. De acuerdo con directrices señaladas por el Derecho comparado, se ha entendido ser imperiosa e indeclinable la promulgación de las normas precisas para hacer realidad aquel propósito de protección de testigos y peritos que, además, ha sido admitido por el Tribunal Europeo de Derechos Humanos, cuyo principio general se hace también patente en la Resolución 827/1993, de 25 de mayo, del Consejo de Seguridad de las Naciones Unidas, concerniente a la antigua Yugoslavia.

El contenido de la Ley es breve. Junto a su ámbito de aplicación, regulado en el artículo 1, y las medidas protectoras y garantías del justiciable recogidos en los artículos 2 y 3, contiene el artículo 4 y último una serie de medidas complementarias de protección que habrán de aplicar, cada uno en su esfera, los miembros de las Fuerzas y Cuerpos de Seguridad del Estado, el Ministerio Fiscal y la autoridad judicial.

## Art. 1

1. Las medidas de protección previstas en esta Ley son aplicables a quienes en calidad de testigos o peritos intervengan en procesos penales.

2. Para que sean de aplicación las disposiciones de la presente Ley será necesario que la autoridad judicial aprecie racionalmente un peligro grave para la persona, libertad o bienes de quien pretenda ampararse en ella, su cónyuge o persona a quien se halle ligado por análoga relación de afectividad o sus ascendientes, descendientes o hermanos.

## Art. 2

Apreciada la circunstancia prevista en el artículo anterior, el Juez instructor acordará motivadamente, de oficio o a instancia de parte, cuando lo estime necesario en atención al grado de riesgo o peligro, las medidas necesarias para preservar la identidad de los testigos y peritos, su domicilio, profesión y lugar de trabajo, sin perjuicio de la acción de contradicción que asiste a la defensa del procesado, pudiendo adoptar las siguientes decisiones:

a) Que no consten en las diligencias que se practiquen su nombre, apellidos, domicilio, lugar de trabajo y profesión, ni cualquier otro dato que pudiera servir para la identificación de los mismos, pudiéndose utilizar para ésta un número o cualquier otra clave.

b) Que comparezcan para la práctica de cualquier diligencia utilizando cualquier procedimiento que imposibilite su identificación visual normal.

c) Que se fije como domicilio, a efectos de citaciones y notificaciones, la sede del órgano judicial interviniente, el cual las hará llegar reservadamente a su destinatario.

## Art. 3

1. Los miembros de las Fuerzas y Cuerpos de Seguridad, el Ministerio Fiscal y la autoridad judicial cuidarán de evitar que a los testigos o peritos se les hagan fotografías o se tome su imagen por cualquier otro procedimiento, debiéndose proceder a retirar el material fotográfico, cinematográfico, viedográfico o de cualquier otro tipo a quien contraviniere esta prohibición. Dicho material será devuelto a su titular una vez comprobado que no existen vestigios de tomas en las que aparezcan los testigos o peritos de forma tal que pudieran se identificados.

2. A instancia del Ministerio Fiscal y para todo el proceso, o si, una vez finalizado éste, se mantuviera la circunstancia de peligro grave prevista en el artículo 1.2 de esta Ley, se brindará a los testigos y peritos, en su caso, protección policial. En casos excepcionales podrán facilitárseles documentos de una nueva identidad y medios económicos para cambiar su residencia o lugar de trabajo. Los testigos y peritos podrán solicitar ser conducidos a las dependencias judiciales, al lugar donde hubiere de practicarse alguna diligencia o a su domicilio en vehículos oficiales y durante el tiempo que permanezcan en dichas dependen-

cias se les facilitará un local reservado para su exclusivo uso, convenientemente custodiado.

## Art. 4

1. Recibidas las actuaciones, el órgano judicial competente para el enjuiciamiento de los hechos se pronunciará motivadamente sobre la procedencia de mantener, modificar o suprimir todas o algunas de las medidas de protección de los testigos y peritos adoptadas por el Juez de Instrucción, así como si procede la adopción de otras nuevas, previa ponderación de los bienes jurídicos constitucionalmente protegidos, de los derechos fundamentales en conflicto y de las circunstancias concurrentes en los testigos y peritos en relación con el proceso penal de que se trate.

2. Las medidas adoptadas podrán ser objeto de recurso de reforma o súplica.

3. Sin perjuicio de lo anterior, si cualquiera de las partes solicitase motivadamente en su escrito de calificación provisional, acusación o defensa, el conocimiento de la identidad de los testigos o peritos propuestos, cuya declaración o informe sea estimado pertinente, el Juez o Tribunal que haya de entender la causa, en el mismo auto en el que declare la pertinencia de la prueba propuesta, deberá facilitar el nombre y los apellidos de los testigos y peritos, respetando las restantes garantías reconocidas a los mismos en esta Ley.

En tal caso, el plazo para la recusación de peritos a que se refiere el artículo 662 de la Ley de Enjuiciamiento Criminal se computará a partir del momento en que se notifique a las partes la identidad de los mismos.

En los cinco días siguientes a la notificación a las partes de la identidad de los testigos, cualquiera de ellos podrá proponer nueva prueba tendente a acreditar alguna circunstancia que pueda influir en el valor probatorio de su testimonio.

4. De igual forma, la partes podrán hacer uso del derecho previsto en el apartado anterior, a la vista de las pruebas solicitadas por las otras partes y admitidas por el órgano judicial, en el plazo previsto para la interposición de recurso de reforma y apelación.

5. Las declaraciones o informes de los testigos y peritos que hayan sido objeto de protección en aplicación de esta Ley durante la fase de instrucción, solamente podrán tener valor de prueba, a efectos de sentencia, si son ratificados en el acto del juicio oral en la forma prescrita en la Ley de Enjuiciamiento Criminal por quien los prestó. Si se consideraran de imposible reproducción, a efectos del artículo 730 de la Ley de Enjuiciamiento Criminal, habrán de ser ratificados mediante lectura literal a fin de que puedan ser sometidos a contradicción por las partes.

## Disposición adicional primera.

El artículo 3.2 de esta Ley tendrá el carácter de Ley ordinaria.

## Disposición adicional segunda.

El Gobierno en el plazo de un año a partir de la publicación de la presente Ley, dictará las disposiciones reglamentarias que resulten necesarias para su ejecución.

## Disposición derogatoria única.

Quedan derogados cuantos preceptos se opongan a lo dispuesto en la presente Ley.

## Disposición final única.

Esta Ley entrará en vigor el día siguiente al de su publicación en el «Boletín Oficial del Estado».

## II. LEY 35/1995, DE 11 DE DICIEMBRE, DE AYUDAS Y ASISTENCIA A LAS VÍCTIMAS DE DELITOS VIOLENTOS Y CONTRA LA LIBERTAD SEXUAL

### EXPOSICIÓN DE MOTIVOS

#### I

La víctima del delito ha padecido un cierto abandono desde que el sistema penal sustituyó la venganza privada por una intervención pública e institucional, ecuánime y desapasionada, para resolver los conflictos generados por la infracción de la ley penal. Pero, desde una perspectiva más global, la pretensión punitiva del Estado debe acercarse al problema social y comunitario en que el delito consiste para prevenirlo y recuperar al infractor, desde luego, pero además, para reparar en lo posible el daño padecido por la víctima. En muchas ocasiones, el abandono social de la víctima a su suerte tras el delito, su etiquetamiento, la falta de apoyo psicológico, la misma intervención en el proceso, las presiones a que se ve sometida, la necesidad de revivir el delito a través del juicio oral, los riesgos que genera su participación en el mismo, etc., producen efectos tan dolorosos para la víctima como los que directamente se derivan del delito.

En esta línea, desde hace ya bastantes años la ciencia penal pone su atención en la persona de la víctima, reclamando una intervención positiva del Estado dirigida a restaurar la situación en que se encontraba antes de padecer el delito o al menos a paliar los efectos que el delito ha producido sobre ella.

En el caso de los delitos violentos, las víctimas sufren, además, las consecuencias de una alteración grave e imprevista de su vida habitual, evaluable en términos económicos. En el supuesto de que la víctima haya sufrido lesiones corporales, graves, la pérdida de ingresos y la necesidad de afrontar gastos extraordinarios acentúan los perjuicios del propio hecho delictivo. Si se ha producido la muerte, las personas dependientes del fallecido se ven abocadas a situaciones de dificultad económica, a menudo severa. Estas consecuencias económicas del delito golpean con especial dureza a las capas sociales más desfavorecidas y a las personas con mayores dificultades para insertarse plenamente en el tejido laboral y social.

#### II

La preocupación por la situación de las víctimas de los delitos registra ya importantes manifestaciones normativas tanto en Convenios y Recomendaciones de organismos internacionales como en la legislación comparada.

Debe destacarse el Convenio número 116, del Consejo de Europa, de 24 de noviembre de 1983, sobre la indemnización a las víctimas de delitos violentos. Su entrada en vigor se produjo en 1988 y aunque no firmado aún por España, constituye un referente jurídico de primer orden en el tratamiento de esta materia, al lado de la Recomendación del Comité de Ministros del Consejo de Europa a los Estados miembros, de 28 de junio de 1985, sobre la posición de la víctima en el marco del derecho penal y del proceso penal.

En el ámbito de la legislación comparada, aunque iniciándose en primer lugar en el área anglosajona, se ha ido extendiendo la protección a las víctimas por los países de nuestro entorno geográfico, a raíz de la aprobación del citado Convenio del Consejo de Europa.

Por otra parte, en el ámbito interno, el fenómeno de la victimización ha encontrado eco en los programas de partidos políticos y en iniciativas parlamentarias desde hace una década.

## III

La Ley regula, por una parte, las ayudas de contenido económico a las víctimas de delitos violentos y, por otra parte, la asistencia a las víctimas de todo tipo de delitos.

El concepto legal de ayudas públicas contemplado en esta Ley debe distinguirse de figuras afines y, señaladamente, de la indemnización. No cabe admitir que la prestación económica que el Estado asume sea una indemnización ya que éste no puede asumir sustitutoriamente las indemnizaciones debidas por el culpable del delito ni, desde otra perspectiva, es razonable incluir el daño moral provocado por el delito. La Ley, por el contrario, se construye sobre el concepto de ayudas públicas -plenamente recogido en nuestro Ordenamiento- referido directamente al principio de solidaridad en que se inspira.

La presente Ley contempla los delitos violentos y dolosos cometidos en España. El concepto de dolo excluye de entrada los delitos de imprudencia cuya admisión haría inviable económicamente esta iniciativa legislativa. Por otra parte, tanto el Convenio del Consejo de Europa como el grueso de la legislación comparada aluden únicamente a los delitos intencionales, es decir, dolosos.

Los delitos susceptibles de generar ayudas públicas serán aquellos cuyo resultado sea la muerte, lesiones corporales graves o daños graves en la salud física o mental. Por lo que respecta a la gravedad de las lesiones o los daños en la salud, la Ley se remite a efectos de su valoración a la legislación de la Seguridad Social.

De esta forma se opta por acotar aquellos delitos violentos con resultado de máxima gravedad con el propósito de avanzar de forma rigurosa aunque selectiva, cubriendo inicialmente los daños de carácter más grave pero afianzando la convicción social de que esta función debe ser paulatinamente ejercida por el Estado.

El concepto de beneficiario se ha construido atendiendo a considerar como víctimas tanto a quien sufre directamente las lesiones corporales o daños en su salud como a las personas que dependieran del fallecido en los supuestos con resultado de muerte.

La cuantificación de las ayudas es un aspecto central del sistema. Se parte de la fijación de cuantías máximas correspondientes a cada una de las clases de incapacidad contempladas por la legislación de la Seguridad Social. Sobre estos importes máximos la ayuda a percibir se establecerá aplicando coeficientes correctores en atención a la situación económica de la víctima, al número de personas que dependieran económicamente de ella y al grado de afectación o menoscabo sufrido. Igual criterio se sigue en el supuesto de muerte: fijación de una cuantía máxima de ayuda y aplicación sobre ella de coeficientes correctores.

La ayuda económica se declara incompatible con la percepción de las indemnizaciones de los perjuicios y daños causados por el delito que se establezcan mediante sentencia judicial. El círculo se cierra declarando la subrogación del Estado en los derechos que asistan a la víctima contra el autor del delito y hasta el total importe de la ayuda concedida.

La gestión de este sistema de ayudas se confía al Ministerio de Economía y Hacienda, con objeto de no crear una nueva estructura administrativa.

La revisión en vía administrativa de las resoluciones de dicho Departamento se encomienda a una Comisión Nacional de Ayuda y Asistencia a las Víctimas de Delitos Violentos y contra la Libertad Sexual, creada al amparo de las previsiones del artículo 107.2 de la Ley de Régimen Jurídico de las Administraciones Públicas y del Procedimiento Administrativo Común. Se considera que un procedimiento de impugnación ante una Comisión integrada por representantes de distintos Departamentos y, eventualmente, por representantes de organizaciones o sectores sociales especialmente vinculados a este tema permitirá una actuación más ajustada que la vía clásica del recurso administrativo ante el órgano superior jerárquico.

La concesión de la ayuda se condiciona, como regla general, a que se haya producido la resolución judicial firme que ponga fin al proceso penal. Los plazos con los que trabaja la Justicia penal hacen que esta solución sea insatisfactoria en aquellos casos en los que la precaria situación de la víctima reclame una ayuda económica desde el momento en que se ha cometido el delito. La Ley contempla la concesión de ayudas provisionales, atendiendo a la precaria situación de la víctima del delito.

Un punto particularmente sensible es el de la confluencia de este nuevo sistema de ayudas con el régimen de resarcimientos vigente para las víctimas de bandas armadas y elementos terroristas.

Elementales razones de prudencia financiera impiden en estos momentos establecer un sistema de ayudas a las víctimas de los delitos violentos equiparable al de las víctimas de bandas armadas y elementos terroristas, tanto en la cuantía de las ayudas como en la cobertura de los daños materiales. Por otra parte, una confluencia de regímenes que supusiera minorar las cuantías percibidas por las víctimas de delitos terroristas sería sin duda inaceptable para la actual sensibilidad política y social.

Se ha optado por una solución intermedia basada en dos elementos. Por una parte, se deslegaliza por completo el régimen de resarcimientos por daños a las víctimas de bandas armadas y elementos terroristas. Por otra parte, se prevé la confluencia de ambos regímenes en sus aspectos procedimentales en el momento en que se apruebe el Reglamento de desarrollo de la presente Ley.

En cuanto a la asistencia a las víctimas, se contempla en la Ley como concepto diferenciado de las estrictas ayudas económicas a las víctimas de delitos violentos.

Con ello pretende generalizar la atención psicológica y social a las víctimas de delitos de todo tipo, a través de la red de Oficinas de asistencia a las víctimas, que canalizarán sus primeras necesidades atendiendo a las más perentorias que se produzcan como consecuencia del delito, generalizando las experiencias surgidas ya en varios puntos de la geografía española con resultado muy positivo.

## CAPÍTULO I
### *Ayudas públicas*

**Art. 1. *Objeto.***
1. Se establece un sistema de ayudas públicas en beneficio de las víctimas di-

rectas e indirectas de los delitos dolosos y violentos, cometidos en España, con el resultado de muerte, o de lesiones corporales graves, o de daños graves en la salud física o mental.

2. Se beneficiarán asimismo de las ayudas contempladas por esta Ley las víctimas de los delitos contra la libertad sexual aun cuando éstos se perpetraran sin violencia.

### Art. 2. *Beneficiarios.*

1. Podrán acceder a estas ayudas quienes, en el momento de perpetrarse el delito, sean españoles o nacionales de algún otro Estado miembro de la Unión Europea o quienes, no siéndolo, residan habitualmente en España o sean nacionales de otro Estado que reconozca ayudas análogas a los españoles en su territorio.

En el caso de fallecimiento, lo previsto en el párrafo anterior será exigible respecto de los beneficiarios a título de víctimas indirectas, con independencia de la nacionalidad o residencia habitual del fallecido.

2. Podrán acceder a estas ayudas, a título de víctimas directas, las personas que sufran lesiones corporales graves o daños graves en su salud física o mental como consecuencia directa del delito.

3. Son beneficiarios a título de víctimas indirectas, en el caso de muerte, y con referencia siempre a la fecha de ésta, las personas que reúnan las condiciones que se indican a continuación:

a) El cónyuge del fallecido, si no estuviera separado legalmente, o la persona que hubiera venido conviviendo con el fallecido de forma permanente con análoga relación de afectividad a la de cónyuge, con independencia de su orientación sexual, durante, al menos, los dos años anteriores al momento del fallecimiento,

salvo que hubieran tenido descendencia en común, en cuyo caso bastará la mera convivencia.

b) Los hijos del fallecido, siempre que dependieran económicamente de él, con independencia de su filiación y edad, o de su condición de póstumos.

c) Los hijos que, no siéndolo del fallecido, lo fueran de las personas contempladas en el párrafo a) anterior, siempre que dependieran económicamente de aquél.

d) En defecto de las personas contempladas por los párrafos a), b) y c) anteriores, serán beneficiarios los padres de la persona fallecida si dependieran económicamente de ella.

4. De concurrir varios beneficiarios a título de víctimas indirectas, la distribución de la cantidad a que ascienda la ayuda se efectuará de la siguiente forma:

a) La cantidad se dividirá en dos mitades. Corresponderá una al cónyuge o a la persona que hubiera venido conviviendo con el fallecido en los términos del párrafo a) del apartado anterior. Corresponderá la otra mitad a los hijos contemplados por los párrafos b) y c) del apartado anterior, y se distribuirá entre todos ellos por partes iguales.

b) De resultar beneficiarios los padres del fallecido, la cantidad a que ascienda la ayuda se repartirá entre ellos por partes iguales.

5. Serán también beneficiarios a título de víctimas indirectas los padres del menor que fallezca a consecuencia directa del delito.

### Art. 3. *Supuestos especiales de denegación o limitación.*

1. Se podrá denegar la ayuda pública o reducir su importe cuando su concesión total o parcial fuera contraria a la equidad o al orden público atendidas las

siguientes circunstancias declaradas por sentencia:

a) El comportamiento del beneficiario si hubiera contribuido, directa o indirectamente, a la comisión del delito, o al agravamiento de sus perjuicios.

b) Las relaciones del beneficiario con el autor del delito, o su pertenencia a una organización dedicada a las acciones delictivas violentas.

2. Si el fallecido a consecuencia del delito estuviera incurso en alguna de las causas de denegación o limitación de las ayudas contempladas en el apartado anterior, podrán acceder a las mismas los beneficiarios a título de víctimas indirectas, si quedaran en situación de desamparo económico.

## Art. 4. *Concepto de lesiones y daños.*

1. A los efectos de la presente Ley, son lesiones graves aquellas que menoscaben la integridad corporal o la salud física o mental y que incapaciten con carácter temporal o permanente a la persona que las hubiera sufrido.

No se considerará incapacidad permanente aquella que no suponga un grado de minusvalía de, al menos, el 33 por 100.

2. Las lesiones corporales o los daños a la salud física o mental habrán de tener entidad suficiente como para que, conforme a la legislación de la Seguridad Social, tuviera lugar una declaración de invalidez permanente en cualquiera de sus grados o una situación de incapacidad temporal superior a seis meses.

3. Reglamentariamente se determinarán el procedimiento y el órgano competente para la calificación de las lesiones o daños a la salud.

## Art. 5. *Incompatibilidades.*

1. La percepción de las ayudas reguladas en la presente Ley no será compatible con la percepción de las indemnizaciones por daños y perjuicios causados por el delito, que se establezcan mediante sentencia.

No obstante lo establecido en el párrafo anterior, procederá el eventual abono de toda o parte de la ayuda regulada en la presente Ley y normas de desarrollo cuando el culpable del delito haya sido declarado en situación de insolvencia parcial, sin que en ningún caso pueda percibirse por ambos conceptos importe mayor del fijado en la resolución judicial.

2. Asimismo, las ayudas contempladas en esta Ley serán incompatibles con las indemnizaciones o ayudas económicas a que el beneficiario de las mismas tuviera derecho a través de un sistema de seguro privado, así como, en el supuesto de incapacidad temporal de la víctima, con el subsidio que pudiera corresponder por tal incapacidad en un régimen público de Seguridad Social.

No obstante lo establecido en el párrafo anterior, procedería el eventual abono de la ayuda regulada en la presente Ley y normas de desarrollo, al beneficiario de un seguro privado cuando el importe de la indemnización a percibir en virtud del mismo fuera inferior a la fijada en la sentencia sin que la diferencia a pagar pueda superar el baremo fijado.

3. En los supuestos de lesiones o daños determinantes de la incapacidad permanente o muerte de la víctima, la percepción de las ayudas será compatible con la de cualquier pensión pública que el beneficiario tuviera derecho a percibir.

4. Las ayudas por incapacidad permanente serán compatibles con las de incapacidad temporal.

### Art. 6. *Criterios para determinar el importe de las ayudas.*

1. El importe de las ayudas no podrá superar en ningún caso la indemnización fijada en la sentencia. Tal importe se determinará mediante la aplicación de las siguientes reglas, en cuanto no supere la cuantía citada:

a) De producirse situación de incapacidad temporal, la cantidad a percibir será la equivalente al duplo del salario mínimo interprofesional diario vigente, durante el tiempo en que el afectado se encuentre en tal situación después de transcurridos los seis primeros meses.

b) De producirse lesiones invalidantes, la cantidad a percibir como máximo se referirá al salario mínimo interprofesional mensual vigente en la fecha en que se consoliden las lesiones o daños a la salud y dependerá del grado de incapacitación de acuerdo con la siguiente escala:

Incapacidad permanente parcial: cuarenta mensualidades.

Incapacidad permanente total: sesenta mensualidades.

Incapacidad permanente absoluta: noventa mensualidades.

Gran invalidez: ciento treinta mensualidades.

c) En los casos de muerte, la ayuda máxima a percibir será de ciento veinte mensualidades del salario mínimo interprofesional vigente en la fecha en que se produzca el fallecimiento.

2. El importe de la ayuda se establecerá mediante la aplicación de coeficientes correctores sobre las cuantías máximas previstas en el apartado anterior, en la forma que reglamentariamente se determine y en atención a:

a) La situación económica de la víctima y del beneficiario.

b) El número de personas que dependieran económicamente de la víctima y del beneficiario.

c) El grado de afectación o menoscabo que sufriera la víctima dentro de los límites de aquella situación que le correspondiera de entre las previstas por el artículo 6.1.b) de esta Ley.

3. En el supuesto contemplado por el artículo 2.5 de esta Ley, la ayuda consistirá únicamente en el resarcimiento de los gastos funerarios que hubieran satisfecho efectivamente los padres o tutores del menor fallecido, en la cuantía máxima que reglamentariamente se determine.

4. En los supuestos de delitos contra la libertad sexual que causaren a la víctima daños en su salud mental, el importe de la ayuda sufragará los gastos del tratamiento terapéutico libremente elegido por ella en la cuantía máxima que reglamentariamente se determine.

Será procedente la concesión de esta ayuda aun cuando las lesiones o daños sufridos por la víctima no sean determinantes de incapacidad temporal.

En cualquier caso, la ayuda prevista por este apartado será compatible con la que correspondiera a la víctima si las lesiones o daños sufridos produjeran incapacidad temporal o lesiones invalidantes.

### Art. 7. *Prescripción de la acción.*

1. La acción para solicitar las ayudas prescribe por el transcurso del plazo de un año, contado desde la fecha en que se produjo el hecho delictivo.

El plazo de prescripción quedará suspendido desde que se inicie el proceso penal por dichos hechos, volviendo a correr una vez recaiga resolución judicial firme que ponga fin provisional o definitivamente al proceso y le haya sido notificada personalmente a la víctima.

2. En los supuestos en que a consecuencia directa de las lesiones corporales o daños en la salud se produjese el fallecimiento, se abrirá un nuevo plazo de igual duración para solicitar la ayuda o, en su caso, la diferencia que procediese entre la cuantía satisfecha por tales lesiones o daños y la que corresponda por el fallecimiento; lo mismo se observará cuando, como consecuencia directa de las lesiones o daños, se produjese una situación de mayor gravedad a la que corresponda una cantidad superior.

Reglamentariamente se determinará el procedimiento para comprobar el nexo causal en los supuestos contemplados por este apartado.

### Art. 8. *Competencias.*

1. Las solicitudes de ayuda presentadas al amparo de la presente Ley serán tramitadas y resueltas por el Ministerio de Economía y Hacienda.

2. Sus resoluciones y actos de trámite que determinen la imposibilidad de continuar el procedimiento o produzcan indefensión, podrán ser impugnadas por los interesados ante la Comisión Nacional de Ayuda y Asistencia a las Víctimas de Delitos Violentos y contra la Libertad Sexual, creada por el artículo 11 de esta Ley.

Este procedimiento de impugnación tendrá carácter sustitutivo del recurso ordinario, en los términos del artículo 107.2 de la Ley 30/1992, de 26 de noviembre, de Régimen Jurídico de las Administraciones Públicas y del Procedimiento Administrativo Común.

### Art. 9. *Procedimiento.*

1. Las solicitudes de las ayudas, dirigidas al Ministerio de Economía y Hacien-

da, se podrán presentar por el interesado o por su representante en cualquiera de las formas previstas por el artículo 38.4 de la Ley 30/1992, de 26 de noviembre, de Régimen Jurídico de las Administraciones Públicas y del Procedimiento Administrativo Común, y contendrán los extremos a que se refiere el artículo 70.1 de dicha Ley.

2. Las solicitudes de ayuda que se formulen deberán contener además, los siguientes datos:

a) Acreditación documental del fallecimiento, en su caso, y de la condición de beneficiario a título de víctima indirecta.

b) Descripción de las circunstancias en que se hubiera cometido el hecho que presente caracteres de delito doloso violento, con indicación de la fecha y el lugar de su comisión.

c) Acreditación de que los hechos fueron denunciados ante la autoridad pública.

d) Declaración sobre las indemnizaciones y ayudas percibidas por el interesado o de los medios de que dispone para obtener cualquier tipo de indemnización o ayuda por dichos hechos.

e) Copia de la resolución judicial firme que ponga fin al proceso penal, ya sea sentencia, auto de rebeldía o que declare el archivo por fallecimiento del culpable, o declare el sobreseimiento provisional de la causa o el sobreseimiento libre por darse los supuestos previstos por los artículos 641.2.º ó 637.3.º de la Ley de Enjuiciamiento Criminal, respectivamente.

3. El Ministerio de Economía y Hacienda podrá solicitar a las autoridades policiales, al Ministerio Fiscal o a los Juzgados o Tribunales la información que necesite para resolver sobre las solicitudes de ayuda. Podrá proceder, u ordenar que se proceda, a cualquier clase

de investigación pertinente a sus propios fines.

4. El Ministerio de Economía y Hacienda podrá también recabar de cualquier persona física o jurídica, entidad o Administración pública, la aportación de informes sobre la situación profesional, financiera, social o fiscal del autor del hecho delictivo y de la víctima, siempre que tal información resulte necesaria para la tramitación y resolución de los expedientes de concesión de ayudas, o el ejercicio de las acciones de subrogación o repetición. Podrá igualmente ordenar las investigaciones periciales precisas con vistas a la determinación de la duración y gravedad de las lesiones o daños a la salud producidas a la víctima. La información así obtenida no podrá ser utilizada para otros fines que los de la instrucción del expediente de solicitud de ayuda, quedando prohibida su divulgación.

A fin de que el órgano concedente de la ayuda constate con carácter previo el cumplimiento de las obligaciones fiscales a que se refiere el apartado anterior, aquél solicitará al órgano competente de la Agencia Estatal de Administración Tributaria información sobre ello en relación con los beneficiarios de la correspondiente ayuda.

5. La resolución será adoptada tras oír las alegaciones del interesado en trámite de audiencia y conocer el informe del Servicio Jurídico del Estado, que intervendrá siempre en la tramitación de los expedientes.

## Art. 10. *Concesión de ayudas provisionales.*

1. Podrán concederse ayudas provisionales con anterioridad a que recaiga resolución judicial firme que ponga fin al proceso penal, siempre que quede acreditada la precaria situación económica

en que hubiese quedado la víctima o sus beneficiarios.

Reglamentariamente se determinarán los criterios en virtud de los cuales se considerará precaria la situación económica de la víctima del delito, a los efectos de poder acceder a la concesión de ayudas provisionales.

2. Podrá solicitarse la ayuda provisional una vez que la víctima haya denunciado los hechos ante las autoridades competentes o cuando se siga de oficio proceso penal por los mismos.

3. La solicitud de ayuda provisional deberá contener, además de los extremos a que se refiere el artículo 70.1 de la Ley 30/1992, de 26 de noviembre, de Régimen Jurídico de las Administraciones Públicas y del Procedimiento Administrativo Común, los siguientes datos:

a) La calificación de las lesiones o daños a la salud, realizada por el órgano y mediante el procedimiento que se determine reglamentariamente.

b) Acreditación documental del fallecimiento en su caso y de la condición de beneficiario a título de víctima indirecta.

c) Informe del Ministerio Fiscal que indique la existencia de indicios razonables para suponer que el fallecimiento, las lesiones o los daños se han producido por un hecho con caracteres de delito violento y doloso.

4. La ayuda provisional no podrá ser superior al 80 por 100 del importe máximo de ayuda establecido por esta Ley para los supuestos de muerte, lesiones corporales graves o daños graves en la salud, según corresponda.

Su cuantía se establecerá mediante la aplicación de los coeficientes correctores a los que se refiere el artículo 6.2.

5. La ayuda provisional podrá ser satisfecha de una sola vez o mediante abonos periódicos, que se suspenderán

de producirse alguno de los supuestos previstos por el artículo 14 de esta Ley.

### Art. 11. *Comisión Nacional de Ayuda y Asistencia a las Víctimas de Delitos Violentos y contra la Libertad Sexual.*

1. Se crea la Comisión Nacional de Ayuda y Asistencia a las Víctimas de Delitos Violentos y contra la Libertad Sexual, que será competente para resolver los procedimientos de impugnación de las resoluciones del Ministerio de Economía y Hacienda en materia de las ayudas reguladas por esta Ley.

La Comisión Nacional no estará sometida a instrucciones jerárquicas y resolverá los procedimientos de impugnación de las resoluciones del Ministerio de Economía y Hacienda, así como los recursos extraordinarios de revisión contra sus propios acuerdos con respeto a los principios, garantías y plazos que las leyes reconocen a los ciudadanos y a los interesados en todo procedimiento administrativo.

2. El Gobierno, a propuesta de los Ministros de Justicia e Interior y de Economía y Hacienda, establecerá la composición y el régimen de funcionamiento de la Comisión Nacional. Estará presidida por un Magistrado del Tribunal Supremo, nombrado a propuesta del Consejo General del Poder Judicial, e integrada por representantes de la Administración General del Estado y, en su caso, de las organizaciones vinculadas a la asistencia y defensa de las víctimas. En cualquier caso, corresponderá una de sus vocalías a un representante del Ministerio Fiscal, nombrado a propuesta del Fiscal General del Estado.

3. Los acuerdos de la Comisión Nacional, al resolver los procedimientos de impugnación previstos por la presente Ley, pondrán fin a la vía administrativa.

### Art. 12. *Procedimiento de impugnación.*

1. Los interesados podrán impugnar las resoluciones del Ministerio de Economía y Hacienda en materia de las ayudas reguladas por esta Ley ante la Comisión Nacional en el plazo de un mes desde su notificación personal a los interesados.

Transcurrido dicho plazo sin haberse impugnado la resolución, ésta será firme a todos los efectos, sin perjuicio, en su caso, de la procedencia del recurso extraordinario de revisión ante el Ministerio de Economía y Hacienda.

2. La impugnación podrá fundarse en cualquiera de los motivos de nulidad o anulabilidad previstos en los artículos 62 y 63 de la Ley 30/1992, de 26 de noviembre, de Régimen Jurídico de las Administraciones Públicas y del Procedimiento Administrativo Común.

Los vicios y defectos que hagan anulable el acto no podrán ser alegados por los causantes de los mismos.

3. La impugnación podrá formularse ante el Ministerio de Economía y Hacienda o ante la Comisión Nacional.

De formularse ante el Ministerio de Economía y Hacienda, éste deberá remitirla a la Comisión Nacional en el plazo de diez días, con su informe y una copia completa y ordenada del expediente.

4. Transcurridos tres meses desde la formulación de la impugnación sin que se adopte acuerdo por la Comisión Nacional, se podrá entender desestimada la impugnación, salvo en el supuesto previsto por el artículo 43.3.b) de la Ley de Régimen Jurídico de las Administraciones Públicas y del Procedimiento Administrativo Común, y quedará expedita la

vía del recurso contencioso-administrativo.

## Art. 13. *Acción de subrogación del Estado.*

El Estado se subrogará de pleno derecho, hasta el total importe de la ayuda provisional o definitiva satisfecha a la víctima o beneficiarios en los derechos que asistan a los mismos contra el obligado civilmente por el hecho delictivo. La repetición del importe de la ayuda contra el obligado civilmente por el hecho delictivo se realizará, en su caso, mediante el procedimiento administrativo de apremio previsto en el Reglamento General de Recaudación.

El Estado podrá mostrarse parte en el proceso penal o civil que se siga, sin perjuicio de la acción civil que ejercite el Ministerio Fiscal.

## Art. 14. *Acción de repetición del Estado.*

El Estado podrá exigir el reembolso total o parcial de la ayuda concedida, por el procedimiento previsto en el Reglamento General de Recaudación, en los siguientes casos:

a) Cuando por resolución judicial firme se declare la inexistencia de delito a que se refiere la presente Ley.

b) Cuando con posterioridad a su abono, la víctima o sus beneficiarios obtuvieran por cualquier concepto la reparación total o parcial del perjuicio sufrido en los tres años siguientes a la concesión de la ayuda, en los términos establecidos en el artículo 5 de esta Ley.

c) Cuando la ayuda se hubiera obtenido en base a la aportación de datos falsos o deliberadamente incompletos o a través de cualquier otra forma fraudulenta, así como la omisión deliberada de cir-

cunstancias que determinaran la denegación o reducción de la ayuda solicitada.

d) Cuando la indemnización reconocida en la sentencia sea inferior a la ayuda provisional.

## CAPÍTULO II
*Asistencia a las víctimas*

## Art. 15. *Deberes de información.*

1. Los Jueces y Magistrados, miembros de la Carrera Fiscal, autoridades y funcionarios públicos que intervengan por razón de su cargo en la investigación de hechos que presenten caracteres de delitos dolosos violentos y contra la libertad sexual, informarán a las presuntas víctimas sobre la posibilidad y procedimiento para solicitar las ayudas reguladas en esta Ley.

2. Las autoridades policiales encargadas de la investigación de hechos que presenten caracteres de delito recogerán en los atestados que instruyan todos los datos precisos de identificación de las víctimas y de las lesiones que se les aprecien. Asimismo, tienen la obligación de informar a la víctima sobre el curso de sus investigaciones, salvo que con ello se ponga en peligro su resultado.

3. En todas las fases del procedimiento de investigación el interrogatorio de la víctima deberá hacerse con respeto a su situación personal, a sus derechos y a su dignidad.

4. La víctima de un hecho que presente caracteres de delito, en el mismo momento de realizar la denuncia o, en todo caso, en su primera comparecencia ante el órgano competente, deberá ser informada en términos claros de las posibilidades de obtener en el proceso penal la restitución y reparación del daño

sufrido y de las posibilidades de lograr el beneficio de la justicia gratuita. Igualmente, deberá ser informada de la fecha y lugar de celebración del juicio correspondiente y le será notificada personalmente la resolución que recaiga, aunque no sea parte en el proceso.

5. El Ministerio Fiscal cuidará de proteger a la víctima de toda publicidad no deseada que revele datos sobre su vida privada o su dignidad, pudiendo solicitar la celebración del proceso penal a puerta cerrada, de conformidad con lo previsto por la legislación procesal.

### Art. 16. *Oficinas de asistencia a las víctimas.*

1. El Ministerio de Justicia e Interior procederá, de conformidad con las previsiones presupuestarias, a la implantación de Oficinas de asistencia a las víctimas en todas aquellas sedes de Juzgados y Tribunales o en todas aquellas Fiscalías en las que las necesidades lo exijan.

2. En relación con las actividades desarrolladas por estas Oficinas, el Ministerio de Justicia e Interior podrá establecer convenios para la encomienda de gestión con las Comunidades Autónomas y con las Corporaciones locales.

### Disposición Adicional Primera.

El Gobierno, a propuesta de los Ministros de Justicia e Interior y de Economía y Hacienda, podrá revisar las cuantías contempladas en la presente Ley.

### Disposición Adicional Segunda.

1. La percepción de las ayudas contempladas en esta Ley no será compatible en ningún caso con los resarcimientos por daños a las víctimas de bandas armadas y elementos terroristas.

2. Con el fin de homogeneizar paulatinamente el régimen jurídico de las víctimas de los delitos, se habilita al Gobierno para modificar el régimen de resarcimientos por daños a las víctimas de bandas armadas y elementos terroristas, contemplado por el artículo 64 de la Ley 33/1987, con las modificaciones introducidas en dicho precepto por la disposición adicional decimosexta de la Ley 4/1990, y por la disposición adicional decimonovena de la Ley 31/1991, todo ello sin perjuicio de las especialidades propias de este último sistema.

3. El Reglamento que se dicte para el desarrollo y aplicación de la presente Ley contemplará que la tramitación, resolución e impugnación de los expedientes de resarcimientos por daños a víctimas de bandas armadas y elementos terroristas se sustanciarán por los órganos contemplados por esta Ley.

### Disposición Adicional Tercera.

Quedan excluidos del ámbito de aplicación de la presente Ley los daños y perjuicios contemplados por la Ley 52/1984, de 26 de diciembre, de protección de medios de transporte por carretera que se hallen en territorio español realizando viajes de carácter internacional, cuya indemnización se resolverá mediante la aplicación de su legislación especial.

### Disposición Transitoria Única.

El Gobierno depositará el instrumento de ratificación del Convenio 116 del Consejo de Europa de 1983 en el plazo de seis meses, a partir de la entrada en vigor de la presente Ley.

### Disposición Final Primera.

El Gobierno, a propuesta de los Ministros de Justicia e Interior y de Economía y Hacienda, aprobará en el plazo máximo de seis meses las disposiciones necesarias para el desarrollo y ejecución de esta Ley.

**Disposición Final Segunda.**

La presente Ley entrará en vigor el día siguiente al de su publicación en el «Boletín Oficial del Estado».

## III. REAL DECRETO 738/1997, DE 23 DE MAYO, POR EL QUE SE APRUEBA EL REGLAMENTO DE AYUDAS A LAS VÍCTIMAS DE DELITOS VIOLENTOS Y CONTRA LA LIBERTAD SEXUAL

La Ley 35/1995, de 11 de diciembre, de ayudas y asistencia a las víctimas de delitos violentos y contra la libertad sexual, prevé en su disposición final primera que el Gobierno, a propuesta de los Ministros de Justicia e Interior y de Economía y Hacienda, aprobará las disposiciones necesarias para su desarrollo y ejecución.

Por su parte, la disposición adicional segunda de la referida Ley había previsto, con el fin de ir homogeneizando paulatinamente el régimen jurídico de ayudas a las víctimas de los delitos, habilitar al Gobierno para modificar el régimen de resarcimientos por daños a las víctimas de bandas armadas y elementos terroristas (disposición adicional segunda, apartado 2), asimismo se prescribía que el Reglamento necesario para el desarrollo y aplicación de la Ley 35/1995 habría de ordenar la confluencia de ambos regímenes en sus aspectos procedimentales (disposición adicional segunda, apartado 3).

Sin embargo, la Ley 13/1996, de 30 de diciembre, de Medidas fiscales, administrativas y del orden social, ha venido a derogar expresamente los mencionados apartados 2 y 3 de la disposición adicional segunda de la Ley 35/1995 (disposición derogatoria única, apartado 4), atribuyendo, en su artículo 96, al Ministerio del Interior la competencia para el reconocimiento de las distintas ayudas a los afectados por delitos de terrorismo, ampliando las modalidades de resarcimiento para las víctimas del terrorismo, incluyendo nuevos supuestos objeto de pro-

tección, e incrementando las cuantías de las modalidades resarcitorias hasta entonces vigentes, dadas las singularidades del colectivo afectado.

De ahí que el presente Real Decreto tenga por único objeto aprobar el Reglamento de ayudas a las víctimas de delitos violentos y contra la libertad sexual, obviando toda referencia al régimen jurídico aplicable a los resarcimientos por actos terroristas, cuyo desarrollo reglamentario, previsto en el artículo 93 de la Ley de Medidas fiscales, administrativas y del orden social, habrá de efectuarse separadamente.

El texto del Real Decreto se estructura en un artículo único, una disposición derogatoria y dos disposiciones finales.

El artículo único aprueba el Reglamento de ayudas a las víctimas de delitos violentos y contra la libertad sexual. Las normas contenidas en el Reglamento se apoyan tanto en las remisiones específicas que la propia Ley 35/1995, reguladora de las ayudas, efectúa a tal tipo de disposición, como en la habilitación general contenida en la disposición final primera de la referida Ley. De ahí que las materias desarrolladas por el citado Reglamento puedan agruparse en dos campos.

De una parte, se aborda la reglamentación de determinadas cuestiones en las cuales la Ley se remitió expresamente a esta norma. Entre ellas cabe citar: el procedimiento y órgano competente para la calificación de las lesiones o daños a la salud; la fijación de los coeficientes correctores para determinar el importe de la ayuda a percibir en los supuestos de lesiones invalidantes y de fallecimiento; la cuantía máxima de las ayudas por gastos funerarios y por tratamiento terapéutico en los delitos contra la libertad sexual; el procedimiento para comprobar el nexo causal en los supuestos en que, a consecuencia directa de las lesiones o daños en la salud, se produjese el fallecimiento o la agravación de las lesiones, dando lugar a una ayuda de cuantía superior a la inicialmente reconocida; los criterios para determinar la concesión de las ayudas provisionales en situaciones de precariedad, así como la composición y régimen de funcionamiento de la Comisión Nacional de Ayuda y Asistencia a las Víctimas de Delitos Violentos y contra la Libertad Sexual, órgano administrativo colegiado de nueva creación, con competencia exclusiva en todo el territorio nacional para resolver las impugnaciones que se formulen sobre esta materia.

De otra, y atendiendo a su función tradicional, el Reglamento completa la norma legal en aquellas cuestiones en las que se ha creído conveniente una mayor precisión normativa, pudiendo destacar, entre otras, la delimitación del concepto de residencia habitual; la definición y deslinde de las diferentes situaciones económicas a que alude la Ley, tales como dependencia económica desamparo o situación de precariedad; la determinación de la situación de incapacidad temporal y los grados de minusvalía de las víctimas que no estuvieran incluidas en ningún régimen público de Seguridad Social.

El Reglamento ha intentado, en la medida de lo posible, acomodarse a la estructura de la Ley, si bien dada las peculiares características de los distintos tipos de ayudas, así como la complejidad

de los requisitos exigidos por aquélla para acceder a las mismas, se ha considerado oportuno, por razones de sistemática y agilidad en la gestión, regular, con carácter previo, unas normas comunes a todos los procedimientos, y establecer, posteriormente, de forma individualizada, las especialidades procedimentales para los diferentes tipos de ayudas.

El Reglamento, que consta de 88 artículos, distribuidos en cuatro Títulos y una disposición final, pretende, en definitiva, recoger en un solo texto todos los aspectos que puedan plantearse en orden a la concesión de las ayudas económicas establecidas por la Ley 35/1995.

En su virtud, a propuesta del Vicepresidente Segundo del Gobierno y Ministro de Economía y Hacienda, y de los Ministros de Justicia y del Interior, con la aprobación del Ministro de Administraciones Públicas, de acuerdo con el dictamen del Consejo de Estado y previa deliberación del Consejo de Ministros en su reunión del día 23 de mayo de 1997, DISPONGO:

### Artículo Único. *Aprobación del Reglamento.*

Se aprueba el Reglamento de ayudas a las víctimas de delitos violentos y contra la libertad sexual, cuyo texto se inserta como anexo al presente Real Decreto.

### Disposición Derogatoria Única. *Derogación normativa.*

Quedan derogadas cuantas disposiciones de igual o inferior rango se opongan o contradigan a lo previsto en el presente Real Decreto.

### Disposición Final Primera. *Habilitación de créditos.*

Por el Ministerio de Economía y Hacienda se habilitarán los créditos necesarios, con cargo a los Presupuestos Generales del Estado, para hacer efectivas las previsiones de este Real Decreto.

**Disposición Final Segunda. *Facultades de aplicación y desarrollo, y entrada en vigor.***

Se faculta a los Ministros de Economía y Hacienda, de Justicia, de Trabajo y Asuntos Sociales, de Administraciones Públicas y del Interior para dictar, en el ámbito de sus respectivas competencias, cuantas disposiciones sean necesarias para la aplicación y desarrollo de lo dispuesto en el presente Real Decreto.

El presente Real Decreto entrará en vigor el día siguiente al de su publicación en el «Boletín Oficial del Estado».

ANEXO
REGLAMENTO DE AYUDAS A LAS VÍCTIMAS DE DELITOS VIOLENTOS Y CONTRA LA LIBERTAD SEXUAL

TÍTULO I
**Normas generales**

**Art. 1. *Ámbito de aplicación.***

1. El presente Reglamento establece las normas de desarrollo y ejecución del capítulo I de la Ley 35/1995, de 11 de diciembre (en adelante la Ley), de ayudas y asistencia a las víctimas de delitos violentos y contra la libertad sexual, regulándose específicamente:

a) Los procedimientos para la tramitación y resolución de las solicitudes de ayudas, tanto provisionales como definitivas, a las víctimas directas o indirectas de los delitos contemplados en la Ley.

b) El procedimiento para el ejercicio de las acciones de subrogación y repetición del Estado para el reintegro total o parcial de las ayudas concedidas, en los casos previstos en la Ley.

c) La organización, funcionamiento y procedimiento de la Comisión Nacional de Ayuda y Asistencia a las Víctimas de Delitos Violentos y contra la Libertad Sexual, creada por la Ley para el conocimiento y resolución de los procedimientos de impugnación de las resoluciones del Ministerio de Economía y Hacienda en materia de las ayudas en ella establecidas.

2. Tendrán derecho a las ayudas cuya concesión se regula en el presente Reglamento todas aquellas personas que, reuniendo las condiciones y requisitos exigidos por la Ley, hayan sido víctimas directas o indirectas de los delitos dolosos violentos o contra la libertad sexual previstos en la misma y que se hayan producido desde el día 13 de diciembre de 1995, fecha de su entrada en vigor.

**Art. 2. *Residencia habitual.***

A efectos de lo dispuesto en el artículo 2.1 de la Ley, se entenderá que residen habitualmente en España los extranjeros que permanezcan en su territorio en la situación de residencia legal que se regula en el artículo 13 de la Ley Orgánica 7/1985, de 1 de julio, sobre los derechos y libertades de los extranjeros en España.

**Art. 3. *Ayudas análogas.***

Cuando los extranjeros que no sean nacionales de ningún Estado miembro de la Unión Europea, ni residan habitualmente en España en los términos del artículo anterior, pretendan acceder a estas ayudas con fundamento en el reconocimiento en su país de ayudas análogas en favor de los españoles, deberán invocar su legislación aplicable, conforme establece el artículo 12.6, del Código Civil, sin perjuicio de que la Administración verifique el contenido y vigencia del Derecho extranjero invocado, y determine su analogía con lo establecido en la Ley.

**Art. 4. *Concurrencia de beneficiarios.***

1. Cuando concurra el *cónyuge* del fallecido, no separado legalmente, con la persona que hubiera venido conviviendo con el mismo en los términos previstos en el artículo 2.3, párrafo a), de la Ley, la condición de beneficiario a título de víctima indirecta sólo la ostentará el cónyuge del fallecido no separado legalmente.

No obstante, si existieran hijos que, no siéndolo del fallecido, lo fueran de la persona que hubiera venido conviviendo con el mismo, aquéllos también tendrán la condición de beneficiarios a título de víctimas indirectas, siempre que dependieran económicamente del fallecido.

2. Cuando los beneficiarios a que se refiere el artículo 2.3, párrafos b) y c), de la Ley, no concurriesen con el cónyuge o persona que hubiera venido conviviendo con el fallecido, la distribución de la cantidad a que ascienda la ayuda se dividirá por partes iguales entre todos ellos.

**Art. 5. *Dependencia económica.***

1. A efectos del reconocimiento de la ayuda en favor de las personas incluidas en el artículo 2.3, párrafos b) y c) de la Ley, se entenderá que un beneficiario dependía económicamente del fallecido cuando aquél viniera conviviendo con éste a sus expensas y en la fecha del fallecimiento no percibiera, en cómputo anual, rentas o ingresos de cualquier naturaleza, superiores al 150 por 100 del salario mínimo interprofesional, también en cómputo anual, vigente en dicho momento.

2. Se entenderá que los padres del fallecido dependían económicamente del mismo cuando aquéllos vinieran conviviendo con éste a sus expensas y en la fecha del fallecimiento no percibieran conjuntamente, con independencia del régimen económico matrimonial, en cómputo anual, rentas o ingresos de cualquier naturaleza superiores al 225 por 100 del salario mínimo interprofesional, también en cómputo anual, vigente en dicho momento.

Si al tiempo del fallecimiento sólo conviviera con el hijo uno de los padres, se considerará que existe dependencia económica cuando éste en dicho momento viviera a sus expensas y no viniera percibiendo, en cómputo anual, rentas o ingresos de cualquier naturaleza superiores al 150 por 100 del salario mínimo interprofesional, también en cómputo anual, vigente en el referido momento.

3. Se entenderá, en todo caso, que la separación transitoria de las personas mencionadas en los apartados anteriores, motivada por razón de estudios, trabajo, tratamiento médico, rehabilitación u otras causas similares, no rompe el requisito de la convivencia entre el fallecido y el beneficiario.

**Art. 6. *Ayudas generadas por los menores de edad y mayores incapacitados.***

1. El menor de edad que fallezca a consecuencia directa del delito podrá generar simultáneamente el derecho al resarcimiento de gastos funerarios previsto en el artículo 6.3 de la Ley y la ayuda por fallecimientos establecida en el artículo 6.1.c) de la Ley.

No obstante, si los padres del menor tuvieran derecho a la ayuda por fallecimiento, no procede el reconocimiento a su favor de la ayuda por gastos funerarios.

2. Los incapacitados antes de la mayoría de edad que fallezcan después de alcanzar la misma a consecuencia directa del delito se equipararán a los menores de edad a efectos de lo establecido en el apartado anterior.

A efectos de lo dispuesto en este Reglamento, se considerarán incapacitados quienes hayan sido declarados incapaces por sentencia judicial o quienes tuvieran un grado de minusvalía igual o superior al 65 por 100.

### Art. 7. Supuestos especiales de denegación o reducción.

1. Procederá la denegación de la ayuda pública cuando las circunstancias a que se refiere el artículo 3.1 de la Ley, concurriesen en el beneficiario a título de víctima directa o, en caso de fallecimiento, en el único o en todos los beneficiarios a título de víctimas indirectas.

La denegación de la ayuda por dichas circunstancias respecto de las personas comprendidas en el artículo 2.3, párrafos a), b) y c), de la Ley, no dará lugar al reconocimiento de la ayuda en favor de las personas incluidas en el párrafo d) del citado artículo.

2. La reducción de la ayuda se producirá cuando existiendo varios beneficiarios a título de víctimas indirectas, sólo uno o algunos de ellos estuvieran incursos en alguna de las causas de denegación previstas en el artículo 3.1 de la Ley.

En tal caso, la porción de la ayuda que hubiera correspondido al beneficiario excluido no acrecerá a los demás.

3. Cuando el fallecido a consecuencia del delito hubiera podido estar incurso en causa de denegación, sólo podrán acceder a las ayudas los beneficiarios a título de víctimas indirectas que se encuentren en situación de desamparo económico siguiendo el orden de llamamientos establecido en el artículo 2.3 de la Ley.

Si en el supuesto previsto en el párrafo anterior, todos o alguno de los beneficiarios estuvieran a su vez incursos en causa de denegación, se aplicará, respectivamente, según proceda, lo dispuesto en los apartados 1 y 2 del presente artículo.

4. A efectos de la aplicación del artículo 3.2 de la Ley, se considerará que un beneficiario a título de víctima indirecta se encuentra en situación de desamparo económico cuando viniera conviviendo con el fallecido y a sus expensas en el momento del fallecimiento. No impedirá considerar que el beneficiario vive a expensas del fallecido el hecho de que aquél percibiese rentas o ingresos de cualquier naturaleza, siempre que los mismos, en cómputo anual, no fuesen superiores al 50 por 100 del salario mínimo interprofesional, también en cómputo anual, vigente en el referido momento.

### Art. 8. Situación de precariedad y condición de beneficiario en las ayudas provisionales.

1. A efectos del reconocimiento de las ayudas provisionales establecidas en el artículo 10 de la Ley, se considerará precaria la situación económica de la víctima o de sus beneficiarios si, en la fecha en que se solicite la ayuda, aquélla o éstos no percibieran, en cómputo anual, rentas o ingresos de cualquier naturaleza superiores al salario mínimo interprofesional, también en cómputo anual, vigente en el mencionado momento.

2. En todo caso, para el reconocimiento de la ayuda provisional de que se trate deberá quedar acreditado que el solicitante reúne los requisitos para ser beneficiario de la ayuda definitiva que pudiera corresponderle.

### Art. 9. Situación de incapacidad temporal de las víctimas directas incluidas en un régimen público de Seguridad Social.

La situación de incapacidad temporal en que se encuentren las víctimas directas incluidas en un régimen público de Seguridad Social se regirá por la normativa aplicable al régimen de que se trate.

El derecho al subsidio que por tal incapacidad pudiera corresponder a través de un régimen público de Seguridad Social, excluirá el reconocimiento de la ayuda prevista en el artículo 6.1.a) de la Ley, para la situación de incapacidad temporal.

**Art. 10. *Situación de incapacidad temporal de las víctimas directas que no tengan derecho a un subsidio por tal incapacidad en un régimen público de Seguridad Social.***

1. Las víctimas directas que no estén incluidas en un régimen público de Seguridad Social, o que estando incluidas no tengan derecho en el mismo al subsidio por incapacidad temporal, se encontrarán en tal situación, a los efectos de la Ley 35/1995, cuando precisen asistencia sanitaria y estén impedidas para realizar las actividades de su vida habitual.

La situación regulada en el presente artículo vendrá determinada por la resolución judicial firme que ponga fin al proceso penal, por el informe del Ministerio Fiscal a que se refiere el artículo 10.3, párrafo c), de la Ley, o por los informes periciales emitidos por el médico forense que intervenga en las actuaciones judiciales seguidas con motivo del hecho delictivo. A la vista de dichos documentos, se determinará si la incapacidad se ha producido como consecuencia directa de la acción delictiva, así como la fecha de inicio de la situación de incapacidad temporal a efectos de fijar, de acuerdo con el artículo 6.1, párrafo a), de la Ley, el momento a partir del cual procede el reconocimiento de la ayuda.

Asimismo, corresponderá al médico forense, de acuerdo con el artículo 3,

párrafo c), del Reglamento Orgánico del Cuerpo de Médicos Forenses, aprobado por Real Decreto 296/1996, de 23 de febrero, la constatación de la permanencia de la víctima en la situación de incapacidad temporal, así como la finalización de la misma.

La duración de la situación de incapacidad establecida en este artículo será la misma que la regulada en el artículo 128 del texto refundido de la Ley General de la Seguridad Social, aprobado por Real Decreto legislativo 1/1994, de 20 de junio, pudiendo ampliarse hasta un máximo de treinta meses en el supuesto previsto en el artículo 131 bis, apartado 2, de dicho texto refundido.

2. El derecho a la ayuda se extinguirá por el transcurso del plazo máximo establecido para la situación de incapacidad temporal, por fallecimiento, o por ser dado de alta médica el beneficiario con o sin la declaración de la minusvalía a que se refiere el artículo 12 siguiente. Asimismo, se podrá declarar la suspensión del pago de la ayuda cuando, sin causa razonable, el beneficiario rechace o abandone el tratamiento que le fuese indicado, o cuando trabaje por cuenta propia o ajena.

**Art. 11. *Calificación de lesiones invalidantes de las víctimas directas.***

1. Los grados de incapacidad de las víctimas directas previstos en el artículo 6.1, párrafo b), de la Ley, respecto del personal incluido en cualesquiera de los regímenes que integran el sistema de la Seguridad Social, exceptuado el Régimen especial de los funcionarios públicos civiles y militares, vendrán determinados, en cada caso, por la resolución dictada por el Director provincial del Instituto Nacional de la Seguridad Social conforme a lo establecido en el artículo 6

del Real Decreto 1300/1995, de 21 de julio, por el que se desarrolla, en materia de incapacidades laborales del sistema de la Seguridad Social, la Ley 42/1994, de 30 de diciembre, de medidas fiscales, administrativas y de orden social.

No obstante, en el supuesto regulado en el párrafo anterior, cuando la víctima no sea declarada afectada de alguno de los grados de incapacidad a que se refiere el citado artículo 6.1.b) de la Ley por no estar previsto dicho grado en el régimen de Seguridad Social en el que estuviera incluida aquélla, así como en los supuestos en los que aun cuando pudiera existir situación de invalidez la resolución del Director provincial del Instituto Nacional de la Seguridad Social deniegue el derecho a la prestación sin efectuar declaración expresa del grado de incapacidad de la víctima, se procederá a efectuar la calificación de las lesiones de acuerdo con lo dispuesto en el apartado 2 del presente artículo.

2. Las lesiones invalidantes que sufran las víctimas directas no incluidas en el apartado anterior se calificarán mediante dictamen emitido, según proceda en función del lugar de residencia del interesado, por el Equipo de Valoración y Orientación dependiente del Instituto de Migraciones y Servicios Sociales o por el órgano correspondiente de las Comunidades Autónomas, que establecerá el grado de minusvalía del mismo.

Cuando se trate de víctimas no residentes en España, sean españoles o no, la calificación de las lesiones invalidantes se efectuará por el Equipo de Valoración y Orientación u órgano correspondiente de las Comunidades Autónomas, en función del lugar de comisión del hecho delictivo, a la vista de los informes periciales emitidos con motivo del proceso penal. Los informes o pruebas complementarias que sean precisos se reca-

barán de la legación española más próxima al lugar de residencia de la víctima.

### Art. 12. *Grados de minusvalía.*

En el supuesto contemplado en el artículo 11.2 del presente Reglamento, los importes máximos de las ayudas que, referidas al salario mínimo interprofesional, se establecen en el artículo 6.1, párrafo b) de la Ley, se asignarán a los grados de minusvalía que se declaren por el Equipo de Valoración y Orientación u órgano correspondiente de las Comunidades Autónomas, con arreglo a la siguiente escala:

a) Del 33 al 44 por 100: 40 mensualidades.

b) Entre el 45 y el 64 por 100: 60 mensualidades.

c) Más del 65 por 100: 90 mensualidades.

d) A partir del 75 por 100 con ayuda de tercera persona: 130 mensualidades.

Se considerará que existe un grado de minusvalía del 75 por 100 con ayuda de tercera persona cuando concurran las circunstancias previstas en el artículo 145.6 del texto refundido de la Ley General de Seguridad Social.

Las declaraciones de gran invalidez efectuadas respecto del personal funcionario por los órganos competentes surtirán efectos para el reconocimiento de la ayuda que corresponda al grado de minusvalía del 75 por 100 con ayuda de tercera persona.

### Art. 13. *Coeficientes correctores en el supuesto de lesiones invalidantes.*

Para determinar el importe de la ayuda a percibir en los supuestos de lesiones invalidantes, se aplicarán sobre las cuantías máximas previstas en el artículo 6.1.b), de la Ley, los siguientes coeficientes correctores en función de:

a) Las rentas o ingresos de cualquier naturaleza, en cómputo anual, percibidos por la víctima en la fecha en que se consoliden las lesiones o daños en la salud, según la siguiente escala:

| Ingresos o rentas | Coeficiente |
|---|---|
| Inferiores al salario mínimo interprofesional (SMI) vigente en dicha fecha ............ | 1 |
| Entre el 101 y el 200 por 100 del referido SMI .............. | 0,90 |
| Entre el 201 y el 350 por 100 del referido SMI .............. | 0,80 |
| Más del 350 por 100 del referido SMI ........................ | 0,70 |

La consolidación de las lesiones se entenderá producida, cuando la víctima estuviese incluida en el artículo 11.1 de este Reglamento, en la fecha de la resolución del Director provincial del Instituto Nacional de la Seguridad Social, y cuando se trate de una víctima comprendida en el apartado 2 del mencionado artículo, en la fecha del dictamen emitido por el Equipo de Valoración y Orientación u órgano correspondiente de las Comunidades Autónomas.

b) El número de personas que dependieran económicamente de la víctima en la fecha de consolidación de las lesiones o daños, entendiendo por tales, además de las personas que en caso de fallecimiento ostentasen la condición de beneficiario conforme al artículo 2.3, párrafos a), b), c) y d) de la Ley, los parientes de la víctima hasta el segundo grado de consanguinidad, cuando unas y otros convivan con la misma y a sus expensas y siempre que no perciban rentas o ingresos de cualquier naturaleza, en cómputo anual, superiores al 150 por 100 del salario mínimo interprofesional, tam-

bién en cómputo anual, vigente en la mencionada fecha, conforme a la siguiente escala:

| Personas dependientes | Coeficiente |
|---|---|
| Cuatro o más ..................... | 1 |
| Tres ................................. | 0,95 |
| Dos ................................. | 0,90 |
| Una ................................. | 0,85 |
| Ninguna ........................... | 0,80 |

**Art. 14. *Coeficientes correctores en los supuestos de fallecimiento.***

Para determinar el importe de la ayuda a percibir en el supuesto de fallecimiento, sobre la cuantía máxima de 120 mensualidades del salario mínimo interprofesional, establecida en el artículo 6.1, párrafo c) de la Ley, se aplicarán los siguientes coeficientes correctores en función de:

a) Las rentas o ingresos de cualquier naturaleza, en cómputo anual, percibidos en la fecha de fallecimiento de la víctima, por el beneficiario o, conjuntamente, por todos los beneficiarios, si fueran varios, según la siguiente escala:

| Ingresos o rentas | Coeficiente |
|---|---|
| Inferiores al salario mínimo interprofesional (SMI) vigente en dicha fecha ............ | 1 |
| Entre el 101 y el 200 por 100 del referido SMI .............. | 0,90 |
| Entre el 201 y el 350 por 100 del referido SMI .............. | 0,80 |
| Más del 350 por 100 del referido SMI ........................ | 0,70 |

b) El número de personas que en el momento del fallecimiento de la víctima dependieran económicamente de ésta y del beneficiario o beneficiarios. A tal efecto se computarán como personas dependientes todos los beneficiarios que concurran y los parientes hasta el segundo grado de consanguinidad de la víctima y de los beneficiarios, siempre que todos y cada uno de ellos reúnan las siguientes condiciones:

1.ª Que en el momento del fallecimiento de la víctima convivieran con ésta o con el beneficiario o beneficiarios, y en ambos casos a expensas de los mismos, y

2.ª Que no perciban rentas o ingresos de cualquier naturaleza, en cómputo anual, superiores al 150 por 100 del salario mínimo interprofesional, también en cómputo anual, vigente en la mencionada fecha, conforme a la siguiente escala:

| Personas dependientes | Coeficiente |
| --- | --- |
| Cuatro o más | 1 |
| Tres | 0,95 |
| Dos | 0,90 |
| Una | 0,85 |
| Ninguna | 0,80 |

**Art. 15. *Reglas para la aplicación de los coeficientes correctores y para la determinación del importe de la ayuda y su distribución.***

1. Para determinar el importe de la ayuda se aplicarán los coeficientes correctores establecidos en los artículos 13 y 14 del presente Reglamento conforme a las siguientes reglas:

a) En el supuesto de lesiones invalidantes la cuantía máxima de la ayuda que corresponda se multiplicará sucesivamente por los coeficientes establecidos en los párrafos a) y b) del artículo 13 de este Reglamento.

b) En caso de muerte, la cuantía máxima de la ayuda se multiplicará sucesivamente por los coeficientes previstos en los párrafos a) y b) del artículo 14 del presente Reglamento. Cuando concurriesen varios beneficiarios, una vez determinado el importe de la ayuda conforme a la regla mencionada, la cantidad resultante se distribuirá entre los mismos según se dispone en el artículo 2.4 de la Ley y en el artículo 4 del presente Reglamento. La porción que se atribuya a un beneficiario podrá ser minorada o suprimida cuando en él concurran las causas de incompatibilidad previstas en el artículo 5, apartados 1 y 2 de la Ley.

2. En el supuesto de ayudas provisionales por lesiones invalidantes y por fallecimiento, si el importe de la ayuda que resulte de la aplicación de las reglas establecidas en el apartado 1 de este artículo fuera superior al 80 por 100 del importe máximo de la ayuda que corresponda, aquél se minorará en la cuantía necesaria para no sobrepasar el mencionado límite.

3. Cuando en el procedimiento de reconocimiento de ayuda provisional por fallecimiento concurran beneficiarios en situación económica precaria con otros que sin encontrarse en dicha situación pudieran ser beneficiarios de la ayuda definitiva, se observarán las reglas del presente artículo, efectuándose la distribución de la ayuda entre todos los beneficiarios se encuentren o no en situación de precariedad, si bien el derecho a la ayuda provisional sólo se reconocerá en favor de quienes se encuentren en tal situación.

4. La cantidad a abonar en concepto de ayuda definitiva o porción de la misma reconocida a favor de quien haya sido beneficiario de una ayuda provisional, se determinará deduciendo del importe de

la ayuda definitiva o su porción la cantidad percibida como ayuda provisional. Si esta última fuera de mayor cuantía se exigirá el reintegro por la cantidad indebidamente percibida.

### Art. 16. *Resarcimiento por gastos funerarios.*

1. La ayuda por gastos funerarios regulada en el artículo 6.3 de la Ley y en el artículo 6 del presente Reglamento se hará efectiva en favor de los padres o tutores del menor o mayor incapacitado, que fallezca a consecuencia directa del delito.

El importe de esta ayuda sufragará los gastos efectivamente satisfechos, que deberán justificarse documentalmente, con el límite máximo de cinco mensualidades del salario mínimo interprofesional vigente en la fecha del fallecimiento.

Tendrán la consideración de gastos funerarios resarcibles los relativos a los servicios de velatorio, transporte, incineración o enterramiento.

2. En el supuesto de que, conforme al artículo 10 de la Ley, procediese el reconocimiento provisional del mencionado resarcimiento, no será de aplicación lo establecido en el apartado 4 de dicho artículo.

### Art. 17. *Ayuda por gastos de tratamiento terapéutico en los delitos contra la libertad sexual.*

1. La cuantía máxima de la ayuda prevista en el artículo 6.4 de la Ley para sufragar los gastos del tratamiento terapéutico en los delitos contra la libertad sexual que causasen a la víctima daños en su salud mental será de cinco mensualidades del salario mínimo interprofesional vigente en la fecha de emisión del informe a que se refiere el párrafo siguiente.

La existencia de daños en la salud mental de la víctima susceptibles de *tra-tamiento* terapéutico deberá acreditarse mediante informe del médico forense.

2. En el supuesto de que, conforme al artículo 10 de la Ley, procediese el reconocimiento provisional de la mencionada ayuda no será de aplicación lo establecido en el apartado 4 de dicho artículo.

### Art. 18. *Forma de pago de los gastos de tratamiento terapéutico en los delitos contra la libertad sexual.*

El abono de la ayuda para sufragar los gastos de tratamiento terapéutico en los delitos contra la libertad sexual que causasen a la víctima daños en su salud mental se efectuará con arreglo a los siguientes criterios:

a) Cuando la solicitud de la ayuda se formulase antes de iniciar el tratamiento, se podrá acordar el abono de una cantidad a cuenta de una mensualidad del salario mínimo interprofesional.

Si el interesado no efectuase dicha justificación la Administración exigirá el reembolso de la cantidad concedida.

Si la mencionada cantidad a cuenta no fuera suficiente para costear el tratamiento, los gastos que excedan de dicho importe se satisfarán, a solicitud del interesado, en un único o en sucesivos pagos hasta la finalización del tratamiento o, en su caso, hasta alcanzar la cuantía máxima establecida en el artículo 17 de este Reglamento.

b) Si la ayuda se solicitase una vez iniciado el tratamiento, se abonará la cantidad correspondiente por los gastos que justifique el interesado, y los que se originen con posterioridad se abonarán, a solicitud de aquél, en un único o en sucesivos pagos, previa justificación de los mismos, hasta la finalización del tratamiento o, en su caso, hasta alcanzar la cuantía máxima establecida.

234 GERARDO LANDROVE DÍAZ

c) Si en el momento de la solicitud se acreditase que se ha concluido el tratamiento, se abonará la ayuda de una sola vez, por el importe de los gastos justificados, con el límite de la cuantía máxima.

d) En el supuesto previsto en el párrafo anterior, si se acreditase la necesidad de reanudar el tratamiento, y no se hubiese agotado la cuantía máxima establecida, se abonarán los nuevos gastos que se originen según el procedimiento previsto en los párrafos b) y c) anteriores.

### Art. 19. *Incompatibilidad en los supuestos de insolvencia parcial y de percepción de indemnizaciones por seguro privado.*

1. A los efectos de lo previsto en el artículo 5.1, párrafo segundo, de la Ley, la situación de insolvencia parcial del culpable del delito o de la persona o personas civilmente responsables del mismo, resultará acreditada a través de la pieza de responsabilidad civil o mediante resolución judicial dictada en fase de ejecución de sentencia.

En dicho supuesto, de la cuantía de la indemnización fijada en la sentencia en favor de un beneficiario se deducirá el importe que de la misma se le haya hecho efectivo, y para cubrir la diferencia resultante se abonará total o parcialmente la ayuda o la parte de la misma que le correspondiera si hubiera varios beneficiarios.

2. La incompatibilidad a que se refiere el artículo 5.2 de la Ley, entre la percepción de las ayudas reguladas en la misma y las indemnizaciones o ayudas económicas a que el beneficiario tuviera derecho a través de un sistema de seguro privado se entenderá existente cuando unas y otras cubran los mismos riesgos y situaciones de necesidad.

3. En el supuesto del artículo 5.2, párrafo segundo, de la Ley, cuando la cantidad a percibir en virtud de un seguro privado fuera inferior a la fijada en la sentencia, se abonará la ayuda en la modalidad que corresponda, sin que la suma de los importes a percibir por el seguro y por la ayuda pueda exceder de la cantidad fijada en la sentencia. Si la suma excediera de la cantidad fijada en la sentencia, se minorará el importe de la ayuda en la cuantía necesaria para no sobrepasar el mencionado límite.

### Art. 20. *Prescripción de la acción en los supuestos de agravación de lesiones invalidantes.*

1. En los supuestos en que a consecuencia directa de las lesiones corporales o daños en la salud se produjese una situación de mayor gravedad, distinta del fallecimiento, a la que corresponda una cantidad superior, el plazo de prescripción de un año para solicitar la nueva ayuda se computará a partir de la fecha establecida en la resolución por la que se reconoció la ayuda inicial para instar la revisión del grado de incapacidad o minusvalía.

2. El reconocimiento de una ayuda por agravación de lesiones o daños a que se refiere el apartado anterior sólo podrá efectuarse por una sola vez.

## TÍTULO II
## Procedimientos de reconocimiento de las ayudas

### CAPÍTULO I
*Normas generales*

### Art. 21. *Competencia.*

La competencia para la tramitación y resolución de las solicitudes de las ayudas públicas establecidas en la Ley corresponderá a la Dirección General de Costes de Personal y Pensiones Públicas del Ministerio de Economía y Hacienda.

## Art. 22. *Normativa aplicable a los procedimientos.*

Los procedimientos para el reconocimiento de las ayudas se ajustarán a lo establecido en la Ley 30/1992, de 26 de noviembre, de Régimen Jurídico de las Administraciones Públicas y del Procedimiento Administrativo Común, y en la Ley 35/1995, con las especialidades que se establecen en el presente Reglamento.

## Art. 23. *Iniciación de los procedimientos.*

1. Los procedimientos para el reconocimiento de las ayudas se iniciarán siempre a solicitud de la persona interesada ante el órgano competente, impulsándose de oficio en todos sus trámites.

2. Si con posterioridad a la resolución dictada en un procedimiento de ayuda provisional, el interesado solicitara la correspondiente ayuda definitiva, no estará obligado a aportar de nuevo los documentos que obraran en poder de la Administración, como consecuencia de la tramitación del procedimiento previo.

## Art. 24. *Transformación de procedimientos.*

Cuando durante la tramitación de un procedimiento de reconocimiento de ayuda provisional recayese resolución judicial firme que ponga fin al proceso penal, se acordará de oficio la iniciación del procedimiento de reconocimiento de la ayuda definitiva que corresponda, lo que se notificará al interesado.

En el supuesto a que se refiere el presente artículo, los trámites efectuados en el procedimiento de ayuda provisional surtirán plenos efectos en el de ayuda definitiva.

## Art. 25. *Prueba de la existencia del delito y del nexo causal.*

1. Para el reconocimiento de la ayuda definitiva será imprescindible que conste en el expediente la existencia de un delito doloso, violento o de un delito contra la libertad sexual, que resultará acreditado, de acuerdo con lo establecido en el artículo 9.2.e) de la Ley, mediante la resolución judicial firme que ponga fin al proceso penal.

2. Cuando se trate del reconocimiento de una ayuda provisional, deberá quedar acreditada la existencia de indicios razonables de un hecho que revista caracteres de delito doloso violento o contra la libertad sexual, mediante el informe del Ministerio Fiscal previsto en el artículo 10.3, párrafo c), de la Ley.

3. Asimismo, la relación de causalidad entre el hecho delictivo y las lesiones o daños en la salud o, en su caso, el fallecimiento, se deducirá de la resolución judicial firme que ponga fin al proceso penal o del informe del Ministerio Fiscal según se trate, respectivamente, de ayuda definitiva o provisional.

En los supuestos de agravación de lesiones, la relación de causalidad entre la agravación de las lesiones y el hecho delictivo se deducirá, según proceda, de la resolución dictada por el Director provincial del Instituto Nacional de la Seguridad Social o del dictamen pericial emitido por el Equipo de Valoración y Orientación dependiente del Instituto de Migraciones y Servicios Sociales u órgano correspondiente de las Comunidades Autónomas.

### Art. 26. Suspensión del procedimiento en los supuestos de ejecución de sentencia.

1. Cuando en los procedimientos para el reconocimiento de ayudas definitivas conste la existencia de una sentencia firme en la que se fije una indemnización por daños y perjuicios causados por el delito, el órgano instructor solicitará del Juzgado o Tribunal que corresponda, conforme al artículo 9.3 de la Ley, el informe preceptivo necesario para conocer si dicha indemnización se ha hecho efectiva en todo o en parte o, en su caso, si la persona o personas civilmente responsables han sido declaradas insolventes.

2. En dicho supuesto el órgano instructor acordará la suspensión del procedimiento administrativo hasta tanto tenga conocimiento fehaciente de la cuantía de la indemnización que se haya hecho efectiva o, en su caso, de la insolvencia de la persona o personas civilmente responsables.

### Art. 27. Comunicación sobre indemnizaciones y ayudas.

El órgano instructor comunicará al interesado que queda obligado a comunicarle las indemnizaciones o ayudas económicas que como consecuencia directa del delito perciba o esté en disposición de percibir durante la tramitación del procedimiento administrativo y hasta la concesión de la ayuda que, de acuerdo con la Ley, pudiera corresponderle, advirtiéndole de las responsabilidades en que pudiera incurrir por el incumplimiento de dicha obligación.

Con posterioridad al pago se mantendrá la referida obligación por un período de tres años, lo que se expresará en la resolución, conforme se establece en el artículo 33.2, párrafo c), de este Reglamento.

### Art. 28. Informes facultativos.

El órgano instructor realizará de oficio cuantas actuaciones estime necesarias para la determinación, conocimiento y comprobación de los hechos y datos en virtud de los cuales deba pronunciarse la resolución.

A tal efecto, de acuerdo con lo dispuesto en el artículo 9.3 de la Ley, el órgano instructor podrá solicitar a las autoridades policiales, al Ministerio Fiscal o a los Juzgados o Tribunales la información que se precise para resolver las solicitudes de ayudas.

Cuando se proceda a recabar cualesquiera de los informes a que se refiere el artículo 9.4, párrafo primero, de la Ley, en la correspondiente petición, se citará el precepto legal que la fundamente, concretando el extremo o extremos a que se refiere la misma, y estableciendo, asimismo, que el plazo para su remisión será de quince días, salvo que el cumplimiento del resto de los plazos del procedimiento permita o exija un plazo mayor o menor.

### Art. 29. Información sobre el cumplimiento de las obligaciones fiscales.

De acuerdo con el artículo 9.4, último párrafo, de la Ley, será preceptiva la solicitud a la Agencia Estatal de la Administración Tributaria del informe sobre el cumplimiento de las obligaciones fiscales del beneficiario.

Evacuado dicho informe, si del mismo resultase que el beneficiario tuviera contraídas deudas con la Hacienda Pública en fase de gestión recaudatoria, y procediese el reconocimiento de la ayuda, en la resolución que se dicte se dispondrá la suspensión del abono de la misma y la comunicación de lo acordado a la Agencia Estatal a efectos de que inicie, en su caso, el procedimiento de compensación regulado en el Real Decreto 1684/1990, de 20 de diciembre, por el que se aprueba el Reglamento General de Recaudación.

A la vista de lo que se resuelva por la Agencia Estatal, la Dirección General de Costes de Personal y Pensiones Públicas acordará el abono de la ayuda en la parte no compensada.

### Art. 30. *Trámite de audiencia e informe del Servicio Jurídico del Estado.*

1. Instruido el procedimiento e inmediatamente antes de redactar la propuesta de resolución, se dará trámite de audiencia al interesado, conforme a lo establecido en el artículo 84 de la Ley 30/1992, de 26 de noviembre.

2. Concluido el trámite anterior, en los procedimientos de ayudas definitivas, el órgano instructor elaborará propuesta de resolución que, junto con el expediente, remitirá al Servicio Jurídico del Estado para que emita el informe preceptivo a que se refiere el artículo 9.5 de la Ley.

En los procedimientos de ayudas provisionales, podrá prescindirse del informe del Servicio Jurídico del Estado cuando no se considere necesario para resolver el expediente.

3. Si como consecuencia de lo regulado en el artículo 42.2 de este Reglamento, procediese efectuar un trámite de audiencia común a todos los interesados, una vez evacuado el mismo, el órgano instructor procederá de acuerdo con lo dispuesto en el apartado 2 del presente artículo.

### Art. 31. *Plazos para resolver.*

1. Los plazos para resolver los procedimientos de reconocimiento de las ayudas, ya sean definitivas o provisionales, serán los siguientes:

a) Por lesiones invalidantes, agravación de las mismas y fallecimiento: Seis meses.

b) Por incapacidad temporal: Cuatro meses.

c) Por gastos de tratamiento terapéutico en los delitos contra la libertad sexual y por gastos funerarios: Dos meses.

2. Los plazos de resolución de los procedimientos se computarán a partir de la fecha en que la solicitud haya tenido entrada en cualesquiera de los registros del órgano competente.

### Art. 32. *Efectos de los actos presuntos.*

Se podrán entender desestimadas las solicitudes de los interesados cuando transcurrido el plazo máximo para resolver el procedimiento de que se trate no haya recaído resolución expresa.

La desestimación presunta se podrá hacer valer mediante la certificación prevista en el artículo 44 de la Ley 30/1992, de 26 de noviembre.

### Art. 33. *Contenido general de las resoluciones.*

1. Las resoluciones que pongan fin a los respectivos procedimientos se ajustarán a lo establecido en el artículo 89 de la Ley 30/1992, de 26 de noviembre, y, además de las especialidades reguladas en este Reglamento, contendrán:

a) La fecha, órgano que las dicta y tipo de procedimiento seguido.

b) Los nombres y domicilios de los interesados personados en el procedimiento administrativo y, en su caso, de sus representantes.

c) La mención sucinta de la existencia de un delito doloso violento o contra la libertad sexual, con indicación de la fecha y el lugar de comisión o, si se tratase de una ayuda provisional, de la existencia de indicios razonables de un hecho que revista los caracteres de tales delitos; o, en su caso, la inexistencia de tales extremos.

d) La constancia o no del nexo causal entre el hecho delictivo y las lesiones, daños en la salud, o fallecimiento, en su caso.

e) Los demás hechos que resulten relevantes para la resolución del expediente y la referencia expresa de haberse observado los trámites legales y reglamentarios.

f) Los fundamentos de derecho que motiven la resolución que se adopte.

g) La decisión propiamente dicha con alguno de los siguientes pronunciamientos:

1.º Reconocimiento de la ayuda, provisional o definitiva, determinación de su importe y, si existieran varios beneficiarios, de la cuantía que corresponda a cada uno de ellos, indicando cuando concurran las causas de incompatibilidad previstas en el artículo 5, apartados 1 y 2, de la Ley, la minoración o supresión que deba efectuarse de la ayuda o, de la porción de la misma que corresponda al beneficiario en quien concurran las referidas causas de incompatibilidad.

2.º Denegación de la ayuda, especificando, cuando dicha denegación se produjese por alguno de los supuestos especiales regulados en el artículo 7.1 de este Reglamento, las circunstancias declaradas por sentencia que motiven tal pronunciamiento.

3.º Inadmisión de la solicitud con arreglo al artículo 89.4 de la Ley 30/1992, de 26 de noviembre.

h) La facultad de impugnar la resolución ante la Comisión Nacional de Ayuda y Asistencia a las Víctimas de Delitos Violentos y contra la Libertad Sexual en el plazo de un mes, contado a partir de su notificación personal, conforme al procedimiento establecido en el artículo 12 de la Ley y en el capítulo IV del título IV del presente Reglamento.

2. En los supuestos de reconocimiento de la ayuda, además de lo establecido en los párrafos anteriores, la resolución expresará lo siguiente:

a) La subrogación de pleno derecho del Estado, hasta el total importe de la ayuda provisional o definitiva satisfecha al beneficiario o beneficiarios, en los derechos que asistan a los mismos contra el obligado civilmente por el hecho delictivo, de conformidad con el artículo 13 de la Ley.

b) La potestad del Estado para exigir en los supuestos del artículo 14 de la Ley el reembolso total o parcial de la ayuda concedida.

c) La obligación del interesado de comunicar a la Dirección General de Costes de Personal y Pensiones Públicas las ayudas o indemnizaciones que, como consecuencia directa del delito, perciba en los tres años siguientes a la concesión de la ayuda, advirtiéndole de las responsabilidades en que pudiera incurrir por el incumplimiento de dicha obligación.

d) Si se tratase de una ayuda de pago periódico, la suspensión de su abono cuando se produzca alguno de los supuestos previstos en el artículo 14 de la Ley.

e) Cuando se reconozca una ayuda provisional, la obligación del interesado de comunicar a la Dirección General de Costes de Personal y Pensiones Públicas que ha recaído resolución judicial firme que pone fin al proceso penal.

**Art. 34. *Comunicación de resoluciones estimatorias a Juzgados y autoridades.***

1. La resolución de reconocimiento de la ayuda definitiva se comunicará al

Juzgado o Tribunal que hubiese dictado la resolución judicial firme que puso fin al proceso penal.

2. Cuando se reconozca una ayuda provisional, se dará traslado de la resolución al Ministerio Fiscal y al Juzgado o Tribunal que conozca de los hechos. Asimismo, dicha resolución se notificará al Servicio Jurídico del Estado para su conocimiento y a los efectos previstos en el artículo 13 de la Ley.

### Art. 35. *Incorporación de la resolución judicial al expediente de ayuda provisional.*

Cuando los órganos judiciales tuvieran conocimiento de la concesión de una ayuda provisional, facilitarán a la Dirección General de Costes de Personal y Pensiones Públicas copia de la resolución judicial firme que ponga fin al proceso penal.

### CAPÍTULO II
*Procedimiento para el reconocimiento de las ayudas definitivas por incapacidad temporal y lesiones invalidantes*

### SECCIÓN 1.ª
Iniciación del procedimiento

### Art. 36. *Iniciación.*

1. El procedimiento para el reconocimiento de las ayudas por incapacidad temporal y lesiones invalidantes se iniciará mediante solicitud del interesado o de su representante, que se formulará conforme a lo establecido en el artículo 70.1 de la Ley 30/1992, de 26 de noviembre, y con los datos y documentos que se establecen en el artículo 9.2 párrafos b), c), d) y e) de la Ley.

2. Asimismo, junto con la solicitud deberán acompañarse preceptivamente los siguientes documentos:

a) Si la víctima es española, copia del documento nacional de identidad.

b) Si se tratase de nacionales de un Estado miembro de la Unión Europea, documento acreditativo de su nacionalidad.

c) Quienes no sean españoles ni nacionales de un Estado miembro de la Unión Europea pero en el momento de perpetrarse el delito residieran habitualmente en España, deberán aportar el correspondiente permiso de residencia referido a dicho momento.

d) Si se tratase de extranjeros que no fueran nacionales de un Estado miembro de la Unión Europea ni residentes en España deberán acreditar su identidad y justificar, mediante la presentación del correspondiente visado, que en el momento de perpetrarse el delito se encontraban autorizados para permanecer en España, salvo en los casos en que aquél no sea necesario.

Asimismo, deberán acreditar el reconocimiento en su país de ayudas análogas en favor de los españoles, de acuerdo con lo establecido en el artículo 3 del presente Reglamento.

e) Certificación expedida por el órgano o entidad gestora competente acreditativa de la inclusión del interesado en un régimen público de Seguridad Social en el momento de perpetrarse el hecho delictivo. En caso negativo bastará la declaración del interesado, que posteriormente se verificará por el órgano instructor.

Si la solicitud de ayuda se formulase por incapacidad temporal y el interesado estuviese incluido en un régimen público de Seguridad Social, la certificación que se aporte hará constar, asimismo, que no se ha reconocido el derecho al subsidio por tal incapacidad.

f) Cuando la solicitud de ayuda por lesiones invalidantes se formule por las personas a que se refiere el artículo 11.1 de este Reglamento deberá aportarse la resolución sobre la calificación de tales lesiones dictada por el Director provincial del Instituto Nacional de la Seguridad Social o, en caso de que aún no hubiera recaído, declaración del interesado de que se ha iniciado el oportuno procedimiento de invalidez.

3. Si faltasen cualesquiera de los datos o documentos citados en los apartados anteriores, se requerirá al interesado conforme al artículo 71 de la Ley 30/1992, de 26 de noviembre, para que subsane su omisión.

## SECCIÓN 2.ª
### Fase de instrucción

**Art. 37.** *Actividades de instrucción para determinar la existencia de incapacidad temporal o de lesiones invalidantes.*

1. En el procedimiento de reconocimiento de la ayuda por incapacidad temporal respecto de las víctimas a que se refiere el artículo 10 de este Reglamento, cuando a la vista de la resolución judicial firme resulte necesario, se recabarán, con el carácter de preceptivos, los informes periciales emitidos por el médico forense que haya intervenido en el proceso penal a efectos de determinar el nexo causal, inicio, duración y extinción de la situación de incapacidad.

2. A efectos de la calificación de las lesiones invalidantes sufridas por la víctima será necesario incorporar al expediente la siguiente documentación:

a) Cuando, según el artículo 11.1 de este Reglamento, la calificación de las lesiones se determine por la resolución dictada por el Director provincial del Instituto Nacional de la Seguridad Social, y ésta no se hubiese aportado por el interesado por no haber recaído al tiempo de formular la solicitud de ayuda, se recabará del referido organismo.

No impedirá la continuación del procedimiento y el reconocimiento de la ayuda que la resolución remitida por el Instituto Nacional de la Seguridad Social no haya ganado firmeza.

b) Si de acuerdo con el artículo 11.2, la calificación de las lesiones debiera efectuarse por el Equipo de Valoración y Orientación u órgano correspondiente de las Comunidades Autónomas, la Dirección General de Costes de Personal y Pensiones Públicas requerirá a dicho órgano para que proceda al reconocimiento de la víctima remitiéndole copia de la resolución judicial firme y, en su caso, de los informes médicos que obraran en el expediente.

El Equipo de Valoración y Orientación u órgano correspondiente de las Comunidades Autónomas proveerá lo necesario para efectuar, previa citación del interesado, los reconocimientos y pruebas que considere necesarios en orden a la valoración de las lesiones o daños consecuencia del hecho delictivo, emitiendo un dictamen pericial razonado, de carácter preceptivo, en el que consten las lesiones o daños en la salud física o mental que se aprecien en la víctima, el grado de minusvalía que, de acuerdo con el artículo 12 de este Reglamento, los mismos lleven aparejado, así como el plazo a partir del cual se podrá instar, en su caso, la revisión del grado de minusvalía por agravación de las lesiones o daños.

3. Conforme establece el artículo 83.3 de la Ley 30/1992, de 26 de noviembre, se podrá interrumpir el plazo de los trámites sucesivos del procedimiento desde que se soliciten los informes del médico forense a que se refiere el apartado 1 de este artículo o, en su caso, desde que se recaben del Director provincial del Instituto Nacional de la Seguridad Social o del Equipo de Valoración y Orientación u órgano correspondiente de las Comunidades Autónomas, según proceda, la resolución o el dictamen de calificación de las lesiones.

**Art. 38.** *Actividades de instrucción para la aplicación de los coeficientes correctores en el supuesto de lesiones invalidantes.*

1. Para la aplicación de los coeficientes correctores establecidos en el artículo 13 de este Reglamento, se requerirá al interesado para que en el plazo de quince días acredite, conforme se dispone en los apartados siguientes, su situación económica y el número de personas dependientes económicamente.

2. La situación económica se acreditará mediante la presentación de los siguientes documentos:

a) Declaración de las rentas o ingresos de cualquier naturaleza percibidos durante los doce meses inmediatamente anteriores a la fecha de consolidación de las lesiones o daños en la salud.

b) Copia de la declaración del Impuesto sobre la Renta de las Personas Físicas correspondiente al ejercicio durante el cual se haya producido la consolidación de las lesiones o daños o en su defecto, la del ejercicio inmediatamente anterior. Si no se hubiesen efectuado dichas declaraciones, se aportará certificación negativa expedida por la Agencia Estatal de la Administración Tributaria.

Sin perjuicio de lo que resulte de dicha documentación, el órgano instructor podrá recabar, de conformidad con el artículo 9.4 de la Ley, los informes que estime pertinentes para determinar la situación económica de la víctima.

3. El número de personas que venían conviviendo con el interesado a sus expensas en la fecha de consolidación de las lesiones o daños en la salud se acreditará documentalmente conforme se establece a continuación:

a) La vinculación familiar o asimilada respecto de las personas comprendidas en los párrafos a), b), c) y d) del artículo 2.3 de la Ley, mediante los documentos que para cada caso se establecen en el artículo 40.2 del presente Reglamento.

Cuando se trate de parientes hasta el segundo grado de consanguinidad, distintos de los mencionados en el párrafo anterior, mediante las correspondientes certificaciones del Registro Civil.

b) La prueba de la convivencia con la víctima de las personas dependientes, se efectuará mediante la oportuna certificación expedida por el Ayuntamiento.

c) La prueba de que dichas personas viven a expensas de la víctima, se justificará mediante las declaraciones del Impuesto sobre la Renta de las Personas Físicas o certificaciones negativas en su caso.

A la vista de lo que resulte de la documentación aportada por el interesado y de las diligencias que se considere oportuno practicar, el órgano instructor determinará el número de personas que a efectos de la aplicación de los coeficientes correctores deben considerarse dependientes de la víctima.

4. Si el interesado no cumplimentase lo dispuesto en el apartado 2 de este

artículo, se aplicará el coeficiente corrector del 0,70, establecido en el artículo 13, párrafo a), de este Reglamento, para ingresos o rentas.Asimismo, cuando no se acredita el número de personas dependientes se aplicará el coeficiente del 0,80, previsto en el párrafo b) del citado artículo 13.

## SECCIÓN 3.ª
### Terminación del procedimiento

### Art. 39. *Resolución.*

1. Una vez recibido el informe del Servicio Jurídico del Estado a que se refiere el artículo 30 de este Reglamento, el órgano instructor dictará resolución que se ajustará a lo establecido en el artículo 33 del mismo, conteniendo además los siguientes pronunciamientos:

Cuando se deniegue la ayuda por incapacidad temporal o por lesiones invalidantes, se motivará su decisión con sucinta referencia de hechos y fundamentos de derecho.

Si se reconociera el derecho a la ayuda por incapacidad temporal se determinará la fecha a partir de la cual procede el abono de la misma y la cuantía que corresponda. Asimismo, cuando en el momento del reconocimiento de la ayuda el interesado continuase en situación de incapacidad se señalarán, además, las cantidades devengadas en concepto de atrasos, la periodicidad y control del pago de la ayuda, así como las causas de suspensión y extinción de la misma.

Si se reconociera el derecho a la ayuda por lesiones invalidantes, se recogerán de forma sucinta las lesiones o daños en la salud apreciadas al interesado, el grado de incapacidad o minusvalía, según proceda, que lleven aparejado los mismos, el importe de la ayuda a percibir una vez aplicados los coeficientes correctores que correspondan de acuerdo con lo establecido en el artículo 13 del Reglamento, así como el plazo a partir del cual se podrá instar, en su caso, la revisión del grado de incapacidad o minusvalía por agravación de las lesiones o daños, de acuerdo con el procedimiento regulado en los artículos 64 a 67 de este Reglamento.

2. La resolución que se dicte no estará vinculada por las peticiones concretas del interesado, por lo que se podrá reconocer la ayuda que corresponda a la situación de incapacidad o grado de minusvalía padecido, ya sean éstos superiores o inferiores a los invocados por el interesado en su solicitud.

## CAPÍTULO III
*Procedimiento para el reconocimiento de la ayuda definitiva en supuestos con resultado de muerte*

## SECCIÓN 1.ª
### Iniciación del procedimiento

### Art. 40. *Iniciación.*

1. El procedimiento para el reconocimiento de la ayuda por fallecimiento se iniciará mediante solicitud del interesado o su representante, que se formulará conforme a lo establecido en el artículo 70.1 de la Ley 30/1992, de 26 de noviembre, y con los datos y documentos que se establecen en el artículo 9.2, párrafos a), b), c), d) y e), de la Ley 35/1995.

Asimismo, junto con la solicitud deberán acompañarse, preceptivamente, los documentos que procedan de entre los mencionados en los párrafos a), b), c) y d) del artículo 36.2 de este Reglamento, referidos al beneficiario a título de víctima indirecta.

2. A efectos de lo establecido en el párrafo a) del artículo 9.2 de la Ley, deberá aportarse el certificado de defunción de la víctima del delito, así como la siguiente documentación en función de la vinculación del beneficiario con el fallecido:

a) Si se tratase del cónyuge del fallecido no separado legalmente, certificación literal de la inscripción del matrimonio expedida por el Registro Civil con posterioridad a la fecha de defunción de la víctima.

b) Si el solicitante fuera la persona que hubiera venido conviviendo con el fallecido en los términos del párrafo a) del artículo 2.3 de la Ley, deberá presentarse certificado de convivencia en domicilio común, expedido por la autoridad municipal correspondiente.

Asimismo, a efectos de acreditar la convivencia permanente con análoga relación de afectividad a la de cónyuge, se aportará certificación expedida por un Registro de parejas de hecho o, en su defecto, otros documentos cuya valoración, libre y conjunta, se efectuará por el órgano instructor.

Si hubiera existido descendencia en común, bastará certificación de la inscripción del nacimiento de los hijos y certificado de convivencia expedido por el Ayuntamiento.

c) Cuando se tratase de los hijos del fallecido, se aportarán las correspondientes certificaciones de la inscripción del nacimiento expedidas por el Registro Civil.

Los hijos del cónyuge no separado legalmente o de la persona que hubiera venido conviviendo con el fallecido en los términos del artículo 2.3,a) de la Ley

deberán aportar, a efectos de acreditar su filiación, las respectivas certificaciones de la inscripción del nacimiento, expedidas por el Registro Civil. Asimismo, deberán acreditar, conforme a lo establecido en los párrafos a) y b) anteriores, el matrimonio de su progenitor con el fallecido, o las circunstancias de convivencia y afectividad de ambos, salvo que tales hechos estuvieran ya acreditados por haberse formulado por el progenitor solicitud de ayuda.

Además, tanto los hijos del fallecido como los del cónyuge no separado legalmente o los de la persona que hubiera venido conviviendo con el fallecido, deberán probar que venían dependiendo económicamente de este último, mediante la siguiente documentación:

1.º Certificación de convivencia expedida por el Ayuntamiento.

2.º Declaración de las rentas o ingresos de cualquier naturaleza percibidos durante los doce meses inmediatamente anteriores a la fecha de fallecimiento de la víctima.

3.º Copia de la declaración del Impuesto sobre la Renta de las Personas Físicas correspondiente al ejercicio durante el cual se haya producido el fallecimiento de la víctima o, en su defecto, la del ejercicio inmediatamente anterior. Si no se hubiesen efectuado dichas declaraciones, se aportará certificación negativa expedida por la Agencia Estatal de la Administración Tributaria.

d) Si se tratara de los padres del fallecido deberán acreditar su paternidad mediante la certificación de la inscripción del nacimiento del hijo fallecido. Asimismo, a efectos de determinar que no existen otros posibles beneficiarios con mejor derecho a la ayuda, deberá aportarse declaración sobre el estado civil del hijo en la fecha del fallecimiento así como si tienen conocimiento de la existencia de alguna de las demás personas mencionadas en los párrafos a), b) y c) del artículo 2.3 de la Ley.

La prueba de la dependencia económica respecto del fallecido se efectuará mediante los documentos que se especifican en el párrafo c) anterior.

3. Si faltasen cualesquiera de los datos o documentos citados en los apartados anteriores, se requerirá al interesado, conforme al artículo 71 de la Ley 30/1992, de 26 de diciembre, para que subsane su omisión.

### Art. 41. Supuestos en que el fallecido a consecuencia del delito estuviera incurso en causas de denegación de la ayuda.

Cuando el fallecido a consecuencia del delito hubiera estado incurso en alguna de las causas de denegación previstas en el artículo 3.1 de la Ley, la solicitud de la ayuda se formulará conforme a lo dispuesto en el artículo 40 de este Reglamento, con la especialidad de que cuando la misma se efectúe por las personas comprendidas en el artículo 2.3, párrafo a), de la Ley, deberán aportar la siguiente documentación a efectos de acreditar la situación de desamparo económico, conforme al artículo 7.4 de este Reglamento:

a) Declaración de las rentas o ingresos de cualquier naturaleza percibidos durante los doce meses inmediatamente anteriores a la fecha de fallecimiento de la víctima.

b) Copia de la declaración del Impuesto sobre la Renta de las Personas Físicas correspondiente al ejercicio durante el cual se haya producido el fallecimiento de la víctima o, en su defecto, la del ejercicio inmediatamente anterior. Si no se hubiesen efectuado dichas declaraciones, se aportará certificación negativa expedida por la Agencia Estatal de la Administración Tributaria.

Respecto de las personas mencionadas en los párrafos b), c) y d) del artículo 2.3 de la Ley, la situación de desamparo económico se valorará mediante la documentación exigida en el artículo 40.2, párrafo c), de este Reglamento, para probar la dependencia económica.

### Art. 42. Solicitudes presentadas con posterioridad a la iniciación del procedimiento.

1. Sin perjuicio del deber de información establecido en el artículo 15 de la Ley, cuando el órgano instructor tuviese conocimiento de la eventual existencia de personas que, sin haber instado el procedimiento, pudieran tener igual o mejor derecho a la ayuda, realizará si fuera posible, las actuaciones que estime necesarias para informar a las mismas de la incoación del expediente a los efectos que a su derecho convengan.

2. Las solicitudes que, una vez iniciado el procedimiento, se formulen por personas distintas a las que hubiesen instado el mismo, se unirán al expediente siempre que se presenten antes de dictar la correspondiente resolución.

Respecto de las nuevas solicitudes se realizarán las actividades de instrucción procedentes, dándose audiencia común a todos los beneficiarios que hubieran instado, aun cuando dicho trámite ya se hubiera efectuado respecto de alguno o algunos de ellos.

3. El plazo máximo para resolver en el supuesto del apartado anterior se computará a partir de la fecha en que haya tenido entrada la última solicitud en cualquiera de los registros del órgano competente, lo que se notificará a los interesados.

## SECCIÓN 2.ª
Fase de instrucción

**Art. 43. *Actividades de instrucción para la aplicación de los coeficientes correctores.***

1. Para la aplicación de los coeficientes correctores establecidos en el artículo 14 de este Reglamento, se requerirá al interesado o interesados que ostenten la condición de beneficiarios, para que, en el plazo de quince días, acrediten, conforme se dispone en los apartados siguientes, su situación económica y el número de personas dependientes económicamente.

2. La situación económica del interesado o interesados se acreditará, cuando no conste en el expediente, mediante la presentación de la siguiente documentación:

a) Declaración de las rentas o ingresos de cualquier naturaleza percibidos durante los doce meses inmediatamente anteriores a la fecha de fallecimiento de la víctima.

b) Copia de la declaración del Impuesto sobre la Renta de las Personas Físicas correspondiente al ejercicio durante el cual se haya producido el fallecimiento de la víctima o, en su defecto, la del ejercicio inmediatamente anterior. Si no se hubiesen efectuado dichas declaraciones, se aportará certificación negativa expedida por la Agencia Estatal de Administración Tributaria.

Sin perjuicio de lo que resulte de la mencionada documentación, el órgano instructor podrá recabar, de conformidad con el artículo 9.4 de la Ley 35/1995, los informes que estime pertinentes para determinar la situación económica del beneficiario.

3. El número de personas que en el momento del fallecimiento de la víctima vinieran dependiendo económicamente de ésta y de los interesados se acreditará documentalmente, cuando no conste ya

en el expediente, conforme se establece a continuación:

a) Si hubiera parientes del fallecido o del interesado, hasta el segundo grado de consanguinidad, mediante las correspondientes certificaciones del Registro Civil que acrediten la relación de parentesco.

b) La prueba de la convivencia con el fallecido o el interesado se efectuará mediante las respectivas certificaciones expedidas por el Ayuntamiento.

c) La prueba de vivir a expensas del fallecido o del interesado se justificará mediante las declaraciones del Impuesto sobre la Renta de las Personas Físicas o certificaciones negativas en su caso.

A la vista de lo que resulte de la documentación aportada por el interesado o interesados, y de las diligencias que se considere oportuno practicar, el órgano instructor determinará el número de personas que a efectos de la aplicación de los coeficientes correctores deben considerarse dependientes del fallecido y de los respectivos interesados.

4. Si los interesados no cumplimentasen lo dispuesto en el apartado 2 de este artículo, se aplicará el coeficiente corrector del 0,70, establecido en el artículo 14, párrafo a), de este Reglamento, para ingresos o rentas.

Asimismo, cuando no se acredite el número de personas dependientes se aplicará el coeficiente del 0,80, previsto en el párrafo b) del citado artículo 14.

## SECCIÓN 3.ª
Terminación del procedimiento

**Art. 44. *Resolución.***

Una vez recibido el informe del Servicio Jurídico del Estado a que se refiere el artículo 30 de este Reglamento, el órgano instructor dictará resolución que se

GERARDO LANDROVE DÍAZ

ajustará a lo establecido en el artículo 33 del mismo, conteniendo además los siguientes pronunciamientos:

1. Cuando en la resolución se deniegue la ayuda al único o a todos los solicitantes, se motivará su decisión con sucinta referencia de hechos y fundamentos de derecho.

2. Cuando se reconozca el derecho a la ayuda al único o a todos los solicitantes, se expresará su cuantía, así como los coeficientes correctores aplicados de acuerdo con el artículo 14 de este Reglamento, especificando, si fueran varios los beneficiarios, la porción que se atribuye a cada uno de ellos, de acuerdo con lo dispuesto en el párrafo b) del artículo 15.1 de este Reglamento.

Si existiendo varios solicitantes, alguno o algunos de ellos no reuniesen los requisitos establecidos en el artículo 2.3 de la Ley para tener la condición de beneficiario, se harán constar las causas de su exclusión, especificándose respecto de los que resulten beneficiarios lo dispuesto en el párrafo anterior.

3. En los supuestos de reducción de la ayuda regulados en el artículo 7.2 de este Reglamento, la resolución, además de lo establecido en el apartado 2 de este artículo, deberá puntualizar las circunstancias declaradas por sentencia que determinen la exclusión del beneficiario, así como que la porción de la ayuda que le hubiera correspondido no acrecerá a los demás.

CAPÍTULO IV
*Procedimiento para el
reconocimiento de la ayuda
definitiva por gastos funerarios*

**Art. 45. *Iniciación.***

1. El procedimiento para el reconocimiento de la ayuda por gastos funerarios se iniciará mediante solicitud de los padres o tutores del menor o mayor incapacitado o de los representantes de aquéllos, que se formulará conforme a lo establecido en el artículo 70.1 de la Ley 30/1992, de 26 de noviembre, con los datos y documentos que se establecen en el artículo 9.2, párrafos a), b), c), d) y e), de la Ley 35/1995.

De acuerdo con lo establecido en el párrafo a) del artículo 9.2 de la Ley, deberá aportarse el certificado de defunción del menor o incapaz y, a efectos de acreditar la condición de beneficiario, la certificación de la inscripción del nacimiento del menor o incapaz cuando la solicitud se formule por los padres, o documento público acreditativo de la tutela, si la petición se formulase por el tutor. Además, cuando el fallecido fuera mayor incapacitado, deberá aportarse el documento judicial declaratorio de la incapacidad o, en su caso, certificación acreditativa del grado de minusvalía, de conformidad con lo establecido en el artículo 6.2 del Reglamento.

Asimismo, junto con la solicitud deberán acompañarse, preceptivamente, los siguientes documentos:

a) Los que procedan de los mencionados en los párrafos a), b), c) y d) del artículo 36.2 de este Reglamento, referidos a los padres o tutores.

b) Los justificantes de los gastos funerarios relativos a los servicios de velatorio, transporte e incineración o enterramiento.

2. Si faltasen cualesquiera de los datos o documentos citados en los apartados anteriores, se requerirá al interesado, conforme al artículo 71 de la Ley 30/1992, de 26 de noviembre, para que subsane su omisión.

**Art. 46. *Resolución*.**

Una vez recibido el informe del Servicio Jurídico del Estado a que se refiere el artículo 30 de este Reglamento, el órgano instructor dictará resolución que se ajustará a lo establecido en el artículo 33 del mismo, conteniendo además los siguientes pronunciamientos:

1. Cuando en la resolución se deniegue la ayuda se motivará su decisión con sucinta referencia de hechos y fundamentos de derecho.

2. Cuando se reconozca el derecho a la ayuda se señalará su importe, especificando los conceptos resarcibles, conforme al artículo 16 de este Reglamento.

CAPÍTULO V

*Procedimiento para el reconocimiento de la ayuda definitiva por gastos de tratamiento terapéutico en los delitos contra la libertad sexual*

**Art. 47. *Iniciación*.**

1. El procedimiento para el reconocimiento de la ayuda por gastos de tratamiento terapéutico en los delitos contra la libertad sexual se iniciará mediante solicitud de la víctima o de su representante, que se formulará conforme a lo establecido en el artículo 70.1 de la Ley 30/1992, de 26 de noviembre, conteniendo los datos y documentos que se establecen en el artículo 9.2, párrafos b), c), d) y e), de la Ley 35/1995.

Asimismo, junto con la solicitud deberán acompañarse preceptivamente los siguientes documentos:

a) Los que procedan de entre los mencionados en los párrafos a), b), c) y d) del artículo 36.2 de este Reglamento.

b) Declaración de la víctima sobre si se ha iniciado o no el tratamiento terapéutico y, en su caso, presentación de los justificantes correspondientes a los gastos efectuados. Si no se hubiese concluido el tratamiento, se hará constar dicha circunstancia.

2. Si faltasen cualesquiera de los datos o documentos citados en el apartado anterior, se requerirá a la víctima conforme al artículo 71 de la Ley 30/1992, de 26 de noviembre, para que subsane su omisión.

**Art. 48. *Actividades de instrucción para determinar la existencia de daños en la salud mental*.**

1. Para determinar la existencia de daños en la salud mental de la víctima susceptibles de tratamiento terapéutico, el órgano instructor recabará informe pericial preceptivo del médico forense que haya intervenido en las actuaciones judiciales, salvo en los supuestos en que el interesado lo aporte junto con su solicitud.

Si el tratamiento terapéutico estuviera en curso o hubiese concluido, el mencionado informe deberá determinar la existencia de dichos daños en el momento de iniciación del tratamiento.

2. Conforme al artículo 83.3 de la Ley 30/1992, de 26 de noviembre, se podrá interrumpir el plazo de los trámites sucesivos del procedimiento desde que se solicite el citado informe del médico forense.

**Art. 49. *Resolución*.**

Una vez recibido el informe del Servicio Jurídico del Estado a que se refiere el artículo 30 de este Reglamento, el órgano instructor dictará resolución que se ajustará a lo establecido en el artículo 33 del mismo, conteniendo además los siguientes pronunciamientos:

Cuando en la resolución se deniegue la ayuda se motivará su decisión con sucinta referencia de hechos y fundamentos de derecho.

Si en la resolución se reconociese la ayuda se señalará su importe y la forma de pago que proceda, conforme a lo establecido en el artículo 18 de este Reglamento.

## CAPÍTULO VI
*Procedimiento para el reconocimiento de ayudas provisionales por incapacidad temporal y lesiones invalidantes*

### SECCIÓN 1.ª
Iniciación del procedimiento

**Art. 50. *Iniciación.***

1. El procedimiento para el reconocimiento de las ayudas provisionales por incapacidad temporal y lesiones invalidantes iniciará mediante solicitud del interesado o su representante, que se formulará conforme a lo establecido en el artículo 70.1 de la Ley 30/1992, de 26 de noviembre, y con los siguientes datos y documentos:

a) Descripción de las circunstancias en que se hubiera cometido el hecho que presente caracteres de delito doloso violento o contra la libertad sexual, con indicación de la fecha y el lugar de su comisión.

b) Acreditación de que los hechos fueron denunciados ante la autoridad competente o de que se sigue de oficio proceso penal por los mismos.

c) Declaración sobre las indemnizaciones y ayudas percibidas por el interesado, de las solicitudes que se encontraran en tramitación o de los medios de que dispone para obtener cualquier tipo de indemnización o ayuda por dichos hechos.

d) Solicitud del informe a que se refiere el artículo 10.3, párrafo c), de la Ley, mediante impreso en el que se pida al Ministerio Fiscal la emisión del mismo, que será cursado por el órgano instructor.

e) Los documentos que procedan de entre los mencionados en el artículo 36.2, de este Reglamento.

f) Declaración de las rentas o ingresos de cualquier naturaleza percibidos por el interesado durante el año inmediatamente anterior a la fecha de la solicitud, así como copia de la declaración del Impuesto sobre la Renta de las Personas Físicas correspondiente al último ejercicio o, si no se hubiese efectuado dicha declaración, certificación negativa expedida por la Agencia Estatal de la Administración Tributaria.

2. Si faltasen cualesquiera de los datos o documentos citados en el apartado anterior, se requerirá al interesado conforme al artículo 71 de la Ley 30/1992, de 26 de noviembre, para que subsane su omisión.

### SECCIÓN 2.ª
Fase de instrucción

**Art. 51. *Actividades de instrucción para determinar la existencia de indicios razonables de delito.***

El órgano instructor recabará del Ministerio Fiscal el informe preceptivo a que se refiere el artículo 50.1, párrafo d), de este Reglamento, a efectos de que quede acreditada la existencia de indicios razonables para suponer que las lesiones o los daños en la salud se han producido por un hecho con caracteres de delito violento y doloso.

**Art. 52. *Actividades de instrucción para determinar la existencia de incapacidad temporal o de lesiones invalidantes.***

1. En el procedimiento de reconocimiento de la ayuda provisional por incapacidad temporal respecto de las víctimas a que se refiere el artículo 10 de este Reglamento deberán recabarse, con el carácter de preceptivos, los informes periciales emitidos por el médico forense que esté interviniendo en el proceso penal, a efectos de determinar el nexo causal, inicio, duración y extinción de la situación de incapacidad.

2. A efectos de la calificación de las lesiones invalidantes sufridas por la víctima será necesario incorporar al expediente la documentación a que se refiere el artículo 37, apartado 2, de este Reglamento.

No obstante, cuando la calificación de las lesiones deba efectuarse por el Equipo de Valoración y Orientación u órgano correspondiente de las Comunidades Autónomas, únicamente se remitirán al mismo los informes médicos que obraran en el expediente.

**Art. 53. *Interrupción de plazos.***

Conforme establece el artículo 83.3 de la Ley 30/1992, de 26 de noviembre, se podrá interrumpir el plazo de los trámites sucesivos del procedimiento desde que se soliciten los informes del médico forense cuando se trate del reconocimiento de ayuda provisional por incapacidad temporal o, en el supuesto de ayuda provisional por lesiones invalidantes, desde que se recaben del Director provincial del Instituto Nacional de la Seguridad Social o del Equipo de Valoración y Orientación u órgano correspondiente de las Comunidades Autónomas, según proceda, la resolución o el precep-

tivo dictamen de calificación de las lesiones.

Lo mismo se observará respecto del informe del Ministerio Fiscal mencionado en el artículo 51.

**Art. 54. *Actividades de instrucción para la aplicación de los coeficientes correctores en el supuesto de lesiones invalidantes.***

1. Para la aplicación de los coeficientes correctores establecidos en el artículo 13 de este Reglamento, se requerirá al interesado para que en el plazo de quince días acredite, conforme se dispone en los apartados 2 y 3 del artículo 38 de este Reglamento, su situación económica y el número de personas dependientes económicamente.

No obstante, no se requerirá al interesado justificación de su situación económica cuando, a juicio del órgano instructor, la misma resulte acreditada de la documentación aportada con la solicitud de ayuda a que se refiere el artículo 50.1, párrafo f), de este Reglamento.

2. Si el interesado no aportase la documentación pertinente se procederá de acuerdo con lo establecido en el apartado 4 del artículo 38 de este Reglamento.

SECCIÓN 3.ª
Terminación del procedimiento

**Art. 55. *Resolución.***

Una vez evacuado el trámite de audiencia o recibido el informe del Servicio Jurídico del Estado cuando éste se haya solicitado de acuerdo con lo previsto en el artículo 30, segundo párrafo, de este Reglamento, el órgano instructor dictará resolución que se ajustará a lo establecido en los artículos 33 y 39 de este Reglamento.

## CAPÍTULO VII
### Procedimiento para el reconocimiento de ayudas provisionales en supuestos con resultado de muerte

### SECCIÓN 1.ª
Iniciación del procedimiento

**Art. 56. *Iniciación*.**

1. El procedimiento para el reconocimiento de la ayuda provisional por fallecimiento se iniciará mediante solicitud del interesado o su representante, que se formulará conforme a lo establecido en el artículo 70.1 de la Ley 30/1992, de 26 de noviembre, y con los siguientes datos y documentos:

a) Descripción de las circunstancias en que se hubiera cometido el hecho que presente caracteres de delito doloso violento o contra la libertad sexual, con indicación de la fecha y el lugar de su comisión.

b) Acreditación de que los hechos fueron denunciados ante la autoridad competente o de que se sigue de oficio proceso penal por los mismos.

c) Declaración sobre las indemnizaciones y ayudas percibidas por el interesado, de las solicitudes que se encontraran en tramitación o de los medios de que dispone para obtener cualquier tipo de indemnización o ayuda por dichos hechos.

d) Solicitud del informe a que se refiere el artículo 10.3, párrafo c), de la Ley, mediante impreso en el que se pida al Ministerio Fiscal la emisión del mismo, que será cursado por el órgano instructor.

e) Los documentos que procedan de entre los mencionados en los párrafos a), b), c) y d) del artículo 36.2 de este Reglamento, referidos al beneficiario a título de víctima indirecta.

f) A efectos de lo establecido en el artículo 10.3, párrafo b), de la Ley, deberá aportarse el certificado de defunción de la víctima del delito; así como, en función de la vinculación del beneficiario con el fallecido, la documentación que proceda, de acuerdo con el artículo 40.2 de este Reglamento, con la particularidad de que si la solicitud se formulase por el cónyuge del fallecido no separado legalmente o la persona que hubiera venido conviviendo con el mismo, deberá aportarse, además de la documentación a que se refieren los párrafos a) y b), del mencionado artículo 40.2, declaración de las rentas o ingresos de cualquier naturaleza percibidos por el solicitante durante el año inmediatamente anterior a la fecha de la solicitud, así como copia de la declaración del Impuesto sobre la Renta de las Personas Físicas correspondiente al último ejercicio o, si no se hubiese efectuado dicha declaración, certificación negativa expedida por la Agencia Estatal de la Administración Tributaria.

2. Si faltasen cualesquiera de los datos o documentos citados en el apartado anterior, se requerirá al interesado conforme al artículo 71 de la Ley 30/1992, de 26 de noviembre, para que subsane su omisión.

3. Se observará lo establecido en el artículo 42 del presente Reglamento cuando el órgano instructor tuviese conocimiento de la eventual existencia de personas que pudieran tener igual o mejor derecho a la ayuda, así como cuando, una vez iniciado el procedimiento, se formulen solicitudes por personas distintas de las que hubiesen instado el mismo.

## SECCIÓN 2.ª
Fase de instrucción

**Art. 57. *Actividades de instrucción para determinar la existencia de indicios razonables de delito.***

El órgano instructor recabará del Ministerio Fiscal el informe preceptivo a que se refiere el artículo 56.1, párrafo d), de este Reglamento; a efectos de que quede acreditada la existencia de indicios razonables para suponer que el fallecimiento se ha producido por un hecho con caracteres de delito violento y doloso.

Conforme establece el artículo 83.3 de la Ley 30/1992, de 26 de noviembre, se podrá interrumpir el plazo de los trámites sucesivos del procedimiento desde que se solicite el informe del Ministerio Fiscal.

**Art. 58. *Actividades de instrucción para la acreditación de la situación de precariedad y la aplicación de los coeficientes correctores.***

1. La precariedad de la situación económica del beneficiario se determinará mediante la declaración de rentas o ingresos y la copia de la declaración del Impuesto sobre la Renta de las Personas Físicas aportadas junto con la solicitud inicial.

No obstante, dado que la situación de precariedad del beneficiario debe valorarse con referencia a la fecha de la solicitud, si los documentos mencionados en el párrafo anterior fuesen insuficientes para determinar dicha situación, el órgano instructor requerirá al interesado la documentación pertinente.

2. La aplicación de los coeficientes correctores establecidos en el artículo 14

de este Reglamento se efectuará conforme se establece en el artículo 43, apartados 2 y 3, del Reglamento, a cuyo efecto se requerirá al interesado para que en el plazo de quince días aporte los documentos a que se refiere el mencionado artículo 43, si no obrasen en el expediente.

Si el interesado no aportase la documentación pertinente, se procederá de acuerdo con lo establecido en el apartado 4 del artículo 38 de este Reglamento.

## SECCIÓN 3.ª
Terminación del procedimiento

**Art. 59. *Resolución.***

Una vez evacuado el trámite de audiencia o recibido el informe del Servicio Jurídico del Estado cuando éste se haya solicitado de acuerdo con lo previsto en el artículo 30, segundo párrafo, de este Reglamento, el órgano instructor dictará resolución que se ajustará a lo establecido en los artículos 33 y 44, apartados 1 y 2, del mismo.

## CAPÍTULO VIII
*Procedimiento para el reconocimiento de ayudas provisionales por gastos funerarios y gastos de tratamiento terapéutico*

## SECCIÓN 1.ª
Ayuda provisional por gastos funerarios

**Art. 60. *Iniciación.***

1. El procedimiento para el reconocimiento de la ayuda provisional por gastos funerarios se iniciará mediante solicitud de los padres o tutores del menor o mayor incapacitado o de los representantes de aquéllos, que se formulará con-

forme a lo establecido en el artículo 70.1 de la Ley 30/1992, de 26 de noviembre, y con los siguientes datos y documentos:

a) Descripción de las circunstancias en que se hubiera cometido el hecho que presente caracteres de delito doloso violento o contra la libertad sexual, con indicación de la fecha y el lugar de su comisión.

b) Acreditación de que los hechos fueron denunciados ante la autoridad competente o de que se sigue de oficio proceso penal por los mismos.

c) Declaración sobre las indemnizaciones y ayudas percibidas por el interesado, de las solicitudes que se encontraran en tramitación o de los medios de que dispone para obtener cualquier tipo de indemnización o ayuda por dichos hechos.

d) Solicitud de informe a que se refiere el artículo 10.3, párrafo c), de la Ley, mediante impreso en el que se pida al Ministerio Fiscal la emisión del mismo, que será cursado por el órgano instructor.

e) Los documentos que procedan de entre los mencionados en los párrafos a), b), c) y d) del artículo 36.2 de este Reglamento, referidos a los padres o tutores.

f) De acuerdo con lo establecido en el artículo 10.3, párrafo b), de la Ley, el certificado de defunción del menor o incapaz y, a efectos de acreditar la condición de beneficiario, la certificación de la inscripción del nacimiento del menor o incapaz, cuando la solicitud se formule por los padres, o documento público acreditativo de la tutela, si la petición se formulase por el tutor. Además, cuando el fallecido fuera mayor incapacitado, deberá aportarse el documento judicial declaratorio de la incapacidad o, en su caso, certificación acreditativa del grado de minusvalía, de conformidad con lo establecido en el artículo 6.2 del Reglamento

g) Declaración de las rentas o ingresos de cualquier naturaleza percibidos por los padres o tutores durante el año inmediatamente anterior a la fecha de la solicitud, así como copia de la declaración del Impuesto sobre la Renta de las Personas Físicas correspondiente al último ejercicio, o, si no se hubiese efectuado dicha declaración, certificación negativa expedida por la Agencia Estatal de Administración Tributaria.

h) Los justificantes de los gastos funerarios relativos a los servicios de velatorio, transporte e incineración o enterramiento.

2. Si faltasen cualesquiera de los datos o documentos citados en el apartado anterior, se requerirá al interesado, conforme al artículo 71 de la Ley 30/1992, de 26 de noviembre, para que subsane su omisión.

## Art. 61. *Instrucción y resolución.*

1. El órgano instructor recabará del Ministerio Fiscal el informe preceptivo a que se refiere el artículo 60.1, párrafo d), de este Reglamento, a efectos de que quede acreditada la existencia de indicios razonables para suponer que el fallecimiento se ha producido por un hecho con caracteres de delito violento y doloso.

Conforme establece el artículo 83.3 de la Ley 30/1992, de 26 de noviembre, se podrá interrumpir el plazo de los trámites sucesivos del procedimiento desde que se solicite el informe del Ministerio Fiscal.

2. Una vez evacuado el trámite de audiencia o recibido el informe del Servicio Jurídico del Estado cuando éste se haya solicitado de acuerdo con lo previs-

to en el artículo 30, segundo párrafo, de este Reglamento, el órgano instructor dictará resolución que se ajustará a lo establecido en los artículos 33 y 46 del mismo.

## SECCIÓN 2.ª
Ayuda provisional por gastos de tratamiento terapéutico en los delitos contra la libertad sexual

### Art. 62. *Iniciación.*

1. El procedimiento para el reconocimiento de la ayuda provisional por gastos de tratamiento terapéutico en los delitos contra la libertad sexual se iniciará mediante solicitud del interesado o su representante, que se formulará conforme a lo establecido en el artículo 70.1 de la Ley 30/1992, de 26 de noviembre, y con los siguientes datos y documentos:

a) Descripción de las circunstancias en que se hubiera cometido el hecho que presente caracteres de delito contra la libertad sexual, con indicación de la fecha y el lugar de su comisión.

b) Acreditación de que los hechos fueron denunciados ante la autoridad competente o de que se sigue de oficio proceso penal por los mismos.

c) Declaración sobre las indemnizaciones y ayudas percibidas por el interesado, de las solicitudes que se encontraran en tramitación o de los medios de que dispone para obtener cualquier tipo de indemnización o ayuda por dichos hechos.

d) Solicitud de informe a que se refiere el artículo 10.3, párrafo c), de la Ley, mediante impreso en el que se pida al Ministerio Fiscal la emisión del mismo, que será cursado por el órgano instructor.

e) Los documentos que procedan de entre los mencionados en el artículo

36.2, párrafos a), b), c) y d), de este Reglamento.

f) Declaración de la víctima sobre si se ha iniciado o no el tratamiento terapéutico y, en su caso, presentación de los justificantes correspondientes a los gastos efectuados. Si no se hubiese concluido el tratamiento, se hará constar dicha circunstancia.

g) Declaración de las rentas o ingresos de cualquier naturaleza percibidos por el interesado durante el año inmediatamente anterior a la fecha de la solicitud, así como copia de la declaración del Impuesto sobre la Renta de las Personas Físicas correspondiente al último ejercicio o, si no se hubiese efectuado dicha declaración, certificación negativa expedida por la Agencia Estatal de Administración Tributaria.

2. Si faltasen cualesquiera de los datos o documentos citados en el apartado anterior, se requerirá a la víctima conforme al artículo 71 de la Ley 30/1992, de 26 de noviembre, para que subsane su omisión.

### Art. 63. *Instrucción y resolución.*

1. El órgano instructor recabará del Ministerio Fiscal el informe preceptivo a que se refiere el artículo 62.1, párrafo d), de este Reglamento, a efectos de que quede acreditada la existencia de indicios razonables para suponer que los daños en la salud mental de la víctima se han producido por un hecho con caracteres de delito contra la libertad sexual.

2. Para determinar la existencia de daños en la salud mental de la víctima susceptibles de tratamiento terapéutico, el órgano instructor recabará asimismo informe pericial preceptivo del médico forense que esté interviniendo en el proceso penal, salvo en los supuestos en que el interesado lo aporte con su solicitud.

Si el tratamiento terapéutico estuviera en curso o hubiese concluido, el mencionado informe deberá ir referido a la existencia de dichos daños en el momento de iniciación del tratamiento.

3. Conforme establece el artículo 83.3 de la Ley 30/1992, de 26 de noviembre, se podrá interrumpir el plazo de los trámites sucesivos del procedimiento desde que se soliciten los informes del Ministerio Fiscal y del médico forense.

4. Una vez evacuado el trámite de audiencia o recibido el informe del Servicio Jurídico del Estado cuando éste haya solicitado de acuerdo con lo previsto en el artículo 30, párrafo segundo, de este Reglamento, el órgano instructor dictará resolución que se ajustará a lo establecido en los artículos 33 y 49 del mismo.

## CAPÍTULO IX
### Procedimiento para el reconocimiento de ayudas por agravación del resultado lesivo

### Art. 64. Iniciación.

1. En los supuestos en que habiéndose reconocido una ayuda por un determinado grado de incapacidad o minusvalía se produzca bien una situación de mayor gravedad a la que corresponde una cantidad superior, o bien el fallecimiento de la víctima por consecuencia directa de las lesiones o daños, el procedimiento para el reconocimiento de la ayuda por agravación del resultado lesivo se iniciará mediante solicitud del interesado o de su representante, que se formulará conforme a lo establecido en el artículo 70.1 de la Ley 30/1992, de 26 de noviembre, efectuándose la declaración a que se refiere el artículo 9.2,d), de la Ley y aportando los siguientes documentos:

a) Cuando se trate de solicitud de ayuda por agravación de las lesiones y la misma se formule por las personas a que se refiere el artículo 11.1 de este Reglamento, deberá aportarse la resolución del nuevo grado de incapacidad dictada por el Director provincial del Instituto Nacional de la Seguridad Social o, en su caso, declaración del interesado de que se ha iniciado el oportuno procedimiento de revisión.

b) Si la ayuda por agravación se solicitase por haberse producido el fallecimiento de la víctima del delito, deberán aportarse los documentos que procedan de entre los mencionados en los párrafos a), b), c) y d) del artículo 36.2 de este Reglamento, referidos al beneficiario a título de víctima indirecta, así como la documentación a que se refiere el artículo 40.2 de dicho Reglamento.

2. Si faltase cualesquiera de los documentos citados en el apartado anterior, se requerirá al interesado, conforme al artículo 71 de la Ley 30/1992, de 26 de noviembre, para que subsane su omisión.

### Art. 65. Actividades de instrucción para determinar la agravación del resultado lesivo.

1. Cuando la ayuda se solicite por agravación de las lesiones, el nexo causal entre dicha agravación y el hecho delictivo se determinará de acuerdo con lo previsto en el artículo 25.3 segundo párrafo, de este Reglamento, siendo necesario incorporar al expediente la siguiente documentación:

a) Si se tratase del personal a que se refiere el artículo 11.1 de este Reglamento, la calificación de la agravación de las lesiones vendrá determinada por la resolución dictada por el Director provincial del Instituto Nacional de la Seguridad

Social. Si ésta no se hubiese aportado por el interesado por no haber recaído al tiempo de formular la solicitud de ayuda, se recabará del referido organismo.

No impedirá la continuación del procedimiento y el reconocimiento de la ayuda que la resolución remitida por el Instituto Nacional de la Seguridad Social no haya ganado firmeza.

b) Cuando por tratarse del personal comprendido en el artículo 11.2 de este Reglamento la revisión de las lesiones debiera efectuarse por el Equipo de Valoración y Orientación u órgano correspondiente de las Comunidades Autónomas se requerirá al mismo para que proceda al reconocimiento de la víctima.

El Equipo de Valoración y Orientación u órgano correspondiente de las Comunidades Autónomas, emitirá un dictamen pericial razonado, de carácter preceptivo, en el que consten la agravación de las lesiones o daños en la salud física o mental que se aprecien a la víctima y el nuevo grado de minusvalía que, de acuerdo con el artículo 12 de este Reglamento, los mismos lleven aparejado.

2. Cuando la ayuda se solicite por haberse producido el fallecimiento de la víctima del delito, el nexo causal entre las lesiones o daños en la salud producidos por el hecho delictivo y el fallecimiento se determinará de acuerdo con lo establecido en el artículo 25.3 de este Reglamento y, si fuera preciso, se recabará informe pericial del médico forense que corresponda.

3. Conforme se establece en el artículo 83.3 de la Ley 30/1992, de 26 de noviembre, se podrá interrumpir el plazo de los trámites sucesivos del procedimiento desde que se recabe por el órgano instructor la documentación a que se refieren los apartados anteriores del presente artículo.

**Art. 66.** *Actividades de instrucción para la aplicación de los coeficientes correctores.*

1. En el supuesto de agravación de lesiones, para la aplicación de los coeficientes correctores establecidos en el artículo 13 de este Reglamento, se procederá conforme se establece en el artículo 38 del mismo. No obstante, a efectos de la determinación del número de personas dependientes económicamente del interesado, bastará con la mera declaración del mismo, excepto cuando existan nuevas personas dependientes que no figuren en el expediente previo de reconocimiento de ayuda, en cuyo caso se aportará la documentación relativa a las mismas a que se refiere el mencionado artículo 38.3.

2. En el supuesto de fallecimiento, para la aplicación de los coeficientes correctores establecidos en el artículo 14 de este Reglamento se efectuarán las actividades de instrucción previstas en el artículo 43 del mismo.

**Art. 67.** *Resolución.*

La resolución que ponga fin al procedimiento se ajustará a lo establecido en el artículo 33 de este Reglamento, conteniendo los siguientes pronunciamientos:

a) Cuando se trate de agravación de lesiones y la resolución fuera desestimatoria, se motivará la decisión con sucinta referencia de hechos y fundamentos de derecho.

Si se reconociera el derecho a una ayuda de mayor cuantía por agravación de las lesiones invalidantes, se recogerán de forma sucinta las lesiones o daños en la salud apreciados al interesado, el nuevo grado de incapacidad o minusvalía, según proceda, que lleven aparejado los mismos, así como el importe de la ayuda a percibir una vez aplicados los coeficientes correctores que correspondan y efectuada la deducción de la ayuda ya percibida por el interesado.

b) En los supuestos de agravación con resultado de muerte, la resolución se dictará conforme a lo establecido en el artículo 44 de este Reglamento, efectuándose sobre el importe de la ayuda determinada por aplicación de los coeficientes correctores la deducción de la cantidad percibida por el fallecido en concepto de ayuda por lesiones invalidantes.

## TÍTULO III
**Procedimiento para el ejercicio de las acciones de subrogación y de repetición**

### Art. 68. Subrogación del Estado y acción de repetición contra el responsable civil.

1. Cuando el Estado se subrogue en los derechos que asistan a la víctima o a los beneficiarios contra el obligado civilmente por el hecho delictivo, de conformidad con lo previsto en el artículo 13 de la Ley, procederá la repetición contra éste hasta el importe total de la ayuda provisional o definitiva satisfecha.

2. El ejercicio de la acción prevista en el apartado anterior se efectuará mediante la personación del Estado en el proceso penal o civil que se siga, sin perjuicio de la acción civil que ejercite el Ministerio Fiscal.

Cuando no se produzca la repetición al Estado en el proceso penal o civil o en sus fases de ejecución, el importe de la ayuda satisfecha se exigirá a la persona civilmente responsable por el hecho delictivo mediante el procedimiento administrativo de apremio previsto en el Reglamento General de Recaudación,

conforme a lo previsto en el artículo 71 del presente Reglamento. En este caso, la acción del Estado se sustentará en la resolución judicial firme que señale la persona o personas civilmente responsables por el hecho delictivo y el documento acreditativo del abono de las cantidades correspondientes a la ayuda pública.

### Art. 69. Acción de repetición contra los beneficiarios de las ayudas.

De acuerdo con lo establecido en el artículo 14 de la Ley, el Estado podrá exigir el reembolso total o parcial de las cantidades abonadas en concepto de ayuda provisional o definitiva al beneficiario de las mismas si se produce alguno de los siguientes supuestos:

a) Declaración por resolución judicial firme de la inexistencia del delito a que se refiere la Ley. En este caso, procederá el reintegro total de la ayuda satisfecha.

b) Pago por el responsable civil del hecho delictivo de la indemnización por daños y perjuicios fijada en la sentencia, dentro de los tres años siguientes al abono de la ayuda pública.

Si el beneficiario de la ayuda hubiera percibido del responsable civil parte de la indemnización, la cantidad a reembolsar será la que, una vez sumadas las cuantías efectivamente percibidas por tal concepto y por ayuda pública, exceda de la cantidad fijada en la sentencia.

Si se hubiera percibido la totalidad de la indemnización fijada en la sentencia, la cantidad a reembolsar será la que haya sido abonada en concepto de ayuda.

c) Percepción de las indemnizaciones o ayudas económicas a que el beneficiario tuviera derecho a través de un seguro privado, dentro de los tres años siguientes al abono de la ayuda pública.

Si la cantidad pagada por la entidad aseguradora fuera inferior a la indemnización fijada en la sentencia, el reintegro se exigirá por el importe que exceda de dicha indemnización, una vez sumadas la cantidad percibida por el seguro y la abonada en concepto de ayuda pública.

Si a través del seguro privado se percibiese una cantidad igual o superior a la indemnización fijada en la sentencia, se reembolsará el importe total abonado en concepto de ayuda pública.

Cuando no exista pronunciamiento judicial sobre indemnización de daños y perjuicios causados por el delito y en los tres años siguientes al abono de la ayuda, el beneficiario percibiese una indemnización por el mismo concepto a través de un seguro privado, de inferior cuantía a la ayuda pública, procederá el reembolso por la cantidad satisfecha por aquél. Si la cantidad pagada por la entidad aseguradora fuese igual o superior a la abonada en concepto de ayuda pública, procederá el reembolso de ésta en su totalidad.

d) En los casos de incapacidad temporal, producida por consecuencia del delito, la percepción del subsidio que pudiera corresponder al beneficiario por tal situación en un régimen público de Seguridad Social dentro de los tres años siguientes al abono de la ayuda pública. En tal caso, procederá el reembolso por el importe total de la ayuda abonada.

e) Cuando la ayuda se obtuviera mediante la aportación de datos falsos o deliberadamente incompletos o a través de cualquier otra forma fraudulenta o por la omisión deliberada de circunstancias que hubieran determinado su denegación o reducción. En dichos supuestos procederá el reembolso del importe total de la ayuda satisfecha.

f) Reconocimiento por sentencia de una indemnización inferior a la concedi-da en concepto de ayuda provisional. En tal caso procederá el reembolso por la cantidad en que la ayuda abonada exceda a la indemnización fijada en la sentencia.

**Art. 70. *Títulos necesarios para el ejercicio de la acción de repetición contra el perceptor de la ayuda.***

Para el ejercicio de la acción a que se refiere el artículo anterior serán necesarios, además del documento acreditativo del abono de las cantidades satisfechas en concepto de ayuda pública, los siguientes títulos:

a) En los supuestos contemplados en el párrafo a), la resolución judicial firme que declare la inexistencia del delito.

b) En los casos previstos en los párrafos b), c) y d), el documento público o privado que acredite que el beneficiario de la ayuda ha percibido, dentro del plazo establecido, la indemnización por daños y perjuicios fijada en la sentencia, las indemnizaciones o ayudas económicas del seguro privado, o el subsidio por incapacidad temporal.

c) En los supuestos contemplados en el párrafo e), la resolución administrativa dictada como consecuencia del correspondiente procedimiento de revisión de oficio, por la que se declare nulo o se anule el acto de concesión de la ayuda por concurrir las circunstancias a que se refiere el citado apartado o, en su caso, mediante la correspondiente resolución del Tribunal Contencioso-Administrativo.

Si se siguieran actuaciones penales ante la posible existencia de delito, el procedimiento de revisión de oficio quedará en suspenso a resultas de lo que se declare en el proceso penal. Si en dicho proceso se exigiera el reembolso de la ayuda no procederá su ejercicio en vía administrativa.

d) En los supuestos del párrafo f), la sentencia que determine la cuantía de la indemnización.

### Art. 71. *Procedimiento para el ejercicio de las acciones de repetición.*

1. Las cantidades que, conforme a lo previsto en los artículos 68 y 69 de este Reglamento, tengan que reembolsarse al Estado tendrán la consideración de recursos de derecho público.

El procedimiento para exigir el reintegro de dichas cantidades se regirá por lo dispuesto en el Reglamento General de Recaudación, aprobado por el Real Decreto 1684/1990, de 20 de diciembre, modificado por el Real Decreto 448/1995, de 24 de marzo, así como por la normativa específica para reclamar la devolución de las prestaciones de Clases Pasivas indebidamente percibidas.

2. No obstante lo anterior, y con carácter previo a la iniciación del expediente de reintegro que corresponda, la Dirección General de Costes de Personal y Pensiones Públicas informará al sujeto obligado de los hechos, motivos y título en que se fundamenta la acción de repetición, así como la cuantía a la que asciende la deuda, concediéndole el plazo de un mes para que realice el reintegro de forma voluntaria.

En el supuesto de que la persona obligada acreditase el pago en el plazo concedido, la Dirección General de Costes de Personal y Pensiones Públicas dará por concluido el procedimiento, decretará el archivo de las actuaciones y se lo comunicará al interesado. En caso contrario, se comunicará tal circunstancia a la Delegación Provincial de Economía y Hacienda para que inicie el procedimiento de recaudación en período voluntario, acompañándose, junto con toda

la documentación y los datos necesarios según la normativa vigente en la materia, copia del título en que se fundamente la acción del Estado.

Si se acreditase el pago una vez efectuada la remisión de las actuaciones a la Delegación Provincial de Economía y Hacienda para la iniciación del expediente de reintegro, se comunicará dicha circunstancia a este órgano a fin de que, en su caso, proceda al archivo de lo actuado, dando por concluido dicho procedimiento.

## TÍTULO IV
## Organización, funcionamiento y procedimiento de la Comisión Nacional de ayuda y Asistencia a las Víctimas de Delitos violentos y contra la Libertad Sexual

### CAPÍTULO I
*Organización*

### Art. 72. *Naturaleza y competencia.*

1. La Comisión Nacional de Ayuda y Asistencia a las Víctimas de Delitos Violentos y contra la Libertad Sexual es un órgano administrativo colegiado, creado por la Ley 35/1995, de 11 de diciembre, con competencia exclusiva en todo el territorio nacional para el conocimiento y la resolución de las impugnaciones que se formulen contra las resoluciones dictadas por la Dirección General de Costes de Personal y Pensiones Públicas del Ministerio de Economía y Hacienda en materia de ayudas a las víctimas de los delitos que se contemplan en dicha Ley.

2. Las resoluciones que dicte la Comisión Nacional de Ayuda y Asistencia a las Víctimas de Delitos Violentos y contra la Libertad Sexual agotarán la vía adminis-

trativa, por lo que únicamente podrán ser objeto del recurso contencioso-administrativo, de conformidad con lo establecido en la Ley reguladora de la Jurisdicción Contencioso-Administrativa, sin perjuicio, en su caso, del recurso extraordinario de revisión.

### Art. 73. *Integración en la Administración General del Estado y autonomía funcional.*

La Comisión Nacional de Ayuda y Asistencia a las Víctimas de Delitos Violentos y contra la Libertad Sexual se integra en la Administración General del Estado, a través del Ministerio de Justicia y ejercerá sus funciones con plena autonomía y sin sometimiento a instrucciones jerárquicas.

### Art. 74. *Composición.*

1. La Comisión Nacional de Ayuda y Asistencia a Víctimas de Delitos Violentos y contra la Libertad Sexual estará constituida por un Presidente, once Vocales y un Secretario general.

2. El Presidente será un Magistrado del Tribunal Supremo, nombrado por el Ministro de Justicia a propuesta del Consejo General del Poder Judicial.

3. Uno de los Vocales será un representante del Ministerio Fiscal y sustituirá al Presidente en los casos de vacante, ausencia o enfermedad. Su nombramiento se hará por el Ministro de Justicia de entre los Fiscales del Tribunal Supremo y a propuesta del Fiscal general del Estado.

4 Los restantes Vocales de la Comisión Nacional serán: dos representantes del Ministerio de Justicia, dos del Ministerio de Economía y Hacienda, dos del Ministerio del Interior, uno del Ministerio de Trabajo y Asuntos Sociales, todos ellos con nivel de Subdirector general y designados por el titular del respectivo Departamento, y tres representantes de organizaciones vinculadas a la asistencia y defensa de las víctimas de delitos violentos, designados por el Ministro de Justicia a propuesta de las propias organizaciones.

Simultáneamente a la designación de los titulares de estas Vocalías se hará la de los que actuarán como suplentes de aquéllos.

5. El Presidente y los Vocales tendrán derecho a percibir, por la asistencia a las sesiones de la Comisión Nacional, las dietas e indemnizaciones reglamentariamente establecidas. A estos efectos el representante del Ministerio Fiscal estará equiparado al Presidente de la Comisión.

6. El Secretario general de la Comisión Nacional será designado por el Ministro de Justicia de entre los funcionarios adscritos al Departamento pertenecientes a Cuerpos y Escalas de la Administración General del Estado clasificados en el grupo A y habrá de ser licenciado en Derecho.

La Secretaría General de la Comisión Nacional estará adscrita a la Secretaría General Técnica del Ministerio de Justicia y figurará en la relación de puestos de trabajo del Departamento.

### CAPÍTULO II
*Funcionamiento*

### Art. 75. *Modalidades.*

1. La Comisión Nacional de Ayuda y Asistencia a las Víctimas de Delitos Violentos y contra la Libertad Sexual funcionará en Pleno y en Comisiones o Ponencias técnicas.

2. Para el estudio de aspectos concretos, dentro de las competencias de la Comisión Nacional podrán constituirse, por acuerdo del Pleno, Comisiones o

Ponencias técnicas. Su composición y régimen de funcionamiento serán, asimismo, determinados por el Pleno de la Comisión Nacional.

### Art. 76. *Composición y funcionamiento del Pleno.*

1. El Pleno de la Comisión Nacional de Ayuda y Asistencia a las Víctimas de Delitos Violentos y contra la Libertad Sexual, estará integrado por el Presidente y los once Vocales y será asistido por el Secretario general, con voz pero sin voto.

2. El Pleno de la Comisión Nacional establecerá su propio régimen de convocatorias y el carácter y periodicidad de sus sesiones. No obstante, para la válida constitución del órgano, a efectos de la celebración de sesiones y adopción de acuerdos, se requerirá la presencia del Presidente y Secretario o, en su caso, de quienes les sustituyan y la de la mitad, al menos, de los Vocales.

3. Las resoluciones y acuerdos se adoptarán por mayoría de votos, decidiendo, en caso de empate, el voto del Presidente.

4. Ninguno de los miembros podrá abstenerse de votar y el que disienta de la mayoría podrá hacer constar su voto particular, dentro de los dos días siguientes al de la votación, que se unirá al expediente en sobre cerrado a efectos de que pueda ser conocido por el órgano competente para resolver los recursos ulteriores que se interpongan, pero que, en ningún caso, será mencionado en la resolución que se adopte ni en su notificación.

### Art. 77. *La Secretaría General.*

1. Para garantizar la regularidad y eficacia de las funciones propias de la Comisión Nacional de Ayuda y Asisten-

cia a las Víctimas de Delitos Violentos y contra la Libertad Sexual, a la Secretaría General de la Comisión Nacional se adscribirán las unidades o servicios que procedan en función de las necesidades de gestión.

2. Corresponderá a la Secretaría General impulsar la instrucción de los expedientes y vigilar y controlar el cumplimiento de los acuerdos y resoluciones de la Comisión Nacional recaídas en los procedimientos impugnatorios.

3. En sus funciones de asistencia al Pleno de la Comisión Nacional corresponderán a la Secretaría General, entre otros, los siguientes cometidos:

a) La recepción de las impugnaciones y recursos.

b) Recabar los expedientes iniciales e instruir los procedimientos impugnatorios.

c) Redactar y cursar las comunicaciones y órdenes del Presidente y del Pleno de la Comisión Nacional.

d) Notificar las resoluciones y acuerdos.

e) Practicar las citaciones, órdenes del día, etc. para la celebración de las sesiones del Pleno de la Comisión Nacional.

f) Elaboración de las actas.

g) Elaboración de datos, dossieres y estadísticas de los procedimientos impugnatorios.

h) El archivo y custodia de los expedientes de impugnación.

4. Para la realización de los trabajos relacionados en los apartados anteriores se podrán adscribir a la Secretaría General los funcionarios que se estimen necesarios en función del número de procedimientos impugnatorios. El Secretario general será el Jefe inmediato del personal asignado a este órgano.

## CAPÍTULO III
*Abstención y recusación*

### Art. 78. Abstención.

1. Los miembros de la Comisión Nacional de Ayuda y Asistencia a las Víctimas de Delitos Violentos y contra la Libertad Sexual, así como los funcionarios que intervengan en la tramitación de los procedimientos sometidos a su competencia, en quienes se dé alguna de las circunstancias señaladas en el apartado 2 del artículo 28 de la Ley 30/1992, de 26 de noviembre, de Régimen Jurídico de las Administraciones Públicas y del Procedimiento Administrativo Común, se abstendrán de intervenir en el procedimiento y lo comunicarán a la autoridad competente conforme a lo previsto en el artículo 80 del presente Reglamento, a fin de que resuelva lo pertinente.

2. La actuación de las personas en las que concurran motivos de abstención no implicará necesariamente la invalidez de los actos en que hayan intervenido.

3. La no abstención en los casos en que proceda dará lugar a responsabilidad.

### Art. 79. Recusación.

1. En los supuestos previstos en el apartado 1 del artículo anterior podrá promoverse recusación en cualquier momento de la tramitación del procedimiento.

2. La recusación se sustanciará por el procedimiento establecido en el artículo 29 de la Ley 30/1992, de 26 de noviembre.

### Art. 80. Competencia para la adopción de los acuerdos y resoluciones.

Adoptaran los acuerdos que sean pertinentes sobre abstención y, en su caso, sustitución y tramitarán y resolverán las recusaciones que se promuevan:

a) Respecto de los funcionarios adscritos a la Secretaría General, el Secretario general.

b) Respecto del Secretario general y de los Vocales, el Presidente de la Comisión Nacional.

c) Respecto del Presidente, el órgano colegiado constituido en Pleno y ocupando la Presidencia el Vocal representante del Ministerio Fiscal.

## CAPÍTULO IV
*Procedimiento impugnatorio*

### Art. 81. Iniciación.

1. Contra las resoluciones dictadas por el Ministerio de Economía y Hacienda en materia de las ayudas reguladas por la Ley, podrán los interesados interponer escrito de impugnación, en el plazo de un mes desde la recepción de su notificación, ante la Comisión Nacional de Ayuda y Asistencia a las Víctimas de Delitos Violentos y contra la Libertad Sexual.

2. El escrito de impugnación, que podrá fundarse en cualquiera de los motivos de nulidad o anulabilidad previstos en los artículos 62 y 63 de la Ley 30/1992, de 26 de noviembre, deberá expresar:

a) El nombre y apellidos del interesado o interesados y el medio y lugar a efectos de notificaciones.

b) La resolución que se impugna y la razón de su impugnación.

c) El lugar y la fecha de la impugnación y la firma o identificación personal del interesado o interesados.

d) El órgano al que se dirige.

3. El escrito de impugnación podrá dirigirse, indistintamente, a la Dirección General de Costes de Personal y Pensiones Públicas del Ministerio de Economía y

Hacienda o a la Comisión Nacional de Ayuda y Asistencia a las Víctimas de Delitos Violentos y contra la Libertad Sexual.

### Art. 82. *Remisión de la copia expediente.*

1. Si el escrito de impugnación se dirigiese a la Dirección General de Costes de Personal y Pensiones Públicas del Ministerio de Economía y Hacienda, la unidad administrativa competente lo remitirá, junto con su informe y una copia completa y ordenada del expediente inicial, a la Secretaría General de la Comisión Nacional de Ayuda y Asistencia a las Víctimas de Delitos Violentos y contra la Libertad Sexual, en el plazo de diez días.

2. Si el escrito de impugnación se dirigiese a la Comisión Nacional, el Secretario general reclamará, en el día siguiente al de la recepción, la copia del expediente y el informe de la citada Dirección general, que habrá de remitirlo en el plazo señalado en el apartado anterior.

### Art. 83. *Trámite de alegaciones.*

1. Una vez recibido en la Secretaría General el expediente e informe de la Dirección General de Costes de Personal y Pensiones Públicas, se pondrá de manifiesto al interesado o interesados por un plazo de diez días, en el cual podrán formular escrito de alegaciones con aportación o, en su caso, proposición de las pruebas que estimen oportunas.

2. El escrito de alegaciones expresará concisamente los antecedentes de hecho y los motivos en que se funda la impugnación, así como la petición o peticiones que deduzca el interesado o interesados.

3. Junto al escrito de alegaciones se presentarán cuantos documentos públicos y privados y dictámenes periciales los interesados juzguen convenientes para la defensa de sus derechos e intereses.

Si los documentos no estuvieran en su poder, los interesados podrán indicar el archivo, oficina, protocolo o persona que los posea y solicitar la intervención de la Comisión Nacional para la obtención de los mismos.

4. También podrán los interesados solicitar en este trámite que se reclamen por la Comisión Nacional los antecedentes omitidos si apreciasen que el expediente está incompleto por no contener todas las actuaciones practicadas en la instancia inicial.

Esta solicitud se formulará en el mismo escrito de alegaciones y se ponderará por el Secretario general de la Comisión Nacional la procedencia o improcedencia de su estimación.

De reconocerse que el expediente está incompleto, el Secretario general interesará de la Dirección General de Costes de Personal y Pensiones Públicas el envío inmediato de las actuaciones que falten, obtenidas las cuales volverá a poner de manifiesto el expediente a los interesados por un nuevo plazo de diez días.

### Art. 84. *Prueba.*

1. Finalizado el trámite de alegaciones, el Secretario general resolverá lo procedente sobre la práctica de las pruebas propuestas o de las que, en su caso, el mismo acuerde de oficio.

2. El plazo para la práctica de las pruebas no excederá de veinte días.

Por el Secretario general se notificará a los interesados con antelación suficiente el lugar, fecha y hora en que se practicarán las pruebas con la advertencia, en su caso, de que pueden nombrar técnicos para que asistan al acto en que las mismas se realicen.

3. En los casos en que, a petición del interesado, se practiquen pruebas cuya realización implique gastos, la Comisión

Nacional podrá exigir a aquél su anticipo a reserva de la liquidación definitiva, una vez practicada la prueba. Dicha liquidación se realizará mediante la unión de los comprobantes que acrediten la realidad y cuantía de los gastos.

4. Contra los acuerdos denegatorios de la admisión de pruebas propuestas por los interesados podrá recurrirse ante la propia Comisión Nacional dentro del plazo improrrogable de diez días, contados desde el siguiente al de la recepción de la notificación del acuerdo correspondiente. Contra la resolución que recaiga no se dará recurso alguno.

5. Concluida la práctica de las pruebas se pondrá de manifiesto, de nuevo, el expediente a los interesados para que, en un plazo de diez días, aleguen lo que estimen procedente.

## Art. 85. *Elaboración de la propuesta de resolución.*

1. Terminada la instrucción del expediente la Secretaria General elaborará la propuesta de resolución en el plazo de diez días.

2. De la propuesta de resolución se harán las copias necesarias para que por el Secretario general sean distribuidas a cada uno de los miembros de la Comisión Nacional con diez días de antelación, al menos, al señalado para la sesión del Pleno en que se haya de deliberar y resolver sobre la impugnación.

3. Durante dicho plazo permanecerá el expediente concluso en la Secretaría General a disposición de todos los miembros de la Comisión Nacional.

## Art. 86. *Petición de informes.*

1. El Pleno de la Comisión Nacional podrá acordar, antes de adoptar el acuerdo de resolución, que se solicite el informe de cualquier organismo, centro o

institución, que habrán de emitirlo en el plazo de diez días contados desde la fecha en que se reciba la petición.

2. El carácter de estos informes será facultativo y no vinculante y su falta de evacuación en plazo no paralizará, en ningún caso, la tramitación del procedimiento.

## Art. 87. *Resolución.*

1. La resolución de la impugnación, que será motivada con antecedentes de hecho y fundamentos de derecho, expresará el lugar y fecha en que se dicte y los datos identificativos de todos los interesados personados en el procedimiento y estimará, en todo o en parte, o desestimará las pretensiones formuladas por los mismos o declarará la inadmisión de la impugnación.

2. Cuando existiendo vicio de forma no se estime procedente resolver sobre el fondo, se ordenará la retroacción del procedimiento al momento en el que el vicio fue cometido, salvo que se estima oportuno proceder a la convalidación del acto de que se trate mediante la subsanación del vicio de que adolezca.

3. En el fallo o parte dispositiva de la resolución se decidirán cuantas cuestiones, tanto de forma como de fondo, plantee el procedimiento, hayan sido o no alegadas por los interesados, si bien en este último caso habrá de oírseles previamente y sin que en ningún caso, pueda agravarse su situación inicial.

## Art. 88. *Notificación y ejecución.*

1. La resolución se notificará a los interesados en el plazo de diez días contados a partir del siguiente al de la fecha en que se dictó y contendrá el texto íntegro de la misma, con la indicación de que es definitiva en vía administrativa y sólo puede ser objeto de recurso conten-

cioso-administrativo, sin perjuicio, en su caso, del extraordinario de revisión, por los motivos y procedimiento establecido en la Ley 30/1992, de 26 de noviembre.

2. Una copia de la resolución, a la que se unirá el documento acreditativo de su recepción por el interesado, se unirá al expediente para su devolución a la Dirección General de Costes de Personal y Pensiones Públicas que habrá de promover, en su caso, la ejecución.

3. El Secretario general vigilará el cumplimiento de la resolución, adoptando por sí, o proponiendo al Presidente, según proceda, las medidas pertinentes para remover los obstáculos que se opongan a su ejecución.

**Disposición Final Única.** *Régimen supletorio.*

En lo no previsto en el capítulo II del Título IV del presente Reglamento se estará a lo que, particularmente, acuerde el Pleno de la Comisión Nacional de Ayuda y Asistencia a las Víctimas de Delitos Violentos y contra la Libertad Sexual y, en su defecto a las normas que regulan el funcionamiento de los órganos colegiados y las funciones de sus diferentes miembros contenidas en el capítulo II del Título II de la Ley 30/1992, de 26 de noviembre. Asimismo, en lo no previsto en el capítulo IV del Título IV, se estará a las normas generales del Procedimiento Administrativo Común.

# IV. REAL DECRETO 1211/1997, DE 18 DE JULIO, POR EL QUE SE APRUEBA EL REGLAMENTO DE AYUDAS Y RESARCIMIENTOS A LAS VÍCTIMAS DE DELITOS DE TERRORISMO

A pesar de las limitaciones presupuestarias, eje de la Ley de Presupuestos Generales del Estado para 1997, el Gobierno ha pretendido dar una mayor respuesta al sector de la sociedad que de forma más directa viene padeciendo la violencia terrorista. En este contexto, la Ley 13/1996, de 30 de diciembre, de Medidas Fiscales, Administrativas y de Orden Social, representa por sí misma una sustantiva mejora al ampliar el ámbito de protección no sólo para los daños personales y materiales, sino que trasciende a otras circunstancias de carácter socio-asistencial, para las que se prevén ayudas psicológicas, psicopedagógicas, y de subvenciones, de forma tal que supone un notable avance en el campo tuitivo en orden a optimizar en el área socio-asistencial el tratamiento de la problemática que se genera después de un atentado terrorista.

En este marco normativo, el presente Real Decreto deroga el Real Decreto 673/1992, de 19 de junio, que regulaba los resarcimientos por daños a víctimas de bandas armadas y elementos terroristas, y viene a desarrollar el capítulo III del Título II, ayudas a los afectados por delitos de terrorismo, artículos 93 a 96 inclusive, de la precitada Ley, con un doble objetivo: mejorar cuantitativa y cualitativamente este tipo de ayudas, y acercar la Administración a la sociedad, impulsando «la asistencia integral personalizada» a las víctimas de delitos de terrorismo. Consecuentemente con estos dos objetivos, la norma regula y

desarrolla los aspectos que, a modo de resumen, se enumeran a continuación, actualizando y mejorando la anterior, que se deroga: se revalorizan en 10 mensualidades del salario mínimo interprofesional las prestaciones a percibir por todas y cada una de las situaciones que se contemplaban sobre la base de las cuantías que el Ministerio del Interior abonaba por daños personales, bien fueran por fallecimiento, o por las distintas clases de incapacidad, derivadas todas ellas de lesiones invalidantes, se procura ofrecer una interpretación amplia en cuanto al carácter y exigencias acerca de los elementos esenciales de la vivienda habitual, a fin de poder atender en mayor medida al contenido de los daños materiales padecidos con motivo de un atentado terrorista; esta acción se extiende a los establecimientos mercantiles e industriales, con un límite en su cuantía de hasta 15.000.000 de pesetas, al tiempo que se prevén ayudas a los titulares de vehículos que se dediquen al transporte de personas o mercancías o se utilicen con fines laborales o profesionales, situaciones éstas que antes se encontraban fuera del marco legal de resarcimiento y que a partir de 1997 tienen cobertura normativa.

Especial novedad ofrece la regulación de posibles préstamos dirigidos a facilitar la reanudación de las actividades empresariales, cuando éstas hayan sido interrumpidas, como consecuencia de atentado. Igualmente, destacan dentro de la nueva regulación las ayudas al estudio, que se dirigen a paliar las necesidades en este campo de los estudiantes víctimas de delitos terroristas, o de sus familiares, con el fin de facilitar a aquéllos el acceso económico y social al estudio y posteriormente al puesto en la sociedad que podría corresponderles. El Real Decreto regula la asistencia psicológica o psicopedagógica de carácter inmediato, a través de un equipo de especialistas adecuados, y cuya intervención, después de un atentado, resulta necesaria o conveniente, coadyuvando en estos campos a fin de que las personas afectadas o sus familiares puedan volver al entorno social en que desarrollaban sus actividades.

Cerrando el círculo de cobertura normativa, la presente legislación desarrolla una amplia política de subvenciones que, de alguna forma, se canaliza a través de las asociaciones que prioritariamente dirigen sus actividades a las personas afectadas en este sector, en defensa de sus intereses, en un afán de orientar y alcanzar en este tipo de acciones la máxima rentabilidad moral, social, económica y asistencial.

Así pues, el Reglamento es la expresión de una voluntad política que se traduce en auténticos incrementos en la cuantificación de los resarcimientos y ayudas, ampliando y mejorando las anteriores, atendiendo nuevas contingencias no previstas en la anterior, flexibilizando criterios en orden a conseguir mayores beneficios y, en definitiva, tratando de dar la más amplia respuesta a las situaciones de las personas en su doble condición de administrados y afectados, reduciendo en lo posible, las actuaciones administrativas, de tal manera que se consiga una relación permanente, directa y personal entre la Administración y la persona o familiar afectados por la violencia terrorista, en su más amplio sentido.

En su virtud, a propuesta del Ministro del Interior con la aprobación del Ministro de Administraciones Públicas, de acuerdo con el Consejo de Estado y previa deliberación del Consejo de Ministros en su reunión del día 18 de julio de 1997, DISPONGO:

### Artículo único.

Se aprueba el Reglamento de ayudas y resarcimientos a las víctimas de delitos de terrorismo, cuyo texto se inserta a continuación.

### Disposición adicional única.

El apartado 2.n) del artículo 9 del Real Decreto 1885/1996, de 2 de agosto, de estructura orgánica básica del Ministerio del Interior, queda redactado en los siguientes términos:

«La atención a las víctimas del terrorismo, facilitando información relativa a posibilidades y procedimientos para solicitar ayudas públicas y para la obtención, en su caso, del beneficio de justicia gratuita. La tramitación y propuesta de resolución de los expedientes de ayudas y resarcimientos a los afectados por delitos de terrorismo. La colaboración con las oficinas de asistencia a las víctimas de delitos violentos que se establezcan en Tribunales y Fiscalías, así como la relación con las asociaciones de víctimas de terrorismo y sus familiares, y con las unidades de otras administraciones encargadas también de la tramitación de las ayudas públicas.»

### Disposición transitoria única.

Las ayudas y resarcimientos contenidos en el presente Reglamento serán de aplicación a los hechos acaecidos a partir del día 1 de enero de 1997.

Los procedimientos de resarcimiento de daños corporales y materiales causados por actividades delictivas de bandas armadas y elementos terroristas, que se encuentren en tramitación en la fecha de entrada en vigor del presente Real Decreto, siempre que los hechos que los motivan sean anteriores al 1 de enero de 1997, se completarán y resolverán de acuerdo con la normativa anterior.

## Disposición derogatoria única.

Queda derogado el Real Decreto 673/1992, de 19 de junio, por el que se regulan los resarcimientos por daños a víctimas de bandas armadas y elementos terroristas, modificado por el Real Decreto 1879/1994, de 16 de septiembre, por el que se aprueban determinadas normas procedimentales en materia de Justicia e Interior y cualesquiera otras disposiciones de igual o inferior rango que se opongan a lo establecido en el presente Real Decreto.

## Disposición final primera.

Por el Ministerio de Economía y Hacienda se habilitarán los créditos necesarios con cargo a los Presupuestos Generales del Estado para hacer efectivas las previsiones del Reglamento que se aprueba por este Real Decreto.

## Disposición final segunda.

Se habilita a los distintos Departamentos ministeriales, en el ámbito de sus respectivas competencias, a dictar cuantas disposiciones sean necesarias para el desarrollo y ejecución de lo dispuesto en el Reglamento que se aprueba por el presente Real Decreto.

## Disposición final tercera.

El presente Real Decreto entrará en vigor el día siguiente al de su publicación en el «Boletín Oficial del Estado».

# REGLAMENTO DE AYUDAS Y RESARCIMIENTOS A LAS VÍCTIMAS DE DELITOS DE TERRORISMO

## CAPÍTULO I
*Disposiciones generales*

**Art. 1.** *Objeto: concepto y alcance.*

1. Serán resarcibles por el Estado, con el alcance y condiciones previstas en este Reglamento, los daños corporales (físicos y psíquicos), los gastos en razón de tratamiento médico, y los daños materiales causados como consecuencia o con ocasión de delitos de terrorismo cometidos por bandas armadas, elementos terroristas, o por persona o personas que alteren gravemente la paz y seguridad ciudadana, a quienes no fueran responsables de dichas actividades delictivas.

2. Los daños resarcibles serán los siguientes:

a) Daños corporales, tanto físicos como psíquicos, así como los gastos por su tratamiento médico. Estos últimos se abonarán a la persona afectada, sólo en el supuesto de que no tengan cobertura total o parcial por sistema de previsión público o privado.

b) Daños materiales ocasionados en la vivienda habitual de las personas físicas.

c) Los producidos en establecimientos mercantiles e industriales, que se establecen en el presente Reglamento.

d) Los causados en vehículos cuando éstos se dediquen al transporte de personas o mercancías, o constituyan elemento necesario para el ejercicio de una profesión, o actividad mercantil o laboral.

3. Se concederán, asimismo, en la forma prevista en este Reglamento las siguientes ayudas:

a) De estudio, cuando, como consecuencia de un acto terrorista se deriven para el propio estudiante, o para sus padres, tutores o guardadores, daños personales que sean de especial trascendencia, o los inhabiliten para el ejercicio de su profesión habitual.

b) Asistencia psicológica y psicopedagógica, con carácter inmediato, tanto para las víctimas como para los familiares.

c) Subvenciones, a las asociaciones que representan y defienden intereses de las víctimas del terrorismo.

### Art. 2. *Determinación del nexo causal.*

1. Para la determinación del nexo causal entre las actividades delictivas y el resultado lesivo producido, se estará a lo que resulte del expediente administrativo instruido al efecto.

2. Sin embargo, el interesado podrá instar la revisión de la resolución administrativa dictada en el expediente a que se refiere el apartado anterior, cuando exista sentencia penal firme que determine dicho nexo, dentro del plazo de un año, a contar desde la notificación de la sentencia o desde la fecha en que hubiere tenido conocimiento efectivo de ella.

### Art. 3. *Carácter subsidiario.*

Los resarcimientos por daños regulados en el presente Reglamento, a excepción de los corporales, tendrán carácter subsidiario respecto a los establecidos para los mismos supuestos por cualquier otro organismo público o a los derivados de contratos de seguros.

Las restantes ayudas serán incompatibles con las percibidas por el mismo concepto de otras Administraciones públicas.

En estos supuestos, únicamente se resarcirán aquellas cantidades que pudie-

ran resultar de la diferencia entre lo abonado por dichas Administraciones públicas o entidades de seguro y la valoración oficialmente efectuada.

### Art. 4. *Procedimiento y competencia.*

1. Las solicitudes presentadas al amparo de esta normativa serán tramitadas y resueltas por el Ministerio del Interior.

2. Los procedimientos se ajustarán a lo dispuesto en la Ley 30/1992, de 26 de noviembre, de Régimen Jurídico de las Administraciones Públicas y del Procedimiento Administrativo Común, con las especialidades que se establecen en la Ley 13/1996, de 30 de diciembre, de Medidas Fiscales, Administrativas y de Orden Social, y en el presente Real Decreto.

La incoación e instrucción de actuaciones judiciales por razón de los hechos a que se refiere el presente Real Decreto no impedirá la iniciación y tramitación de dichos procedimientos.

3. Los plazos para resolver dichos procedimientos serán:

a) Resarcimientos por muertes: dos meses.

b) Resarcimientos por lesiones y por incapacidad temporal: cuatro meses.

c) Resarcimientos por gastos derivados de tratamientos médicos y ayudas al estudio y de asistencias psicológicas y psicopedagógicas: dos meses.

d) Resarcimientos por daños materiales: seis meses.

e) Subvenciones: el previsto en las correspondientes convocatorias.

Los plazos de resolución de los procedimientos se computarán desde el día de la fecha en que la solicitud haya tenido entrada en cualquiera de los registros del órgano competente.

4. Se podrán entender desestimadas las solicitudes cuando transcurrido el pla-

zo máximo para resolver no haya recaído resolución expresa.

5. La tasación pericial de los daños materiales se efectuará por los servicios competentes del Consorcio de Compensación de Seguros.

6. A los efectos de determinar la concurrencia de otras ayudas o indemnizaciones, se requerirá al interesado para que aporte, si no la hubiere presentado con anterioridad, declaración sobre percepción de indemnizaciones derivadas de contrato de seguro o de ayudas reconocidas por las Administraciones públicas y se interesará igualmente informe de la Comunidad Autónoma y Corporación local correspondientes, así como del Consorcio de Compensación de Seguros.

7. Las resoluciones del Ministerio del Interior podrán ser impugnadas ante la Comisión Nacional de Ayuda y Asistencia a las Víctimas de Delitos Violentos y contra la Libertad Sexual, prevista en el artículo 11 de la Ley 35/1995, de 11 de diciembre, cuyos acuerdos pondrán fin a la vía administrativa.

8. El procedimiento impugnatorio ante la Comisión Nacional de Ayuda y Asistencia a las Víctimas de Delitos Violentos y contra la Libertad Sexual se iniciará mediante escrito de impugnación, que habrá de presentarse en el plazo de un mes desde la notificación de la resolución.

El escrito de impugnación, que podrá fundarse en cualquiera de los motivos de nulidad o anulabilidad previstos en los artículos 62 y 63 de la Ley 30/1992, de 26 de noviembre, deberá expresar:

a) El nombre y apellidos del interesado o interesados y el medio y lugar a efectos de notificaciones.

b) La resolución que se impugna y la razón de su impugnación.

c) El lugar y fecha de la impugnación y la firma o identificación personal del interesado o interesados.

d) El órgano al que se dirige.

El escrito de impugnación podrá dirigirse, indistintamente, al Ministerio del Interior o a la Comisión Nacional de Ayuda y Asistencia a las Víctimas de Delitos Violentos y contra la Libertad Sexual.

Si el escrito de impugnación se dirigiera al Ministerio del Interior, la unidad administrativa competente lo remitirá, junto con su informe y una copia completa y ordenada del expediente inicial, a la Secretaría General de la Comisión Nacional de Ayuda y Asistencia a las Víctimas de Delitos Violentos y contra la Libertad Sexual, en el plazo de diez días.

Si el escrito de impugnación se dirigiese a la Comisión Nacional, el Secretario general reclamará, en el día siguiente al de su recepción, la copia del expediente y el informe de la unidad administrativa competente del Ministerio del Interior, que habrá de remitirlo en el plazo de diez días.

9. El procedimiento impugnatorio se tramitará con arreglo a lo previsto en los artículos 81 al 88 del Reglamento de Ayudas a las Víctimas de Delitos Violentos y contra la Libertad Sexual, aprobado por Real Decreto 738/1997, de 23 de mayo.

10. Transcurridos tres meses desde la formulación de la impugnación sin que se adopte acuerdo por la Comisión Nacional, se podrá entender desestimada aquélla, salvo en el supuesto previsto en el artículo 43.3.b) de la Ley 30/1992, de 26 de noviembre, y quedará expedita la vía del recurso contencioso-administrativo.

## Art. 5. *Plazo de prescripción de la acción.*

1. La acción para reclamar prescribe por el transcurso del plazo de un año,

computado a partir del hecho que la motivó. No obstante, para el resarcimiento de las lesiones, dicho plazo comenzará a correr a partir de la fecha en que la víctima esté totalmente curada de sus lesiones o de la fecha en que se estabilicen los efectos lesivos, según los casos.

2. En los supuestos en que, por consecuencia directa de las lesiones, se produjese el fallecimiento, se abrirá un nuevo plazo de igual duración para solicitar el resarcimiento o, en su caso, la diferencia que procediese entre la cuantía satisfecha por tales lesiones y la que corresponda por el fallecimiento. De igual modo se procederá cuando, como consecuencia directa de las lesiones, se produjese una situación de mayor gravedad a la que corresponda una cantidad superior.

3. El plazo de prescripción quedará interrumpido desde que se inicien actuaciones judiciales por razón de los hechos delictivos a que se refiere el presente Reglamento, volviendo a correr desde que aquéllas terminen.

## CAPÍTULO II
### *Daños corporales*

### Art. 6. *Compatibilidad de resarcimiento.*

Los resarcimientos que procedan por daños corporales serán compatibles con cualesquiera otros a que tuvieran derecho las víctimas o sus causahabientes. Sin embargo, los gastos por razón de tratamiento médico sólo serán resarcidos en la cuantía no cubierta por cualquier sistema de previsión al que la víctima estuviese acogida.

### Art. 7. *Titulares del derecho de resarcimiento.*

Serán titulares del derecho de resarcimiento por daños corporales:

1. En caso de lesiones, la persona o personas que las hubieren padecido; respecto de los gastos médicos por tratamiento, en el caso de que no estén cubiertos total o parcialmente por algún sistema de previsión, los propios lesionados o la persona o entidad que los haya sufragado.

2. En caso de muerte, y siempre con referencia a la fecha de ésta, las personas que reúnan las condiciones que se indican a continuación:

a) El cónyuge de la persona fallecida, si no estuviera separado legalmente, o la persona que hubiera venido conviviendo con ella de forma permanente con análoga relación de afectividad a la del cónyuge, cualquiera que sea su orientación sexual, durante al menos los dos años anteriores al momento del fallecimiento, salvo que hubieran tenido descendencia en común, en cuyo caso bastará la mera convivencia; y los hijos de la persona fallecida, o de la persona conviviente, siempre que dependieran económicamente de ella, con independencia de su filiación y edad, o de su condición de póstumos.

b) En el caso de inexistencia de los anteriores, los padres de la persona fallecida si dependieran económicamente de ella.

c) En defecto de los padres, y siempre que dependieran económicamente de la persona fallecida y por orden sucesivo y excluyente, los nietos de ésta, cualquiera que sea su filiación, los hermanos y los abuelos de la misma.

d) De no existir ninguna de las personas reseñadas en los apartados anteriores, los hijos, cualquiera que fuera su filiación y edad, y los padres, siempre que tanto unos como otros no dependieran económicamente del fallecido.

3. De concurrir dentro de alguno de los supuestos previstos en el apartado

anterior varios beneficiarios, la distribución de la cantidad a que asciende el resarcimiento se efectuará de la siguiente manera:

a) En el caso del párrafo a), dicha cantidad se repartirá por mitades, correspondiendo una al cónyuge o conviviente y la otra a los hijos, distribuyéndose esta última entre ellos por partes iguales.

No obstante, cuando concurran el cónyuge no separado legalmente y la persona que hubiere venido conviviendo con el fallecido, la condición de beneficiario sólo la ostentará dicho cónyuge.

b) En los casos de los párrafos b), c) y d), por partes iguales entre los beneficiarios concurrentes.

4. A los efectos de este artículo, se entenderá que una persona depende económicamente del fallecido cuando en el momento del fallecimiento aquélla viviera total o parcialmente a expensas de éste y no percibiera, en cómputo anual, rentas o ingresos de cualquier naturaleza, superiores al 150 por 100 del salario mínimo interprofesional vigente en dicho momento, también en cómputo anual.

## Art. 8. *Criterios para determinar el importe del resarcimiento.*

El importe del resarcimiento se determinará por aplicación de las siguientes reglas:

1.ª De producirse situación de incapacidad temporal, la cantidad a percibir será la equivalente al duplo del salario mínimo interprofesional diario vigente, durante el tiempo en que el afectado se encuentre en tal situación, con un límite máximo de dieciocho mensualidades.

A estos efectos, se entenderá por incapacidad temporal la producida como consecuencia de una lesión, enfermedad o accidente, que tenga un nexo causal directo o derivado de un acto terrorista, mientras la víctima reciba asistencia sanitaria y esté impedida para el ejercicio de sus actividades habituales.

Criterio idéntico al señalado en el párrafo primero de este apartado, se seguirá para determinar el resarcimiento correspondiente, en caso de incapacidad temporal de personas que no se encuentren prestando servicios profesionales en virtud de relación laboral o administrativa, y queden impedidas para hacer su vida habitual.

En caso de vigencia sucesiva de salarios mínimos interprofesionales durante el tiempo en que el afectado se encuentre en esta situación, dichos salarios se aplicarán según el tiempo de vigencia respectiva.

2.ª De producirse lesiones, mutilaciones o deformaciones de carácter definitivo y no invalidante, las cantidades a percibir serán fijadas con arreglo al baremo resultante de la aplicación de la legislación de la Seguridad Social sobre cuantías de las indemnizaciones de las lesiones, mutilaciones y deformaciones, definitivas y no invalidantes, derivadas de accidente de trabajo o enfermedad profesional.

3.ª De producirse lesiones invalidantes, la cantidad a percibir se referirá al salario mínimo interprofesional vigente en la fecha en que se consoliden los daños corporales y dependerá del grado de incapacitación, con arreglo a la siguiente escala:

a) Incapacidad permanente parcial: cincuenta mensualidades.

b) Incapacidad permanente total: setenta mensualidades.

c) Incapacidad permanente absoluta: cien mensualidades.

d) Gran invalidez: ciento cuarenta mensualidades.

4.ª En los casos de muerte, el resarcimiento será de ciento treinta mensualidades del salario mínimo interprofesional vigente en la fecha en que se produzca aquélla, salvo en los casos de resarcimiento previo por las lesiones, en los que se estará a lo dispuesto en el artículo 5.2, efectuándose la correspondiente deducción.

5.ª A los resarcimientos fijados en las reglas 2.ª, 3.ª y 4.ª de este artículo, se sumarán los que correspondan, en su caso, por incapacidad temporal, con un máximo por este último concepto de dieciocho mensualidades del salario mínimo interprofesional vigente.

6.ª A las cantidades que resulten de la aplicación de las reglas 3.ª y 4.ª anteriores, se añadirá una cantidad fija de veinte mensualidades del salario mínimo interprofesional que corresponda por cada uno de los hijos que dependan económicamente de la víctima.

7.ª Las cantidades que resulten de aplicar las reglas anteriores, podrán incrementarse hasta en un 30 por 100, teniendo en cuenta las circunstancias o situaciones de especial dificultad o necesidad, personales, familiares, económicas y profesionales de la víctima.

## Art. 9. *Calificación de las lesiones.*

Para la calificación de las lesiones será necesario, en todo caso, el dictamen médico emitido por el Equipo de Valoración de Incapacidades de la Dirección Provincial del Instituto Nacional de la Seguridad Social, de la residencia del interesado.

En aquellas provincias en que no se haya constituido el Equipo de Valoración de Incapacidades del Instituto Nacional de la Seguridad Social los dictámenes médicos serán emitidos por las Unidades de Valoración Médica de Incapacidades u órgano equivalente del servicio público de la salud de la Comunidad Autónoma correspondiente.

No obstante lo previsto en los párrafos anteriores, la calificación de las lesiones, en los supuestos de militares, miembros del Cuerpo de la Guardia Civil o funcionarios del Cuerpo Nacional de Policía, también podrá efectuarse por sus respectivos tribunales médicos.

## Art. 10. *Pagos a cuenta.*

1. El sistema de pagos a cuenta se aplicará únicamente para los supuestos de incapacidad temporal y de lesiones invalidantes.

En tales casos, a instancia de parte, o de oficio por la Administración en aquellos supuestos en que el afectado se viera imposibilitado para ello, las Delegaciones o Subdelegaciones del Gobierno correspondientes al lugar del hecho delictivo o de residencia de la víctima, instruirán un expediente con carácter de urgencia en el que, acreditado y determinado el hecho delictivo como terrorista, y la titularidad del derecho al resarcimiento, emitirán informe sobre reconocimiento del derecho a la concesión de ayuda a cuenta de la que definitivamente proceda. Dicho expediente se remitirá a la Subdirección General de Atención al Ciudadano y de Asistencia a las Víctimas del Terrorismo del Ministerio del Interior, a efectos de determinación de la procedencia de la concesión del pago a cuenta.

2. Dicha unidad, previo trámite de audiencia a los interesados, propondrá al Secretario general técnico del Ministerio del Interior la resolución correspondiente, que pondrá término a la vía administrativa.

3. Las cantidades adelantadas se abonarán por trimestres vencidos, y en cuan-

tía no inferior a la resultante de multiplicar por cien el salario mínimo interprofesional diario vigente, en la fecha en que se produjo la lesión.

4. El primer abono tendrá lugar una vez transcurridos cien días desde que se produjo el hecho terrorista siempre que se hubiera dictado la resolución que acuerde la concesión de los pagos, y estará supeditado a la presentación del documento que acredite la situación de baja o incapacidad. Para los sucesivos abonos, de periodicidad trimestral, será igualmente necesaria la acreditación de dicha situación.

5. El plazo máximo por el que se podrán conceder los pagos a cuenta será de dieciocho meses.

6. Una vez concedida el alta y con informe de los Equipos de Valoración de Incapacidades del INSS o, en su caso, de las Unidades de Valoración Médica de Incapacidades u organismo equivalente de los servicios sanitarios de las Comunidades Autónomas a que hace referencia el artículo 9 y, en todo caso, transcurrido el plazo de dieciocho meses previsto en el apartado anterior, se tramitará expediente para el pago total del resarcimiento que proceda del que, previamente, se descontarán aquellas cantidades que fueron abonadas a cuenta.

## CAPÍTULO III
*Ayudas de estudio*

### Art. 11. *Beneficiarios. Contenido y clases de ayudas.*

1. Se concederán ayudas de estudio cuando, como consecuencia de un acto terrorista, se deriven para el propio estudiante, o para sus padres, tutores o guardadores, daños personales que sean de especial trascendencia, o los inhabiliten para el ejercicio de su profesión habitual. La especial trascendencia de los daños será valorada por el Ministerio del Interior, atendiendo a la repercusión de las lesiones sufridas, en la vida y en la economía familiar de la víctima, y en los supuestos de muerte y de lesiones invalidantes.

2. Las ayudas de estudio podrán comprender tanto las destinadas a sufragar los precios de los servicios académicos y material escolar, como los de transporte, residencia fuera del domicilio familiar y atención compensatoria a la familia por la dedicación al estudio de alguno de sus miembros.

3. Las ayudas serán de dos clases: ordinarias y extraordinarias.

### Art. 12. *Ayudas ordinarias.*

1. La concesión y renovación de estas ayudas se ajustará, con las particularidades que más adelante se señalan, al sistema establecido en las convocatorias anuales de becas de carácter general del Ministerio de Educación y Cultura.

Los tipos de estudios cubiertos por las ayudas, las clases y cuantías de las mismas, los requisitos económicos y académicos, y las obligaciones de sus beneficiarios, serán las determinadas en las citadas convocatorias, que en todo caso comprenderán las especialidades siguientes:

a) Para computar el umbral de renta y patrimonio familiar permitido al beneficiario, se aplicará el coeficiente multiplicador 1,75 a los niveles máximos autorizados para cada curso académico por el Ministerio de Educación y Cultura.

b) Para calcular los rendimientos académicos mínimos admitidos a los beneficiarios de estas ayudas se corregirán las calificaciones medias señaladas en las referidas convocatorias con la multiplicación por un coeficiente reductor del 0,60.

c) Para conceder las ayudas correspondientes a los niveles obligatorios de enseñanza, que no aparezcan comprendidas en las convocatorias de becas de carácter general, se establecerá una percepción única equivalente a la cuantía señalada anualmente por el Ministerio de Educación y Cultura para las ayudas otorgadas en razón del carácter y régimen de centro a los alumnos de enseñanzas medias.

### Art. 13. *Presentación y plazos.*

1. Los peticionarios de las ayudas deberán cumplimentar el impreso de solicitud y acompañar la documentación que establezca al efecto el Ministerio de Educación y Cultura para cada convocatoria general de becas. Además, el citado impreso deberá ir acompañado de una certificación del Ministerio del Interior, acreditativa de la cualidad de víctima o beneficiario, que habilite al peticionario para acogerse a este régimen de concesión de becas. Esta condición se hará constar, igualmente, en la cabecera del impreso con la adición de las palabras «Ayudas al estudio para las víctimas del terrorismo».

2. Los plazos de presentación de las instancias serán los que se señalen en las convocatorias generales de becas del Ministerio de Educación y Cultura. No obstante, se podrán presentar fuera de estos plazos las solicitudes que traigan causa de un acto terrorista cometido con posterioridad al último plazo señalado. Las peticiones de ayuda se dirigirán, en cualquier caso, a la Subdirección General de Atención al Ciudadano y de Asistencia a las Víctimas del Terrorismo del Ministerio del Interior. Asimismo, todas las instancias se podrán presentar en las oficinas de Correos y en cualquiera de las dependencias señaladas en el artículo 38.4 de la Ley 30/1992, de 26 de noviembre.

### Art. 14. *Examen y resolución de solicitudes.*

1. Las solicitudes presentadas serán examinadas por los órganos que determine el Ministerio de Educación y Cultura que, tras efectuar los cálculos y verificaciones pertinentes, procederá a enviarlas convenientemente baremadas al Ministerio del Interior.

2. La concesión de las ayudas se acordará por Resolución de la Secretaría General Técnica del Ministerio del Interior, y la tramitación de los gastos y pagos a que dieran lugar se realizará con cargo a los créditos presupuestarios correspondientes a dicho Departamento.

### Art. 15. *Incompatibilidades.*

1. Ningún estudiante podrá recibir más de una beca por curso, de este régimen o del régimen general, aunque realice simultáneamente varios cursos o carreras. Las becas concedidas a las víctimas de terrorismo serán incompatibles con las percibidas por los mismos conceptos de otras Administraciones públicas o de instituciones privadas.

2. Las becas para residencia que pueda conceder el Ministerio del Interior serán incompatibles con las concedidas por las Mutualidades de Funcionarios y por Colegios o Fundaciones de Huérfanos de las Fuerzas Armadas y Cuerpos de Seguridad del Estado.

3. Se entenderán compatibles con las ayudas reguladas en los artículos anteriores, las becas-colaboración convocadas por el Ministerio de Educación y Cultura, las becas Erasmus y las becas Tempus.

### Art. 16. *Revisión y devolución.*

1. Las ayudas adjudicadas podrán ser revisadas por el órgano competente, exigiéndose su reintegro en los supuestos de error, ocultación o falseamiento de

datos, en los términos establecidos por el Reglamento del procedimiento para la concesión de ayudas y subvenciones públicas, aprobado por Real Decreto 2225/1993, de 17 de diciembre, y demás normas complementarias.

2. Las cantidades no reintegradas en el período voluntario de ingreso serán objeto de exacción por el procedimiento administrativo de apremio, de acuerdo con lo establecido en el vigente Reglamento General de Recaudación.

3. Las responsabilidades referidas se entienden sin perjuicio de las de orden académico o penal en que pudiera haber incurrido el peticionario.

### Art. 17. *Ayudas extraordinarias.*

Con independencia de las ayudas de carácter ordinario, sometidas al régimen anterior, la Secretaría General Técnica del Ministerio del Interior podrá conceder ayudas extraordinarias para paliar situaciones de necesidad personal o familiar no cubiertas, o cubiertas de forma insuficiente, por las ayudas ordinarias. Estas ayudas extraordinarias podrán ser solicitadas o promovidas de oficio, en caso de urgencia, por la Subdirección General de Atención al Ciudadano y de Asistencia a las Víctimas del Terrorismo, y su cuantía se relacionará con las fijadas para situaciones análogas en las convocatorias generales de becas, pudiendo, sin embargo, determinarse cuantía específica en los casos no asimilables.

### CAPÍTULO IV
*Asistencia psico-social*

### Art. 18. *Beneficiarios.*

Las víctimas, sus familiares o personas con quienes convivan, recibirán con carácter inmediato la asistencia psicológica y, en su caso, psicopedagógica que fueren precisas, a cuyo efecto la Administración General del Estado establecerá los oportunos conciertos con otras Administraciones públicas o con entidades privadas especializadas en dicha asistencia, bien se trate de organizaciones de carácter profesional, humanitario o de asociaciones de víctimas del terrorismo, con servicios específicos en la materia.

### Art. 19. *Servicios de intervención psicosocial inmediata.*

La Subdirección General de Atención al Ciudadano y de Asistencia a las Víctimas del Terrorismo contará con servicios especializados en intervenciones de emergencia para realizar cuantas actuaciones fueren precisas en orden a la atención personal, social y psicológica de las víctimas ocasionadas por los actos terroristas. Los citados servicios podrán ser concertados con organizaciones públicas o privadas especializadas en el auxilio o asistencia en situaciones de siniestro o catástrofe.

### Art. 20. *Tratamiento psicológico de secuelas.*

El tratamiento psicológico de las secuelas posteriores al atentado, al que tendrán derecho tanto las víctimas como los familiares o personas con quienes convivan, se podrá recibir, previa prescripción facultativa desde la aparición de los trastornos psicopatológicos causados o evidenciados por el atentado. A estos efectos, la Administración General del Estado podrá establecer los conciertos señalados en el artículo 18 para asegurar esta prestación en todo el territorio nacional.

En defecto de los referidos conciertos, o cuando éstos no cubrieren un área geográfica o una casuística especial determinada, la Administración General del Estado podrá financiar el coste de los tratamientos individuales requeridos. La ayuda correspondiente se percibirá por trimestres vencidos, previa presentación de las facturas originales de los gastos realizados y de los honorarios abonados a los profesionales intervinientes. Dicha ayuda no podrá sobrepasar la cantidad de 500.000 pesetas por tratamiento individualizado.

## Art. 21. *Asistencia psico-pedagógica.*

Los alumnos de Educación Infantil, Primaria y Secundaria Obligatoria que, como consecuencia de un acto terrorista sufrido por ellos mismos, sus familiares o personas con quienes convivan, padezcan problemas de aprendizaje o de adaptación social, podrán recibir apoyo psicopedagógico, prioritario y gratuito, de acuerdo con la normativa que regula la atención al alumnado con necesidades educativas especiales en los centros dependientes de la Administración General del Estado.

## Art. 22. *Procedimiento.*

Para ejercitar el derecho a esta prestación, en cualquiera de sus modalidades, se seguirá el siguiente procedimiento:

a) El interesado, sus padres o tutores, en el caso de menores de edad o incapacitados, formularán instancia dirigida a la Subdirección General de Atención al Ciudadano y Asistencia a las Víctimas del Terrorismo solicitando la correspondiente ayuda y acompañando el informe facultativo en el que se describa con precisión la situación o diagnóstico del paciente o del alumno, el tratamiento aconsejable y su duración aproximada.

b) La Subdirección General de Atención al Ciudadano y de Asistencia a las

Víctimas del Terrorismo, a la vista de la documentación recibida y de los informes que recabe en caso necesario, resolverá sobre el cauce y modalidad de la ayuda a recibir por el solicitante.

c) El expediente podrá ser reexaminado por la Secretaría General Técnica del Ministerio del Interior a la vista de la realización del tratamiento o asistencia si bien habrá de atenerse a lo dispuesto en el artículo 20, si se refiere a tratamiento psicológico de secuelas.

## Art. 23. *Incompatibilidades.*

La asistencia psicológica y psicopedagógica será incompatible con la de la misma naturaleza que pudieran prestar, por las mismas causas, otras Administraciones públicas.

## CAPÍTULO V
### *Daños materiales*

## Art. 24. *Daños resarcibles.*

Los resarcimientos por daños materiales comprenderán los causados en la vivienda habitual de las personas físicas, los producidos en establecimientos mercantiles e industriales, o en elementos productivos de las empresas, y los producidos en vehículos, con los requisitos y limitaciones establecidos en el presente Reglamento.

## Art. 25. *Daños en la vivienda habitual de las personas físicas.*

1. En las viviendas habituales de las personas físicas, los daños objeto de resarcimiento serán los sufridos en la estructura o elementos esenciales de dichas viviendas [Ley 13/1996, artículo 94.10.a)].

Se considerarán elementos esenciales reparables aquéllos cuya reposición resulte necesaria para que la vivienda recupere las condiciones de habitabilidad anteriores al siniestro, incluyéndose, por tanto, las instalaciones y mobiliario necesario a tales efectos.

2. Se entenderá por vivienda habitual, a los efectos del presente Real Decreto, la edificación que constituya la residencia de la persona durante un plazo de, al menos, seis meses al año. Igualmente se entenderá que la vivienda es habitual en los casos de ocupación de la misma desde tiempo inferior a un año, siempre que se haya residido en ella un tiempo equivalente, al menos, a la mitad del transcurrido desde la fecha en que hubiera comenzado la ocupación.

El resarcimiento se abonará a los propietarios de las viviendas o a quienes legítimamente hubieran efectuado o dispuesto la reparación.

3. Los resarcimientos tendrán carácter subsidiario respecto de cualesquiera otros reconocidos por las Administraciones públicas o derivados de contratos de seguro, y alcanzarán el valor total de la reparación, reduciéndose en cuantía igual al valor de otras indemnizaciones cuando concurran éstas [Ley 13/1996, artículo 94.10.a)].

4. La Administración General del Estado podrá encargar la reparación de las viviendas a empresas constructoras, abonando a éstas directamente su importe. Los contratos administrativos a que den lugar las obras de reparación se tramitarán por el procedimiento de emergencia previsto en el artículo 73 de la Ley 13/1995, de 18 de mayo, de Contratos de las Administraciones públicas. De efectuarse las reparaciones, los beneficiarios de los resarcimientos habrán de ceder a la Administración General del Estado las cantidades que por este concepto percibieran de otras Administraciones públicas o de entidades aseguradoras. Sin perjuicio de ello, la Administración General del Estado podrá celebrar convenios con otras Administraciones públicas, al objeto de que éstas asuman la ejecución de las obras de reparación, abonando aquélla su importe [Ley 13/1996, artículo 94.10.a)].

**Art. 26. *Supuesto especial de imposibilidad de reparación de la vivienda.***

Cuando el coste de las obras necesarias de reparación supere el 50 por 100 del valor actual del inmueble afectado, excluido el valor del terreno, el importe del resarcimiento se determinará en la forma que se indica a continuación:

a) Si el ocupante de la vivienda fuera el propietario de la misma o se tratara de vivienda familiar ocupada por uno de los cónyuges en virtud de resolución judicial, acuerdo entre ellos o por razones profesionales, el resarcimiento alcanzará el valor catastral que tuviera asignado ésta a efectos del Impuesto sobre Bienes Inmuebles.

b) Si el ocupante fuera arrendatario de la vivienda el importe del resarcimiento se determinará aplicando el 5 por 100 del valor indicado en el párrafo a) por cada uno de los años o fracción de años que en el momento de ocurrir la acción delictiva, faltara para concluir el tiempo de duración del contrato, sin que pueda exceder, en ningún caso, del 50 por 100 del indicado valor.

c) Si el ocupante lo fuera en virtud de derechos reales de usufructo, uso o habitación sobre la vivienda el importe del resarcimiento se determinará aplicando las reglas de valoración previstas en las normas del Impuesto sobre Transmisiones Patrimoniales y Actos Jurídicos Documentados, tomando como valor del pleno dominio el catastral correspondiente al inmueble destinado a vivienda.

### Art. 27. Daños en establecimientos mercantiles o industriales.

En el caso de establecimientos mercantiles o industriales, el resarcimiento comprenderá el 50 por 100 del valor de las reparaciones necesarias para poner nuevamente en funcionamiento dichos establecimientos con un máximo de 15.000.000 de pesetas por establecimiento. No serán resarcibles los daños causados a establecimientos de titularidad pública.

Los resarcimientos tendrán también carácter subsidiario respecto de cualesquiera otros reconocidos por las Administraciones públicas o derivados de contratos de seguro, reduciéndose proporcionalmente en las cuantías de otras indemnizaciones, cuando concurran éstas.

De estar situados los mencionados establecimientos en edificios de viviendas que sean objeto de obras de reparación conforme a lo previsto en el artículo 25, dichas obras podrán comprender también la reparación de los establecimientos, si bien sus titulares vendrán obligados a abonar a la Administración General del Estado o, en su caso, a la Administración pública que ejecutase la obra, el importe de la reparación, en lo que exceda del importe del resarcimiento calculado en la forma establecida en el presente artículo [Ley 13/1996, artículo 94.10.b)].

### Art. 28. Daños causados en vehículos.

Serán resarcibles los daños causados en vehículos cuando éstos se dediquen al transporte de personas o mercancías o, en general, constituyan elemento indispensable para el ejercicio de una profesión o actividad mercantil o laboral.

El resarcimiento comprenderá el importe de los gastos necesarios para su reparación, o el importe de su valor venal en caso de destrucción total del vehículo, así como en el supuesto en que el coste de reparación exceda del valor venal; y tendrá carácter subsidiario respecto de cualesquiera otros reconocidos por las Administraciones públicas o derivados de contratos de seguros, reduciéndose en cuantía igual al valor de dichos resarcimientos o indemnizaciones, de concurrir éstos [Ley 13/1996, artículo 94.10.c)].

### Art. 29. Daños en elementos productivos de las empresas.

Con independencia de los resarcimientos por daños previstos en los artículos anteriores, la Administración General del Estado podrá, en supuestos excepcionales y, en particular, cuando como consecuencia del acto terrorista, quedare interrumpida la actividad de una empresa, con riesgo de pérdida de sus puestos de trabajo, acordar la subsidiación de préstamos destinados a la reanudación de dicha actividad, que consistirá en el abono a la entidad de crédito prestamista, de la diferencia existente entre los pagos de amortización de capital e intereses al tipo de interés fijado por la entidad prestamista, y los que corresponderían al tipo de interés subsidiado.

El tipo de interés subsidiado será el del interés legal del dinero en el acto de formalización del préstamo menos tres puntos.

También podrá celebrar la Administración General de Estado convenios con entidades de crédito al objeto de que éstas establezcan modalidades de créditos a bajo interés, con la finalidad indicada en el párrafo precedente.

## CAPÍTULO VI
### Subvenciones

### Art. 30. *Objeto.*

El Ministerio del Interior podrá conceder subvenciones a las asociaciones cuyo objeto sea la representación y defensa de los intereses de las víctimas del terrorismo, y a las instituciones que realicen actividades asistenciales en favor de las mismas, en los términos y condiciones preceptuados por el artículo 81 del texto refundido de la Ley General Presupuestaria, aprobado por Real Decreto legislativo 1091/1988, de 23 de septiembre, por el Reglamento de procedimiento para concesión de ayudas y subvenciones públicas, aprobado por Real Decreto 2225/1993, de 17 de septiembre, y por lo dispuesto en el presente Reglamento.

### Art. 31. *Finalidad de las subvenciones.*

Las subvenciones de este orden habrán de dirigirse al cumplimiento de una o varias de las finalidades siguientes:

a) Apoyo al movimiento asociativo: financiación de los gastos generales de funcionamiento, coordinación y gestión de las entidades, dedicadas a la protección y representación de los derechos e intereses de las víctimas del terrorismo y de sus familiares, así como al apoyo técnico para el desarrollo de sus cometidos.

b) Programas de asistencia social: se subvencionarán preferentemente las actividades dirigidas a complementar la acción del Estado en el campo de la asistencia material, social o psicológica a las víctimas, individual o colectivamente consideradas, con especial atención hacia aquellas situaciones que no pudieran cubrirse con los tipos ordinarios de ayudas.

c) Programas de información y mentalización de la opinión pública sobre los efectos de la violencia terrorista en el cuerpo social y su especial incidencia en el colectivo de víctimas del terrorismo.

d) Programas de formación y de promoción destinados a facilitar la integración social y profesional de las víctimas, y a promocionar y perfeccionar la función del voluntariado en las tareas de ayuda a las mismas.

### Art. 32. *Beneficiarios.*

Las subvenciones podrán ser solicitadas por las asociaciones representativas de las víctimas del terrorismo, y por aquellas fundaciones, instituciones y entidades sin fines de lucro que desarrollen programas en el campo de la asistencia a las víctimas o que promocionen actividades sociales y culturales específicamente dirigidas a hacer posible la erradicación de la violencia terrorista.

Los solicitantes deberán acreditar su representatividad dentro del colectivo de víctimas del terrorismo, así como su capacidad para desarrollar la actividad para la que se demande la ayuda. No podrán concurrir a la concesión de nuevas subvenciones los beneficiarios de anteriores ayudas, que no las hubieran justificado en los plazos y la forma que establecieran sus respectivas normas reguladoras.

### Art. 33. *Procedimiento.*

El procedimiento para la concesión de subvenciones se iniciará, de acuerdo con el artículo 4 del Reglamento del procedimiento para la concesión de ayudas y subvenciones públicas, aprobado por Real Decreto 2225/1993, de 17 de diciembre, por solicitud de la asociación o entidad interesada en la subvención o de oficio, a través de convocatoria previa mediante Orden, publicada en el «Boletín Oficial del Estado».

Cada convocatoria establecerá los requisitos necesarios para concurrir a ellas y especificará el procedimiento para la concesión de las subvenciones convocadas. Podrán otorgarse subvenciones sin convocatoria previa cuando por la localización de la actividad, o la especificidad de la acción a desarrollar, solo fuera posible su ejecución a través de una única entidad actuante.

### Art. 34. *Criterios de valoración.*

Como pautas de valoración para la adjudicación de las subvenciones correspondientes a las actividades a financiar se tendrán en cuenta:

a) El grado de adecuación de las propuestas presentadas al cumplimiento de las finalidades determinadas en el artículo 31 de este Reglamento.

b) La capacitación organizativa y técnica, y la experiencia de la entidad solicitante para la realización de los proyectos presentados.

c) La coherencia entre los objetivos, los instrumentos y el presupuesto previsto, así como la posible inclusión de un sistema de evaluación de los resultados a obtener.

d) El grado de implantación social de la entidad solicitante y la exactitud del cumplimiento y justificación de actividades anteriormente financiadas.

### Art. 35. *Documentación de las solicitudes.*

Las solicitudes deberán acompañarse de la documentación siguiente:

a) Estatutos y código de identificación fiscal de la asociación o entidad peticionaria.

b) Descripción del proyecto o actividad para la que se solicita la subvención, con inclusión de su presupuesto.

c) Declaración de las subvenciones solicitadas hasta la fecha con la misma finalidad, indicando las efectivamente concedidas y sus cuantías respectivas.

d) Memoria de las actividades realizadas en los últimos cinco años.

e) Los demás documentos exigidos en las correspondientes convocatorias.

### Art. 36. *Evaluación de solicitudes y resolución.*

Para el examen y valoración de las solicitudes presentadas, la convocatoria preverá la constitución de una comisión que, previa la instrucción del procedimiento, formulará la propuesta de concesión de subvenciones, que serán otorgadas mediante Orden.

### Art. 37. *Justificación del cumplimiento de la finalidad de la subvención.*

La realización de las actividades o funciones para las que se haya concedido la subvención se justificará mediante la presentación de una memoria del cumplimiento de la finalidad perseguida y, en su caso, de las condiciones impuestas con motivo de la concesión, acompañada de los originales de las facturas o recibos de los gastos efectuados.

### Art. 38. *Abono de las subvenciones otorgadas.*

1. El abono de la subvención concedida se realizará previa presentación por las entidades de la documentación a que se refiere el artículo anterior y de la acreditación en la forma establecida por la reglamentación vigente, de encontrarse al corriente de pago de sus obligaciones tributarias y de Seguridad Social.

2. Para las actividades que precisen una financiación previa, se podrá acordar la entrega de hasta el 75 por 100 de

la cantidad otorgada, una vez dictada la resolución de concesión, condicionada o no a la constitución de una garantía equivalente en la Caja General de Depósitos, en cualquiera de las modalidades reguladas en el Reglamento de la misma, aprobado por el Real Decreto 161/1997, de 7 de febrero.

### Art. 39. *Concurrencia y revisión de las subvenciones.*

El importe de las subvenciones reguladas en este Real Decreto no podrá superar, por sí solo o en concurrencia con el resto de las ayudas recibidas de otros entes públicos o privados, el coste de la actividad a realizar por el beneficiario.

Toda alteración de los requisitos finalidad y condiciones de las subvenciones otorgadas podrá dar lugar a su modificación o revocación, debiendo el beneficiario proceder al reintegro, en su caso, de las cantidades percibidas, de acuerdo con lo previsto en la Ley General Presupuestaria.

### Art. 40. *Responsabilidad y régimen sancionador.*

Los beneficiarios de las subvenciones quedarán sometidos a las responsabilidades y régimen sancionador que sobre infracciones administrativas en materia de subvenciones establece el artículo 82 del texto refundido de la Ley General Presupuestaria; el Título IX de la Ley 30/1992, de 26 de noviembre, y el Reglamento del procedimiento para el ejercicio de la potestad sancionadora, aprobado por Real Decreto 1398/1993, de 4 de agosto.

# Otras publicaciones del autor

1. *Sobre una inadvertida modificación del art. 544 del Código penal*, en *Anuario de Derecho penal y Ciencias penales*, 1967.

2. *El delito de usura*, Casa Editorial Bosch, Barcelona, 1968.

3. *Delitos relativos a las casas de préstamos sobre prendas*, en *Revista de Estudios penitenciarios*, 1969.

4. *El correccionalismo de Concepción Arenal*, Centro de Publicaciones del Ministerio de Justicia, Madrid, 1969.

5. *Las quiebras punibles*, Casa Editorial Bosch, Barcelona, 1970.

6. *Las infracciones tributarias ante el Derecho penal español*, en *Anuario de Derecho penal y Ciencias penales*, 1971.

7. *Los juegos ilícitos*, Monografías de la Universidad de Santiago de Compostela, 1971.

8. *La libertad religiosa y la reforma de 1971 del Código penal español*, en *Anuario de Derecho penal y Ciencias penales*, 1972.

9. *Los delitos contra el Jefe del Estado y la reforma de 1971 del Código penal español*, en *Temas penales*, Santiago de Compostela, 1973.

10. *¿Es legalmente ejecutable la pena de muerte en España?*, en *Ensayos penales*, Santiago de Compostela, 1974.

11. *Descubrimiento y revelación de secretos*, en *III Jornadas de Profesores de Derecho penal*, Santiago de Compostela, 1975.

12. *Política criminal del aborto*, Casa Editorial Bosch, Barcelona, 1976.

13. *La amnistía en España*, Editorial Cuadernos para el Diálogo, Madrid, 1976.

14. *Las consecuencias jurídicas del delito*, 1ª edición, Casa Editorial Bosch, Barcelona, 1976.

15. *Sobre la denominación y naturaleza del Derecho penal*, en *Estudios penales*, Santiago de Compostela, 1977.

16. *Los fraudes colectivos*, Casa Editorial Bosch, Barcelona, 1978.

17. *Los juegos de azar ante el Derecho penal español,* en *Cuadernos de Política criminal*, 1978.

18. *En torno al Proyecto Sáinz de Andino de Código criminal*, en *Anales de la Universidad*, Murcia, 1980; aparecida también en el *Libro homenaje al profesor J. Antón Oneca*, Universidad de Salamanca, 1982.

19. *Voluntaria interrupción del embarazo y Derecho penal*, en *Cuadernos de Política criminal*, 1980; aparecida también en *Derecho y proceso*, Universidad de Murcia, 1980.

20. *Un Proyecto regresivo en tema de aborto*, en *La reforma penal y penitenciaria*, Universidad de Santiago de Compostela, 1980; aparecida también en *La despenalización del aborto*, Universidad Autónoma de Barcelona, 1983.

21. *La abolición de la pena de muerte en España*, en *Anuario de Derecho penal y Ciencias penales*, 1981; publicada también en el Homenaje al profesor Alfonso Otero, Santiago de Compostela, 1981.

22. *La voluntaria interrupción del embarazo y el Proyecto de Código penal español,* en *II Jornadas Italo-franco-luso-españolas de Derecho penal*, Avila-Alcalá de Henares, 1981.

23. *Las formas periféricas de usura en el Proyecto de Código penal,* en *Anuario de Derecho penal y Ciencias penales,* 1981.

24. *Eficacia espacial de las leyes penales españolas*, en *Estudios penales y criminológicos*, VI, Universidad de Santiago de Compostela, 1982.

25. *Diez años de Derecho penal y penitenciario en España (1970-1980)*, en *Estudios jurídicos en honor del profesor Pérez-Vitoria,* Casa Editorial Bosch, Barcelona, 1983.

26. *Las consecuencias jurídicas del delito*, 2ª edición, Casa Editorial Bosch, Barcelona, 1983.

27. *Prisión preventiva y penas privativas de libertad*, en *Estudios penales y criminológicos*, VII, Universidad de Santiago de Compostela, 1984.

28. *Las consecuencias jurídicas del delito,* 3ª edición, Casa Editorial Bosch, Barcelona, 1984.

29. *El arresto sustitutorio,* en *Comentarios a la legislación penal,* tomo V, volumen 1º, Edersa, Madrid, 1985.

30. *Rufianismo,* en *Comentarios a la legislación penal,* tomo V, volumen 2º, Edersa, Madrid, 1985.

31. *Disposición general aplicable a los delitos contra la honestidad,* en *Comentarios a la legislación penal,* tomo V, volumen 2º, Edersa, Madrid, 1985.

32. *Marginación y delincuencia patrimonial,* en *Estudios penales y criminológicos,* VIII, Universidad de Santiago de Compostela, 1985.

33. *El aborto y el futuro Código penal,* en *Revista de la Facultad de Derecho de la Universidad Complutense,* monográfico número 6; aparecida también en *Anales de Derecho,* Universidad de Murcia, 1985.

34. *Las consecuencias jurídicas del delito,* Editorial Tecnos, Madrid, 1985.

35. *Introducción al Derecho penal español,* Editorial Tecnos, Madrid, 1985.

36. *Jiménez de Asúa, universitario,* en *Revista de la Facultad de Derecho de la Universidad Complutense,* monográfico número 11, Madrid, 1986.

37. *La tímida despenalización del aborto en España,* en *Estudios penales y criminológicos,* X, Universidad de Santiago de Compostela, 1987.

38. *El médico y la omisión del deber de socorro,* en *Los derechos del enfermo,* Murcia, 1987.

39. *Introducción al Derecho penal español,* 2ª edición, Editorial Tecnos, Madrid, 1987.

40. *In memoriam. Agustín Fernández Albor,* en *Cuadernos de Política criminal,* 1987; publicado también en el *Anuario de Derecho penal y Ciencias penales,* 1988.

41. *El régimen abierto*, en *Estudios penales y criminológicos*, XI, Universidad de Santiago de Compostela, 1988.

42. *Las consecuencias jurídicas del delito*, 2ª edición, Editorial Tecnos, Madrid, 1988.

43. *La justicia penal en España*, Lección inaugural del curso académico 1988-89, Universidad de Murcia, 1988.

44. *La contrarreforma de 1988 en materia de tráfico de drogas*, en *Libro-Homenaje al profesor Antonio Beristain*, San Sebastián, 1989.

45. *El caso de la mujer de vida licenciosa*, en *Jueces para la Democracia*, 6, Madrid, 1989.

46. *El Juez de vigilancia y la Administración penitenciaria*, en *Estudios penales en memoria del profesor Agustín Fernández Albor*, Universidad de Santiago de Compostela, 1989.

47. *Introducción al Derecho penal español*, 3ª edición, Editorial Tecnos, Madrid, 1989.

48. *La desprotección de las víctimas en el Derecho español,* en *Victimología*, Servicio Editorial de la Universidad del País Vasco, 1990.

49. *La victimización del delincuente*, en *Victimología*, Servicio Editorial de la Universidad del País Vasco, 1990.

50. *La víctima y el juez*, en *Victimología*, Servicio Editorial de la Universidad del País Vasco, 1990.

51. *Protección del honor y Derecho penal*, en *Estudios penales y criminológicos*, XIII, Universidad de Santiago de Compostela, 1990.

52. *Victimología,* Tirant lo Blanch, Valencia, 1990.

53. *Las consecuencias jurídicas del delito*, 3ª edición, Editorial Tecnos, Madrid, 1991.

54. *El "delito" de insumisión*, en *Estudios penales y criminológicos*, XV, Universidad de Santiago de Compostela, 1992.

55. *Funciones y fines del Derecho penal*, en *Estudios en homenaje al profesor Mariano Hurtado Bautista*, Universidad de Murcia, 1992.

56. *Objeción de conciencia, insumisión y Derecho penal*, Tirant lo Blanch, Valencia, 1992.

57. *Latinoamérica y los crímenes de los poderosos*, en *Anuario de Derecho penal y Ciencias penales*, 1992.

58. *La reforma de los delitos contra el honor*, en *Estudios penales y criminológicos*, XVI, Universidad de Santiago de Compostela, 1993.

59. *Dos años, cuatro meses y un día*, en *Revista Xurídica Galega*, 1993.

60. *Servicio militar y Código penal*, en *Política criminal y reforma penal. Homenaje a la memoria del Prof. Dr. D. Juan del Rosal*, Madrid, 1993.

61. *Tráfico de drogas y represión*, en *Estudios penales y criminológicos*, XVII, Universidad de Santiago de Compostela, 1994.

62. *Temas penales*, PPU, Barcelona, 1994.

63. *La represión de los insumisos*, EUB, Barcelona, 1995.

64. *Introducción al Derecho penal español*, 4ª edición, Editorial Tecnos, Madrid, 1996.

65. *El abolicionismo penal*, en *Revista del Instituto de Ciencias penales y criminológicas*, Universidad Externado de Colombia, 1996.

66. *Las consecuencias jurídicas del delito*, 4ª edición, Editorial Tecnos, Madrid, 1996.

67. *Prisión provisional y régimen penitenciario*, en *Prisión provisional, detención preventiva y derechos fundamentales*, Ediciones de la Universidad de Castilla-La Mancha, 1997.

68. *El derecho a una muerte digna*, en *La Ley,* 1998.

69. *La represión de la delincuencia económica*, en *Jueces para la Democracia*, 31, 1998.

70. *El tipo básico de detención ilegal*, en *La Ley*, 1998.